AMADA IMORTAL

CB128801

JPA, 18.05.15

Obras da autora publicadas pela Editora Record

Amada imortal
Cair das trevas

Cate Tiernan

AMADA IMORTAL

Tradução
Regiane Winarski

5ª edição

GALERA RECORD
RIO DE JANEIRO • SÃO PAULO
2013

CIP-BRASIL. CATALOGAÇÃO NA FONTE
SINDICATO NACIONAL DOS EDITORES DE LIVROS, RJ

Tiernan, Cate
T443a Amada imortal/Cate Tiernan; tradução Regiane Winarski.
5ª ed. - 5ª ed. - Rio de Janeiro: Galera Record, 2013.

Tradução de: Immortal Beloved
ISBN 978-85-01-09265-6

1. Ficção americana. I. Winarski, Regiane. II. Título.

12-7004 CDD: 813
CDU: 821.111(73)-3

Título original em inglês:
Immortal Beloved

Copyright © 2010 by Gabrielle Charbonnet

Publicado mediante acordo com Rights People, London.

Todos os direitos reservados.
Proibida a reprodução, no todo ou
em parte, através de quaisquer meios.
Os direitos morais do autor foram assegurados.

Texto revisado pelo novo Acordo Ortográfico da Língua Portuguesa.

Composição de miolo: Abreu's System
Ilustração de capa: © Ella Tjader
Foto de capa: DKP © Getty Images
Adaptação de capa original: Renata Vidal da Cunha

Direitos exclusivos de publicação em língua portuguesa somente para o Brasil adquiridos pela
EDITORA RECORD LTDA.
Rua Argentina, 171 - Rio de Janeiro, RJ - 20921-380 - Tel.: 2585-2000,
que se reserva a propriedade literária desta tradução.

Impresso no Brasil

ISBN 978-85-01-09265-6

Seja um leitor preferencial Record.
Cadastre-se e receba informações sobre nossos
lançamentos e nossas promoções.

Atendimento e venda direta ao leitor:
mdireto@record.com.br ou (21) 2585-2002.

EDITORA AFILIADA

Com amor, para meu marido, Paul —
o portador de coisas incondicionais.
Seu amor e apoio tornam tudo possível.

Com apreço e carinho para Erin Murphy,
por segurar a minha mão,
torcer por mim e por
sua intuição esclarecedora.

Obrigada.

CAPÍTULO 1

Ontem à noite meu mundo inteiro desabou. Agora estou fugindo, com medo.

Já aconteceu de você estar seguindo em frente, vivendo sua vida, vivendo a sua realidade e, de repente, acontece uma coisa que parte seu mundo ao meio? Você vê ou ouve alguma coisa, e, de repente, tudo o que você *é*, tudo o que está *fazendo,* se estilhaça em mil pedaços graças a uma amarga percepção?

Aconteceu comigo na noite de ontem.

Eu estava em Londres. Com meus amigos, como sempre. Estávamos saindo à noite, como sempre.

— Não, não, vire aqui! — Boz se inclinou para a frente e cutucou o motorista do táxi no ombro. — Aqui!

O motorista, os ombros enormes e largos mal cabendo num suéter e num colete de lã quadriculado, se virou e lançou a Boz um olhar que teria feito uma pessoa normal voltar para o seu lugar e ficar muito quieta.

Mas Boz não se parecia em nada com uma pessoa normal: era mais bonito do que a maioria, mais escandaloso do que a maioria, mais engraçado do que a maioria e, só Deus sabe, mais burro do que a maioria. Tínhamos acabado de sair de uma boate onde, do nada, havia começado uma briga de faca. Duas garotas malucas puxavam cabelos e gritavam palavrões, e então uma delas sacou uma faca. Meu grupo quis ficar e assistir — eles adoravam coisas assim —, mas, você sabe, basta ter visto uma briga de faca para saber como são todas. Eu os arrastei dali e caímos na noite, dando a sorte de pegar um táxi antes que o frio nos deixasse sóbrios.

— Aqui! Bem no meio do quarteirão, meu bom homem! — disse Boz, ganhando do motorista um olhar assassino que me deixou agradecida mais uma vez pela restrição a porte de armas na boa e velha Inglaterra.

— Meu bom homem? — falou Cicely ao meu lado, prendendo o riso.

Nós seis estávamos espremidos na parte de trás desse grande táxi preto. Mais gente podia ter ido conosco, mas achamos que seis imortais bêbados era o máximo que um táxi londrino podia suportar, e isso se ninguém vomitasse.

— Sim, Jeeves* — prosseguiu Cicely com alegria. — Pare aqui.

O motorista enfiou o pé no freio e todos fomos lançados para a frente. Boz e Katy bateram com a cabeça na divisória de vidro entre nós e o motorista. Stratton, Innocencio e eu fomos catapultados dos nossos lugares, caindo no chão sujo do táxi rindo, um por cima do outro.

— Ei! — falou Boz, esfregando a testa.

Innocencio me encontrou no meio do emaranhado de braços e pernas.

— Você está bem, Nas?

Fiz que sim, ainda rindo.

— Saiam do meu táxi! — gritou o motorista.

Ele saltou do banco da frente, deu a volta e abriu nossa porta. Eu estava encostada nela, e caí imediatamente na sarjeta, batendo a cabeça no meio-fio de pedra.

— Ai! Ai!

A sarjeta estava molhada, pois obviamente estivera chovendo. A dor, o frio e a umidade mal foram percebidos por mim — tirando a briga de faca, a noite de celebração intensa tinha me envolvido num casulo quente de bem-estar confuso.

— Fora! — falou de novo o motorista, me pegando pelos ombros para que eu saísse do caminho. Ele me largou na calçada e esticou o braço na direção de Incy.

---

* Reginald Jeeves, personagem de P.G. Wodehouse, cujo nome foi popularizado para se referir genericamente a mordomos e motoristas. (*N. da T.*)

Certo, nesse ponto dei um oi para a raiva e recobrei um pingo de consciência. Franzi a testa e massageei meu ombro, sentando ao mesmo tempo. Estávamos a um quarteirão do Dungeon, outro decadente bar subterrâneo aonde costumávamos ir. E mesmo a tão pouca distância de lá, a rua estava escura e deserta, com terrenos vazios se alternando com casas incendiadas onde se fumava crack, dando à rua a mesma aparência de uma boca banguela.

— Tudo bem, tire as mãos de mim! — disse Innocencio, caindo na calçada ao meu lado. O rosto dele estava crispado de fúria e ele parecia mais desperto do que eu imaginaria.

— Malditos! — rosnou o motorista. — Não quero ninguém do seu tipo no meu táxi! Garotos ricos que acham que são melhores do que todo mundo! — Ele se inclinou para dentro do táxi, pegando o colarinho do casaco de Katy enquanto Boz saía sozinho.

— Argh, vou vomitar — disse Katy, metade dentro, metade fora do táxi. Boz saiu do caminho com um salto na hora em que o organismo de Katy se purificou de uma noitada de uísque Jameson, bem nos sapatos do motorista.

— Puta merda! — gritou o motorista, sacudindo os pés com nojo.

Boz e eu rimos. Não conseguimos controlar. Sr. Motorista de Táxi Malvado.

O motorista pegou os braços de Katy com a intenção de jogá-la na calçada e, de repente, Incy murmurou alguma coisa e abriu as mãos.

Tive uma fração de segundo para pensar "Hã?" e então o motorista do táxi cambaleou como se tivesse sido atingido por um machado. Katy escapou das mãos dele e ele se encolheu, a coluna se curvando quase no meio. Então o homem foi lançado para trás, caindo pesadamente no asfalto, o rosto pálido e os olhos arregalados.

Uma onda de náusea e cansaço tomou conta de mim — talvez eu tivesse bebido mais do que pensava.

— Incy, o que você fez? — perguntei, perplexa, enquanto me levantava. — Usou magick* nele? — Dei uma risadinha. A ideia era meio ridícula. Eu me apoiei no poste, erguendo meu rosto para a neblina fria. Depois de respirar fundo algumas vezes, me senti melhor.

Katy piscou sem entender direito e Boz riu.

---

* Magick, o mesmo que magia, é um termo utilizado por ocultistas e não deve ser confundido com mágica ou truques. Antigamente chamada de Grande Ciência Sagrada, Magick é uma ciência oculta que estuda os segredos da natureza e sua relação com o homem. (*N. da T.*)

Innocencio ficou de pé, franzindo a testa enquanto olhava para as novas botas Dolce & Gabbana, agora respingadas de chuva.

Stratton e Cicely saíram pelo outro lado do táxi e se juntaram a nós. Olharam para o motorista, caído e paralisado no asfalto molhado, e balançaram a cabeça.

— Muito bem — disse Stratton para Incy. — Muito impressionante, Sr. Mágico. Pode deixar o pobre coitado se levantar agora.

Estávamos nos entreolhando e observando o motorista. Não conseguia me lembrar da última vez que tinha visto alguém usar magia assim. Bem, talvez para conseguir uma boa mesa em um restaurante ou para pegar o último trem do metrô...

— Acho que não, Strat — falou Innocencio, o rosto ainda crispado. — Acho que ele não é um cara muito legal.

Stratton e eu nos entreolhamos. Dei uma batidinha no ombro de Innocencio. Ele e eu éramos parceiros havia quase um século, e nos conhecíamos muito, muito bem, mas essa fúria e frieza eram coisas que eu não tinha visto muitas vezes.

— Certo, deixe-o então. Ele ficará bem em alguns minutos, né? Vamos, estou com sede. E acho que Katy também está agora.

Katy fez uma careta.

— Eca.

— É, vamos — disse Cicely. — Tem uma banda tocando hoje e quero dançar.

— Quando ele se recuperar, estaremos bem longe. — Dei um puxão na manga de Incy.

— Espere — disse Incy.

— Deixa ele — repeti. Eu me senti um pouco mal em deixar o motorista na garoa fria, mas ele ficaria bem quando o feitiço passasse.

Innocencio afastou minha mão, me pegando de surpresa. Enquanto eu observava, ele abriu as duas mãos em direção ao motorista, os lábios em movimento. Não ouvi o que ele disse.

Com um som alto e horrível de coisa se partindo, o motorista se contorceu para cima, uma vez, a boca se abrindo em um grito que ele não conseguia emitir.

Mais uma vez senti uma onda de náusea e parecia que meus olhos tinham sido cobertos por uma película escura. Pisquei várias vezes, esticando o braço para me apoiar no braço de Cicely. Ela riu quando cambaleei, obviamente culpando a bebida. Alguns momentos depois, minha visão clareou e eu me endireitei, olhando para Incy e para o motorista.

— Agora o quê? O que você *fez*?

— Ah, Incy — disse Stratton, balançando a cabeça. — Tsc, tsc. Um tanto desnecessário, sem dúvida. Bem, vamos em frente então. — Ele saiu andando pela calçada em direção ao Dungeon, fechando o casaco para se proteger do frio.

— Incy, o que você fez? — repeti.

Incy deu de ombros.

— O cara mereceu.

Katy, ainda um pouco pálida e enjoada, ficou olhando do motorista para Innocencio com cara de boba. Ela tossiu e balançou a cabeça com força, depois saiu andando com Stratton. Soltei o braço de Cicely e ela deu de ombros, pegando o braço de Boz. Eles seguiram os outros dois, e logo o som de seus passos desapareceu na escuridão.

— Incy — falei, surpresa pelos outros terem ido embora. — Incy, você... quebrou a coluna dele com magick? Onde aprendeu a fazer uma coisa dessas? Não... você não fez isso. Não é?

Incy olhou para mim nessa hora, uma leve expressão de divertimento no rosto misterioso, moreno e belo. Os cachos negros estavam salpicados de pequenos diamantes de chuva, brilhando com a iluminação da rua.

— Querida. Você viu como ele era — disse ele.

Olhei para ele, depois para o motorista, ainda imóvel, o rosto uma máscara de dor e pavor.

— Você quebrou a *coluna* dele? — repeti, me sentindo repentinamente sóbria e consciente de uma maneira horrível. Meu cérebro saltava ao redor do pensamento como se ele fosse uma brasa quente a ser evitada. — Você usou magick para... Meu Deus. Certo, muito bem, vá em frente e conserte-o então. Quero uma bebida, mas posso esperar.

Eu mesma não podia ajudar o motorista. Não fazia ideia de onde Incy tinha aprendido um feitiço como aquele, e nem como anulá-lo, desfazê-lo, sei lá. Na maior parte do tempo eu me esquivava de magick, a magia com a qual os imortais nascem, que faz parte de nós naturalmente. Era problema demais e geralmente me fazia passar mal. Na última vez que eu tinha me interessado por ela, o máximo que fiz foi conseguir que uma pessoa desse de cara com uma porta ou derramasse café em si mesma. E isso tinha sido séculos atrás. Nada como aquilo que acabara de acontecer.

Innocencio me ignorou e olhou para o motorista.

— Certo, camarada — disse ele em voz baixa.

Os olhos do motorista, enlouquecidos de choque e dor, se focaram com dificuldade.

— É isso que acontece quando se é grosseiro com meus amigos, está vendo? Espero que tenha aprendido uma lição.

O motorista não conseguia nem gemer, e me dei conta de que ele estava sob um feitiço de silêncio. Eu só tinha visto um desses uma vez ou duas em centenas de anos. Quanto mais...

— Vamos lá, desfaça — falei com impaciência. Nunca tinha visto Incy assim, fazendo uma coisa dessas. — Já deu uma lição nele. Os outros estão esperando. Desfaça para que possamos ir.

Incy ergueu os ombros e os soltou, depois pegou minha mão de uma maneira grosseira e dolorosa.

— Não sei desfazer, meu amor — disse ele, e levou minha mão até os lábios para beijá-la. Ele me puxou em direção ao Dungeon, e olhei para trás na direção do motorista.

— Não sabe desfazer? Você quebrou a coluna dele *para sempre*? — Fiquei olhando para Incy, meu melhor amigo havia um século. Ele sorriu para mim, o belo rosto angelical com uma auréola provocada pela luz do poste.

— Se você vai fazer um trabalho, que faça por inteiro — disse ele alegremente.

Meu queixo caiu.

— O que vem depois, vai botar Stratton num cortador de madeira?

O tom de voz foi subindo enquanto a névoa crescente molhava meu rosto. Incy riu, beijou meu cabelo e me empurrou para a frente. No decorrer desses instantes, vi uma coisa diferente nos olhos dele; mais do que indiferença, mais do que uma necessidade casual de vingança. Incy tinha gostado de quebrar a coluna daquele homem, gostara de ver alguém se contorcendo de dor e medo. Tinha sido *excitante* para ele.

Meu cérebro deu uma reviravolta. Será que eu devia ligar para a emergência? Seria tarde demais para o motorista? Será que ele ia morrer, já estava morrendo? Afastei-me de Incy e comecei a me virar para voltar, mas em poucos segundos senti as batidas vibrantes da música de alguma banda, passando pelo chão e chegando aos meus sapatos. O Dungeon parecia outro mundo, outra realidade, me chamando, me atraindo com seu barulho, me permitindo deixar o terrível choque do motorista paralisado do lado de fora. Eu queria tanto apenas me deixar levar.

— Incy... mas... você tem...

Incy me lançou um olhar divertido, e um minuto depois estávamos descendo um íngreme lance de escadas escorregadio por causa da chuva. Fiquei dividida pela indecisão quando Incy ergueu o punho e bateu na porta pintada de vermelho. Senti como se tivéssemos descido a escada para o inferno e estivéssemos esperando para ser aceitos. Uma pequena fresta foi aberta na porta e Guvnor, o segurança, fez um gesto para nós. A porta se abriu e o som alto de música veio em nossa direção e nos atraiu para dentro, para a escuridão iluminada por pontas de cigarro, as centenas de vozes competindo com o som da banda, o cheiro de álcool suavemente chegando a mim cada vez que eu inspirava.

O motorista, do lado de fora — aquela pareceu ser minha última chance. Minha última chance de tomar uma atitude, de agir como uma pessoa que se importava, como uma pessoa normal.

— Nasty! — Fui envolvida por um abraço enorme e um tanto sem equilíbrio. — Amei seu cabelo! — gritou minha amiga Mal o mais alto que pôde no meu ouvido. — Vamos dançar! — Ela colocou o braço em torno dos meus ombros e me puxou para o salão escuro e de teto baixo.

Hesitei apenas um segundo.

E foi assim, de repente, que me permiti deixar o mundo exterior para trás, me permiti desaparecer no barulho e na fumaça. Fiquei horrorizada, e, se você soubesse o tipo de coisa em que eu costumava me meter, essas palavras teriam pesado muito mais para você. Afastei-me de Incy, sem saber o que pensar. Ele tinha acabado de fazer o que eu achava que devia ser a pior coisa que eu o tinha visto fazer. Pior do que o incidente com o cavalo daquele prefeito nos anos 1940. Pior do que com aquela pobre garota que quis se casar com ele nos anos 1970. Aquilo tinha sido um desastre. Eu conseguira lidar com aquilo tudo sozinha, fiz com que fizessem sentido para mim. Mas dessa vez estava sendo mais difícil.

Me dando um último e lindo sorriso, Incy mirou a multidão que já emitia sinais de interesse, tanto de garotas como de garotos. Incy era irresistível, um ímã sedutor, e a maioria das pessoas, tanto humanas quanto imortais, ficava indefesa sob o encanto que escondia, um lado que ficou, de repente, muito mais sombrio do que eu imaginava.

Vinte minutos depois, eu estava aos amassos em um sofá nojento com Jase, amigo de Mal, que estava bêbado e era um amor. Eu queria me afundar nele, ser outra pessoa, ser a pessoa que Jase via ao me olhar. Ele não era imortal, e não sabia que eu era, mas era uma distração bem-vinda à qual me entreguei desesperadamente. As pessoas conversavam e fumavam e bebiam ao redor de nós enquanto eu passava as mãos por debaixo da camisa dele e ele enroscava as pernas em mim. Ele enfiou os dedos no meu cabelo preto curto, e com um choque repentino senti uma brisa morna inesperada no pescoço.

Eu já estava me afastando dele, pegando minha echarpe e rapidamente a enrolando em torno do pescoço quando ouvi Incy dizer:

— Nas? O que é isso na sua nuca?

Olhei por cima do ombro para Incy, que estava parado na beirada do sofá, uma bebida em uma das mãos, um longo cigarro ardendo na outra. Seus olhos eram buracos negros, brilhando para mim na escuridão.

Meu coração batia com força. *Não reaja de forma exagerada, Nasty.*

— Nada. — Dei de ombros e caí nos braços de Jase, e ele me abraçou de novo.

— Nas? — A voz de Incy era baixa, porém determinada. — Sabe, não me lembro de já ter visto sua nuca, agora que pensei nisso.

Forcei uma risadinha e olhei para ele quando Jase tentou me beijar de novo.

— Não seja doido, é claro que viu. Agora me deixe em paz. Estou ocupada

— É uma tatuagem?

Apertei mais minha echarpe em volta do pescoço.

— É. Está escrito: *Se você consegue ler isso, está perto demais.* Agora cai fora!

Incy riu, para meu alívio, e se afastou. Quando o vi pela última vez, uma garota bonita com um vestido de cetim apertado estava se enroscando nele como uma cobra.

E não me permiti pensar no motorista de táxi de novo. Quando o pensamento, a visão, se intrometia, eu apertava bem os olhos e bebia mais um pouco. Mas na manhã seguinte tudo voltou com força: o rosto do motorista, a dor impressa nele. Ele jamais andaria e jamais dirigiria de novo, porque Innocencio tinha partido sua coluna e o deixado numa rua chuvosa de Londres, pior do que morto.

E eu não tinha feito nada, *nada*. Eu fui *embora*.

A coisa boa de ser imortal é que não dá pra beber até morrer literalmente, como acontece com alguns universitários. A coisa ruim de ser imortal é que não dá pra beber até morrer literalmente, então você acorda na manhã seguinte, ou talvez dois dias depois, e sente tudo o que não precisaria sentir se tivesse tido a sorte de morrer.

Estava meio claro lá fora quando finalmente abri meus olhos por mais do que alguns segundos. Dei uma examinada no quarto e vi uma janela. A luz que entrava era pálida e meio rosada, o que significava anoitecer ou amanhecer. Era um ou o outro. Ou talvez o bairro estivesse em chamas. Era sempre uma possibilidade.

Eu sabia que seria ruim tentar me sentar, então fui devagar, mexendo uma pequena parte de mim de cada vez. A última coisa foi a cabeça, que ergui com cautela a alguns centímetros do colchão. As rosas amarelas desbotadas do colchão lentamente foram ficando nítidas. Só colchão, sem lençol. Janela com luz. Paredes de tijolo pintadas de cor escura, como uma fábrica ou algo parecido.

Virei minha cabeça devagar e vi outro corpo adormecido, um cara com cabelo verde espetado, uma grossa corrente de prata ao redor do pescoço, uma tatuagem retorcida de dragão cobrindo a maior parte das costas. Hum, Jeff? Jason? Jack? Alguma coisa com J, eu tinha quase certeza.

Atingi uma posição quase sentada vários minutos depois, e aí imediatamente senti uma náusea quando meu corpo tentou se livrar das toxinas que eu tinha ingerido na noite anterior.

Não cheguei até o banheiro. Foi mal, Jeff.

Sentindo-me vazia, trêmula e desejando que a imortalidade não fosse tão incrivelmente literal, vi que ainda estava totalmente vestida, o que significava que ou o carinha com J ou eu, ou até mesmo os dois, estava chapado demais para aprofundar... nosso contato na noite de ontem. Melhor assim. Por reflexo, procurei a echarpe e a encontrei ainda amarrada no meu pescoço. Relaxei um pouco, depois me lembrei de Incy parado ao meu lado, perguntando sobre a marca na minha nuca. Não consegui acreditar que aquilo tinha acontecido na mesma noite do motorista. Engoli em seco, fiz uma careta e decidi pensar nisso depois.

Minha jaqueta de couro e uma das minhas lindas ankle boots de pele de lagarto verde tinham sumido inexplicavelmente, então peguei o pé que encontrei e saí furtivamente, embora nem mesmo um terremoto pudesse acordar Jay. Eu tinha certeza de que ele estava vivo — o peito dele parecia subir e descer. Eu me lembrava vagamente de tomar duas bebidas a cada uma que ele tomava.

Passei por cima de mais dois corpos adormecidos ao sair. Era um prédio grande que parecia um armazém, provavelmente nos arredores da cidade. Meu ombro e minha bunda doíam, e todos os outros músculos reclamaram quando desci mancando os degraus industriais de tijolo. Estava muito frio do lado de fora, e o vento jogava lixo de um lado para o outro na rua deserta.

Pelo menos não estava chovendo, pensei, e aí tudo voltou para o meu cérebro, contra minha vontade: a noite anterior, tudo o que tínhamos feito, a chuva, a briga de faca, eu caindo na calçada, Incy quebrando a coluna do motorista, eu quase perdendo a echarpe na boate, na frente de todo mundo. Meu estômago se revirou de novo e parei por um momento, inspirando o ar frio enquanto examinava os detalhes, o horror tomando conta de mim de novo. Onde Innocencio tinha aprendido aquele tipo de magick? Pelo que eu sabia, ele não tinha demonstrado conhecer nenhuma e, no século que passamos juntos, eu nunca o vira fazer muito, e certamente nada tão grandioso e sombrio. Nenhum dos amigos em nosso círculo imediato tinha aprimorado as habilidades de usar magia. Recostei-me na parede de concreto pichada do armazém para enfiar o pé descalço na única bota que me restara.

O ar frio penetrou no meu nariz e fez com que ele começasse a escorrer, então de repente a manhã ficou horrivelmente iluminada, horrivelmente clara. Incy tinha feito uma coisa horrível na noite anterior com magia poderosa, do nada. E eu tinha feito uma coisa tão horrível quanto ele, mesmo não tendo nada a ver com magick. Tinha assistido Incy quebrar a coluna daquele cara, e então simplesmente... fui embora. Fui embora para *dançar em uma boate.* Qual era meu problema? Como pude fazer aquilo? Será que alguém tinha encontrado o motorista à noite? Alguém provavelmente o encontrara, claro. Apesar de aquele bairro ser praticamente deserto. Apesar de ter sido tarde da noite. E de estar chovendo. Mesmo assim, alguém devia tê-lo encontrado e o levado para o hospital. Certo?

E, para completar, Incy tinha visto a marca na minha nuca. E podia muito bem não ter se esquecido. Que irônico. Eu tinha a obsessão de manter o pescoço coberto o tempo todo nos últimos 449 anos e, de repente, uma noite, esse esforço foi por água abaixo. Incy saberia o significado do que tinha visto? Como? Ninguém sabia. Ao menos ninguém que ainda estivesse vivo. Então por que eu estava com tanto medo?

E todos esses pensamentos horríveis e febris levam ao começo.

Ontem à noite meu mundo inteiro desabou. Agora estou fugindo, com medo.

CAPÍTULO 2

Depois de alguns dos eventos que testemunhei, a noite com Incy/motorista/magick/nuca devia ter se parecido com uma festa. Já corri na noite, agarrada à crina de um cavalo, com nada além das roupas do corpo, enquanto uma cidade atrás de mim ardia em chamas. Já vi corpos cobertos com as feridas purulentas da peste bubônica, em pilhas enormes nas ruas da cidade, como troncos, porque não havia gente viva o suficiente para enterrá-los. Eu estava em Paris no dia 14 de julho de 1789. Não se esquece a imagem de uma cabeça humana enfiada numa estaca.

Mas não estávamos em guerra agora. Vivíamos uma vida normal, ou tão normal quanto um imortal pode ter. Quero dizer, sempre tem um pouquinho de surrealismo. Se você vive tempo o bastante, passando por guerras, invasões e ataques de inimigos do norte, você acaba se defendendo, às vezes a um ponto extremo. Se alguém vai para cima de você com uma espada e você tem uma adaga escondida na parte de trás da saia, bem...

Mas isso era diferente. Não importava que o agressor provavelmente não fosse matar você — com que frequência alguém decapita a gente? —, ainda *parecia* uma situação de vida ou morte, e você reagia como se fosse. Mas a noite anterior tinha sido... apenas uma noite normal. Nada de guerra, nada de guerreiro nórdico, nada de vida ou morte. Só um motorista puto da vida.

Onde Incy tinha aprendido aquele feitiço? Sim, somos imortais, temos magia correndo nas nossas veias, mas é preciso aprender como usar. Ao longo dos anos, conheci pessoas que se dedicavam arduamente a estudar magick, a aprender feitiços, a aprender o que fosse preciso para fazer uso dela. Mas concluí, muito tempo antes, que eu não queria. Já tinha visto a morte e a destruição que a magia podia causar, já tinha visto o que as pessoas estavam dispostas a fazer por causa dela, e não queria envolvimento algum com isso. Queria fingir que ela não existia. E encontrei alguns aefrelyffen (uma antiga palavra para imortais) com pensamento similar, e ficávamos juntos.

Certo, talvez eu usasse magia para conseguir um táxi quando estava chovendo e não tinha nenhum por perto. Para fazer a pessoa na minha frente não querer o último *pain au chocolat*. Esse tipo de coisa. Mas para partir a coluna de alguém, por diversão?

Eu já tinha visto Incy usar as pessoas, partir o coração de moças e rapazes, roubar, ser insensível — e isso tudo era parte do seu charme. Ele era impulsivo e egoísta e aproveitador — mas não comigo. Comigo ele era doce e generoso e engraçado e divertido, disposto a ir a qualquer lugar, fazer qualquer coisa. Era ele quem me chamava para ir ao Marrocos de uma hora para outra. Era para ele que eu ligava para me tirar de uma situação complicada. Se algum cara não aceitava não como resposta, Incy aparecia, com seu sorriso cruel. Se alguma mulher fizesse um comentário maldoso, a resposta de Incy a deixava constrangida na frente de todo mundo. Ele me ajudava a escolher o que vestir, comprava para mim coisas fabulosas em todos os lugares para onde ia, nunca me criticava, nunca me fazia me sentir mal. E eu fizera o mesmo por ele — até quebrando uma garrafa na cabeça de uma mulher uma vez quando ela foi atrás de Incy com uma lixa de unha de metal. Subornei porteiros, menti para guardas e policiais e fingi ser sua mulher ou irmã — até mesmo sua amante enfurecida —, dependendo do que a situação exigisse. Ríamos disso tudo depois, até as lágrimas rolarem. O fato de que nunca tínhamos sido amantes, de que nunca houve aquele constrangimento entre nós, só tornava tudo mais perfeito.

Ele era meu melhor amigo — o melhor amigo que eu já tivera. Vivíamos grudados havia quase um século, então era incrível que ele tivesse conseguido me chocar na noite de ontem. E incrível que nossos outros amigos não tivessem ficado chocados. E incrível, até mesmo para mim, que eu tenha conseguido chegar a um nível ainda mais baixo. O baixo nível da indiferença. O baixo nível da covardia. E, para completar, Incy tinha visto minha nuca. Não podia ficar melhor.

Quando cheguei ao meu apartamento de Londres, tomei um banho sentada no chão de mármore, deixando a água quente cair na minha cabeça por muito tempo, tentando tirar o álcool e o cheiro do armazém da pele. Eu nem conseguia dar nome ao que estava sentindo. Medo? Vergonha? Era como se eu tivesse acordado em uma vida diferente da de ontem de manhã e fosse outra pessoa. E essa vida e eu, de repente, éramos muito mais sombrios e repugnantes e perigosos do que eu tinha percebido.

Passei sabonete no corpo todo, praticamente sentindo o álcool escorrer pelos meus poros. Lavei meu cabelo, automaticamente evitando tocar em minha... não é uma tatuagem. Imortais fazem tatuagens, é claro, e elas duram muito tempo, talvez uns noventa anos. Outras cicatrizes se curam, vão clareando e desaparecem com muito mais rapidez e mais completamente do que nas pessoas comuns. Depois de uns dois anos, não dá mais para saber onde você se machucou ou se queimou.

Menos eu. A marca na minha nuca foi de uma queimadura, e eu a tinha desde os 10 anos. Nunca clareou, nunca se alterou, e a pele era meio deformada, em alto relevo. Era redonda, com uns 5 centímetros de diâmetro. Tinha sido provocada por um amuleto quente prensado contra minha pele 449 anos atrás Claro, apesar da minha paranoia, uma pessoa ou outra a viu, em mais de uma ocasião, ao longo desses quatro séculos e meio. Mas, pelo que eu sabia, ninguém que *ainda estivesse vivo* a tinha visto. Exceto Incy na noite de ontem.

Por fim, saí do banho, enrugada como uma ameixa seca. Vesti o roupão grosso que roubei de algum hotel, evitando me olhar no espelho. Eu me sentia como um fantasma, um espectro. Andei até a sala e vi o *London Times* no chão em frente à porta, para onde eu o tinha chutado. Levei-o até a cozinha, onde só encontrei um pacote velho de bolacha McVitie's e uma garrafa de vodca no freezer. Então me sentei no sofá e comi as bolachas velhas, passando os olhos pelo *Times*. Estava escondido no fim, antes dos óbitos, mas depois de coisas como os anúncios das bandeirantes. Dizia: *Trevor Hollis, 48, motorista de táxi autônomo, foi atacado na noite de ontem por um dos passageiros e teve a coluna quebrada. Está na UTI do Hospital St. James, sendo submetido a exames. Os médicos disseram que o paciente provavelmente ficará paralisado dos ombros para baixo. Trevor não conseguiu dizer o nome e nem descrever seu agressor. A esposa e seus filhos o estão acompanhando.*

Paralisado dos ombros para baixo. Se eu tivesse chamado uma ambulância, se tivesse conseguido ajuda antes, teria feito diferença? Quanto tempo ele tinha ficado caído, rígido de dor, sem conseguir gritar?

Por que não liguei para a emergência? O que havia de errado comigo? Ele podia ter morrido. Talvez ele tivesse preferido. Não poderia mais dirigir o táxi. Tinha esposa e filhos. Que tipo de marido ele poderia ser agora? Que tipo de pai? Meus olhos ficaram embaçados, e as bolachas velhas viraram poeira na minha garganta.

Eu tinha sido parte daquilo. Não ajudei. Provavelmente piorei a situação.

Que tipo de pessoa eu tinha me tornado? O que Incy tinha se tornado?

O telefone tocou e eu o ignorei. Meu interfone tocou três vezes, mas deixei que o porteiro resolvesse. Tinha perdido meu celular uns dias antes e não comprei outro, então não precisei me preocupar com isso. Finalmente, por volta das 8 horas da noite, me levantei, fui até meu quarto e peguei minha maior mala, a que podia carregar até um pônei morto. (Antes que você pergunte, quero esclarecer que isso nunca aconteceu.)

Rapidamente, com uma repentina sensação de urgência, peguei várias roupas de uma vez e tudo o que vi pela frente e enfiei lá dentro. Quando estava cheia, fechei o zíper, peguei uma jaqueta e saí. Gopala, o porteiro, chamou um táxi para mim.

— O Sr. Bawz e o Sr. Innosaunce estavam procurando por você, Srta. Nastalya — falou ele. Sempre achei engraçado o modo como ele assassinava nossos nomes. Obviamente, ele estava se saindo muito melhor do que eu conseguiria se tivesse sido arrancada de Bangalore e precisasse ter um emprego.

— Volto logo — falei para Gopala enquanto o motorista colocava minha bagagem no porta-malas.

— Ah, vai visitar seus pais, Srta. Nastalya?

Como sempre, eu havia inventado pais falsos para mim, para explicar por que uma adolescente morava sozinha com uma renda ilimitada.

— Ah, não, eles ainda estão... — Pensei rapidamente. — Na Tasmânia. Só vou a Paris fazer compras. — Talvez eu estivesse sofrendo um colapso nervoso. Sentia medo, ansiedade, vergonha e cautela, como se todo motorista de táxi em Londres agora tivesse uma foto minha no painel, com a palavra PROCURADA em vermelho sobre meu rosto. Sentia como se Innocencio fosse pular de trás de algum vaso de plantas de repente, e não sabia o que faria se isso acontecesse. Lembrei-me da expressão dele quando olhou para mim da ponta do sofá. Ele parecia... intrigado. Especulativo? Mesmo que ele não tivesse ideia do significado da minha cicatriz, eu *odiava* o fato de que ele sabia sobre ela. Eu sentia como se jamais pudesse suportar vê-lo novamente, e ele era meu melhor amigo. Meu melhor amigo que tinha aleijado alguém na noite de ontem, de quem eu agora tinha... medo? Essa era minha vida. Essa era a situação que eu tinha criado para mim mesma.

Sentei-me no banco de trás do táxi e dei a Gopala uma boa gorjeta.

— Só vou até Paris. Volto logo!

Gopala sorriu e acenou positivamente, encostando a nota de dinheiro no quepe de porteiro.

— Quer ir para St. Pancras? — perguntou o motorista, anotando em um bloco. — Para pegar o trem pelo túnel sob o canal?

— Não — falei enquanto afundava no banco de trás. — Me leve para Heathrow.

Na manhã seguinte eu estava em Boston, nos Estados Unidos, alugando um carro em uma empresa desconhecida que aceitava negociar com menores de 25 anos.

— Aqui está, Srta. Douglas — disse a atendente, me entregando um chaveiro. — E como se pronuncia seu nome?

— Phillipa — respondi.

Como todo imortal, tenho vários passaportes, identidades e carteiras de habilitação diferentes. Alguém sempre tem um amigo que conhece alguém que pode conseguir o que precisamos. Por anos usei os serviços de um homenzinho em Frankfurt. Ele era um gênio, tinha falsificado mil documentos de identificação diferentes durante a Segunda Guerra Mundial. Meus passaportes contêm nomes, idades (no meu caso, indo de 18 a 21 anos) e locais de origem diferentes. Era tão mais fácil antes de os governos começarem a registrar as pessoas. Quero dizer, certidões de nascimento? Números de seguro social? Que dor de cabeça maldita.

— Phil-ip-pah.

— Que nome bonito — disse a atendente, me dando um sorriso de animadora de torcida.

— Aham. O carro está ali?

Assim que saí de Boston, encostei o carro e abri meu mapa de Massachusetts. O pessoal da locadora de carros podia ter feito o planejamento de percurso até West Lowing para mim, mas aí eles podiam se lembrar de ter feito isso caso alguém perguntasse depois. E nesse momento eu queria desaparecer. Parecia que o demônio estava atrás de mim. Como se estivesse sendo engolida por algum desastre ou algo do tipo e tivesse que... ir para muito longe.

Eu tivera sete horas para pensar no voo de Londres a Boston. Sete horas não é o bastante para se contemplar inteiramente quatrocentos anos de trevas e burrice acumuladas, mas é bastante tempo para lembrar coisas ruins o bastante a ponto de fazer você se sentir uma lesma debaixo de uma pedra. Pior do que uma lesma. Um limo mofado.

Encontrei West Lowing. Ficava bem no meio de Massachusetts, perto do lago Lowing e junto ao rio Lowing. Suponho que alguém chamado Lowing era um figurão importante há uns duzentos anos e sentiu necessidade de espalhar seu nome por todo canto.

Eu demoraria só umas duas horas para chegar lá. Na Irlanda, duas horas ao volante podem levar você por três quartos do país de um lado a outro, horizontalmente. Dava para cruzar Luxemburgo de um lado a outro dirigindo em cinco minutos. Os Estados Unidos são um país enorme. Grande o bastante para alguém conseguir se perder lá dentro? Eu esperava que sim.

Pois então, todo esse lance de imortal. Você deve ter perguntas. Não tenho todas as respostas. Não sei quantos de nós existem. Conheci centenas ao longo dos anos, e um cálculo simples diz que a quantidade deve estar aumentando o tempo todo, certo? Bebês nascem, os velhos raramente morrem. Você provavelmente já encontrou alguns, mas não se deu conta. Basicamente, imortais são humanos que não morrem quando pessoas normais deveriam morrer.

A maioria de nós acredita que sempre existiram imortais, assim como as pessoas que acreditam em vampiros acham que sempre existiram vampiros. (Na verdade, se você olhar para velhos mitos vampiros, vai ver que alguns coincidem com o tema de "viver para sempre".) Não sei como começamos a existir, nem quando, nem por que, mas conheci imortais da maioria das raças e etnias. É preciso dois imortais para fazer novos pequenos imortais, então, quando um imortal se envolve com uma pessoa normal, os filhos não são imortais — mas, em muitos casos, essas pessoas são as que vivem vidas anormalmente longas, chegando aos 100 anos. Houve uma mulher na França — e há uma cidade na Geórgia (o país, não o Estado) onde uma proporção incomum das pessoas vive até mais de 100 anos. Eles atribuem isso à vida saudável e a uma dieta rica em iogurte. Ha! Isso só significa que houve um imortal por lá que saiu com muita gente.

Nós envelhecemos, mas num ritmo diferente dos humanos. Na maioria das vezes, até os 16 anos, um ano imortal equivale a um ano mortal. Depois disso, um ano imortal equivale a cem anos mortais. Vi imortais que envelheceram mais rápido e outros que envelheceram mais devagar, mas não tenho ideia do motivo. A pessoa mais velha que conheci tinha uns 800 anos. Ele era terrível, muito convencido, mau e cruel. O que é estranho é encontrar imortais que ainda têm 40 ou 50 anos — a realidade ainda não foi assimilada por eles, e eles se sentem como adultos mas ainda têm aparência de adolescente. Isso os deixa em um limbo estranho, e eles não sabem o que fazer direito.

Quanto a mim, nasci em 1551, um belo número simétrico. Quase 460 anos depois, ainda pedem minha identidade nos bares. Antes que você pense: *Oh, que fantástico!*, deixe-me dizer o quanto isso é um saco. Sou adulta. Já sou adulta há *séculos*. Mas estou presa no eterno crepúsculo da adolescência, e não consigo ir além da minha aparência. Mas, por outro lado, muitos adolescentes parecem se sentir imortais, como se nada pudesse atingi-los. O conceito de perigo ou de morte é completamente estranho a eles, sem peso ou realidade. Então talvez eu ainda *seja* adolescente. Certo, eu sei: quem se importa?

Não temos câncer nem diabetes ou coisas do tipo. Pegamos resfriados, gripes e peste, mas nos recuperamos. Para sua informação, cicatrizes de varíola levam uns 15 anos para sumir. Podemos sofrer queimaduras, nossos membros podem ser cortados, podemos sofrer ferimentos terríveis — mas eles cicatrizam, como já expliquei. Leva tempo, mas tudo sara. Membros voltam a crescer, um processo repugnante e fascinante. Leva muitos anos. Apesar do nosso nome, podemos ser mortos. Mas é difícil, então melhor nem tentar.

O que fazemos com tanto tempo? Muitas das coisas que pessoas normais fazem. Moramos no mesmo planeta, temos os mesmos recursos disponíveis. Alguns de nós são farristas gastadores. (Não estou citando ninguém — tá bem, eu.) Alguns imortais usam seu tempo de forma mais sábia: estudando, aprendendo, aprimorando talentos artísticos ou artesanais, viajando. Algumas pessoas nem farreiam nem se aprimoram. Vivem em um estado perpétuo de insatisfação, não gostando de nada, sempre achando alguma coisa do que reclamar, odiando outros imortais, odiando os humanos. Conheci pessoas assim, e sempre tive vontade de colocá-las sobre um bloco de gelo e empurrá-las para o oceano.

Se nos casamos, temos filhos? Às vezes. Já me casei. É um impasse — se você se casa com uma pessoa normal, independentemente do quanto a ama, ela vai envelhecer e morrer, e você não. Então, em um certo ponto, é preciso contar sobre sua condição ou então deixar que a pessoa fique intrigada e assombrada. Ou um dos dois tem um segredo ou os dois têm. E se você se casa com outro imortal, bem, você vai ficar casado por muuuito tempo. Pior, se você se casa com um não aefrelyffen e tem filhos, ver esses filhos envelhecerem e morrerem é bem pior do que ver seu cônjuge envelhecer e morrer. Mas falaremos disso depois.

Quatro horas, três espressos e um saco de Chips Ahoy! depois, cheguei a West Lowing. Atravessei a cidade dirigindo em menos de dez minutos. Não era uma grande metrópole. Fiz a volta e cruzei a cidade de novo, passeando pelos bairros, seguindo as ruas cheias de curvas nos arredores da cidade. Eu nem sabia o que estava procurando. Uma placa? Tanto uma placa literal, como RIVER'S EDGE, VIRE À DIREITA, ou uma placa metafórica, como um arbusto queimado ou coisa do tipo, um raio indicando a direção certa.

Dois minutos depois, eu estava fora da cidade de novo. Parei o carro, apoiei a cabeça no volante e bati as palmas das mãos no painel.

— Nastasya, você é uma idiota. É uma maldita idiota burra que merece isso. — Na verdade, eu merecia coisa muito pior, mas sou bem tolerante comigo mesma.

Depois de vários minutos pensando e refletindo, saí do carro e andei até o bosque pela lateral da estrada. Nenhum carro tinha passado por ali já havia algum tempo. Depois de ter entrado uns seis metros no bosque, sem poder ser vista da estrada, me ajoelhei no chão e encostei as mãos com as palmas abertas na terra. Falei algumas palavras, palavras tão velhas que soavam como uma série de sílabas desconexas. Palavras que já eram antigas na época em que nasci.

Palavras que revelavam coisas escondidas.

Era um dos poucos feitiços que eu conhecia. Não consegui me lembrar da última vez que o tinha usado. Talvez para encontrar minhas chaves nos anos 1990?

Fechei os olhos, e depois de um minuto, algumas imagens entraram em foco. Vi uma estrada, uma curva, o contorno de uma árvore, as folhas com as cores do outono. Sabia aonde precisava ir.

Respirei fundo e fiquei de pé. Onde minhas mãos tinham estado, as folhas e os galhos estavam cheios de pó, secos e se desintegrando. Pedaços de trevo estavam murchos e ressecados, as células sugadas de toda a vida para que eu pudesse fazer meu feitiço infantil. Duas marcas de destruição em formato de mão no local de onde eu tinha tirado meu poder. Porque é assim que os imortais fazem: para executar magia, arrancamos o poder de alguma outra coisa. A maioria de nós faz assim, pelo menos.

Entrei no carro de novo e dirigi pelas estradas serpenteantes que levavam à pequena cidade e aos arredores dela. Comecei a olhar com atenção, tentando sentir onde estava. Eu sabia que tinha passado por aquela estrada dez minutos antes, mas dessa vez examinei cada árvore, cada entrada sem asfalto.

Lá estava: uma rua sem placa, uma árvore, um bordo cheio de cores de fogo, os galhos largos em formato de V, como se tivesse sido atingido por um relâmpago anos antes. Entrei. Meu pequeno carro alugado se sacudiu na rua sem pavimentação — aposto que seria quase impossível passar ali durante uma forte nevasca. Estava começando a ficar com frio, então aumentei o aquecedor do carro. Eu estava pilhada pela cafeína e pelo açúcar e de repente me dei conta da suprema imbecilidade do que estava fazendo.

Eu estava louca. Era a coisa mais estúpida que eu já tinha pensado em fazer. Era culpa do meu pânico, do meu colapso nervoso, pensei.

Abruptamente, parei o carro e apoiei a cabeça e as mãos no volante. Eu tinha viajado aquilo tudo para procurar uma mulher chamada River. Isso era uma imbecilidade incrível. O que tinha me passado pela cabeça? Precisava fazer a volta, devolver o carro e ir para casa. Onde quer que eu decidisse que minha casa seria dessa vez.

Quando eu a tinha conhecido, essa River? Em 1920? 1930? Eu só me lembrava do rosto dela, macio e bronzeado, e das mãos, fortes e finas. O cabelo dela era grisalho, coisa incomum para um imortal. Innocencio tinha batido seu primeiro carro — e estou falando do *primeiro* mesmo. No sentido de recém-inventado.

Tinha sido em... 1929? Acho que sim. Innocencio tinha comprado um lindo Model A, azul cinzento. Foi um dos primeiros Model A que a Ford enviou para a França. Incy o dirigia havia umas duas semanas, e então ele caiu em uma vala em uma estrada perto de Reims. Outro carro parou para nos ajudar. Era noite. Eu tinha sido lançada pelo para-brisa de vidro e caíra na vala. Meu rosto estava todo cortado — isso foi antes do vidro blindado e dos cintos de segurança. Estava muito frio.

Innocencio e Rebecca tinham sido jogados para fora do carro. Rebecca tinha vários ossos quebrados. Ela era uma humana comum e provavelmente acabou no hospital. Imogen estava morta — seu pescoço se quebrou quando ela bateu contra uma árvore. Innocencio e eu estávamos machucados, mas conseguíamos andar. Tínhamos conhecido Imogen e Rebecca apenas um dia antes, em uma festa. Elas eram bonitas, ricas e doidas para se divertir. Infelizmente, elas nos conheceram.

Um carro parou. Uma mulher e dois homens correram para nos ajudar. Os homens colocaram Rebecca com cuidado no banco de trás do carro deles e depois viram que Imogen estava morta. A mulher foi ver Innocencio, que já estava se levantando, lamentando a perda do belo carro. Ela o deixou, veio até mim e se ajoelhou ao meu lado, enquanto eu saía da vala cheia de água gelada. Em francês, ela me disse que tudo ficaria bem, que eu devia ficar parada, e tentou verificar minha pulsação. Tirei o cabelo encharcado dos olhos, apertei o casaco forrado com pele de raposa em volta do pescoço e perguntei a ela que horas eram — estávamos a caminho de uma festa de Ano-Novo. Imogen estava morta, e isso era terrível, era uma pena mesmo, mas mal registrei o fato. Indiferença cruel. Incy não a tinha matado de propósito, afinal. Os humanos pareciam... tão frágeis às vezes.

Foi nessa hora que a mulher olhou para mim. Ela segurou meu queixo nas mãos e olhou bem dentro dos meus olhos. Olhei nos dela, e nos reconhecemos uma a outra como imortais. Não há uma característica distinta. Não é como se tivéssemos um grande I pintado no fundo das nossas retinas. Mas podemos reconhecer uns aos outros.

Ela olhou para a cena: o carro destruído, a garota morta, Innocencio e eu já começando a nos recuperar.

— Não precisa ser assim — disse ela em francês.

— O quê? — perguntei.

Ela balançou a cabeça, os olhos castanhos calorosos mostrando tristeza.

— Você pode ter bem mais que isso, ser bem mais que isso.

Foi quando comecei a ficar agressiva, limpando o sangue dos meus olhos e levantando.

— Meu nome é River — disse ela, também ficando de pé. — Tenho uma casa nos Estados Unidos. Em Massachusetts, no norte. Em uma cidade chamada West Lowing. Você devia ir para lá.

Ela gesticulou em direção ao carro destruído e fumacento, para os homens carregando o corpo de Imogen até o carro deles. Lançou um olhar para Incy e pareceu avaliá-lo automaticamente como um perdulário, um boa-vida, a proverbial pedra sob a qual as sementes da sabedoria morreriam.

— Já estive em Massachusetts — falei. — Era puritano. Esnobe. E frio.

Ela deu um sorriso breve e triste.

— Não West Lowing. Você devia ir para lá... quando se cansar disso. — Mais uma vez ela olhou para o carro e para Incy. — Qual é o seu nome? — Os olhos dela eram sagazes, inteligentes. Pareciam memorizar a superfície do meu rosto, a curva da minha orelha. Apertei mais meu casaco de pele contra mim.

— Christiane.

— Christiane. — Ela registrou. — Quando se cansar, quando quiser ser mais, vá para West Lowing. Massachusetts. Minha casa se chama River's Edge. Você vai conseguir encontrá-la.

A mulher chamada River entrou no carro com os dois homens, levando Rebecca e o corpo de Imogen. Eles foram embora, deixando a mim e Incy e o carro azul lindo e destruído. Um tempo depois passou uma pessoa e pegamos carona, depois pegamos o trem para Paris e depois para Marselha, onde era mais quente. Foi uma bela primavera em Marselha, e tirei River — e Imogen — da minha cabeça completamente.

Até dois dias atrás. Agora, oitenta anos depois, eu estava decidindo aceitar a oferta dela. Oitenta loucos anos depois, como se ela ainda fosse estar lá e o convite ainda valendo. Como você pode imaginar, os imortais se mudam muito. Morar na mesma cidadezinha por cinquenta anos, sem a aparência mudar... bem, isso despertaria suspeitas. Então raramente ficamos no mesmo lugar por tanto tempo. Por que eu suporia que River ainda estaria lá? Era só que... ela tinha parecido ser tão eterna. Um clichê sem sentido para um imortal, eu sei. Mas ela parecera sólida como uma pedra, de uma maneira incomum. Como se, por ela ter dito que estaria lá, que eu podia ir quando quisesse, bem, por Deus, então ela estaria lá e eu podia ir quando quisesse mesmo.

O espresso e o açúcar deixaram minhas mãos trêmulas e meu estômago era um nó. O que fazer, o que fazer?

Houve uma batidinha na janela do carro e dei um salto, mal conseguindo sufocar um grito.

Meus olhos frenéticos mal conseguiam focalizar, e o homem se inclinou para olhar para mim.

Uma risada quase histérica coçava na minha garganta, e tive que engoli-la. Um deus viking tinha batido na minha janela e estava olhando para mim com preocupação — ou desconfiança. Sua beleza dourada era de tirar o fôlego, como se uma figura mítica ganhasse vida e tivesse sangue quente correndo nas veias.

No momento seguinte, apertei os olhos para examiná-lo melhor — seu rosto era familiar. Seria ele modelo? Eu o teria visto em uma propaganda de cueca de 12 metros de largura na Times Square? Seria ele ator? De alguma novela? Não consegui identificá-lo enquanto abria a janela. Por favor, por favor, seja um louco faminto por sexo que quer me sequestrar e me fazer escrava sexual, implorei em silêncio.

— Pois não? — Minha voz soou seca, rouca.

— Essa estrada é particular — falou o deus, olhando para mim com reprovação. Teria ele uns 22 anos? Menos? Será que gostava de adolescentes? Pisquei para ele, sentindo de novo, na beirada da minha consciência, que já o tinha visto antes.

— Ah... Hum, eu estava procurando por River. River's Edge?

Os olhos da cor de topázios brilharam de surpresa. Ocorreu-me que ela podia ter ocultado a casa dos vizinhos. Caso ainda estivesse lá.

— Você conhece alguém com esse nome? — insisti.

— Você conhece River? — perguntou ele lentamente. — Onde a conheceu?

Quem era ele, segurança pessoal dela?

— Eu a conheci há muito tempo. Ela disse que eu podia vir visitá-la — falei com firmeza. — Você sabe se a casa dela, River's Edge, fica por aqui?

Rápido demais para que eu reagisse, uma mão forte entrou pela janela do carro e tocou minha bochecha. A mão dele era quente, firme e gentil ao mesmo tempo, e eu sabia que minha pele estava gelada sob seu toque.

Ele era imortal e reconheceu que eu era também.

Inclinei a cabeça para o lado.

— Conheço você? Já nos encontramos em algum lugar?

Se já o tivesse encontrado, certamente me lembraria com mais clareza, mais intensidade. Ninguém se esqueceria daquele rosto, daquela voz.

Ainda assim, eu já tinha cruzado todos os continentes vezes demais para contar. Talvez ele não fosse tão velho. Ou...

Ele era um deles, do outro tipo de imortais. Do tipo com quem eu não tinha nada a ver, nada em comum, evitava como a peste, fazia piada com meus amigos. O tipo que eu desdenhava quase tanto quanto eles me desdenhavam.

Do tipo que eu esperava que fosse... me salvar. Me proteger. Os Tähti.

— Não — disse ele, afastando a mão. Tremi, sentindo mais frio do que nunca. — É no final dessa estrada — disse ele, parecendo relutante. — É só ir em frente. Tem uma curva para a esquerda. Pegue a esquerda na primeira bifurcação. Você vai chegar a ela.

— Então River ainda está aqui?

Não consegui ler nada na expressão dele. O rosto estava impenetrável.

— Está.

CAPÍTULO 3

Observei-o pelo retrovisor enquanto ele caminhava pela estrada. Era alto e tinha ombros largos, e o modo como o jeans se agarrava à sua bunda era uma visão e tanto. Enquanto eu olhava para as costas dele, a sensação de reconhecimento permaneceu, e franzi a testa, vasculhando minha memória. Então me vi no espelho e gemi alto — minha pele tinha uma palidez de boate nada saudável, os lábios estavam praticamente tão pálidos quanto a pele, meus olhos pareciam estranhos por causa das lentes de contato azuis, meu cabelo preto espetado estava desarrumado e duro. Eu era a antítese dele: ele era o homem perfeito, enquanto eu era a menos perfeita das mulheres. Desgrenhada, doentia. Bem, por que eu me importaria? Eu não me importava.

Quatro minutos de estrada acidentada depois, finalmente cheguei a uma casa longa de dois andares que parecia mais uma escola ou um alojamento do que o lar de alguém. Era grande e retangular, pintada de um branco puro e impecável, com persianas verde-escuras em cada uma das janelas. Havia pelo menos três outras construções por perto e uma cerca de pedra que devia proteger um grande jardim.

Estacionei o carro na grama seca de outono ao lado de uma velha picape vermelha. Parecia que os minutos seguintes seriam monumentais, como se eles fossem decidir todo meu futuro. Sair desse carro seria admitir que minha vida era um desperdício. Que *eu* era um desperdício. Seria admitir que eu tinha medo dos meus amigos, medo de mim mesma, da minha própria escuridão, da minha história. Tudo em mim queria ficar no carro com as janelas fechadas e as portas trancadas, para sempre. Se eu fosse humana e *para sempre* significasse só mais sessenta anos, eu talvez tivesse realmente ficado. No entanto, no meu caso, para sempre realmente teria sido tempo demais para suportar. Não tinha outro jeito.

Eu tinha ido lá por um motivo. Tinha deixado meus amigos e desaparecido em um continente diferente. No avião, durante a viagem, percebi que, além de Incy ter aleijado o motorista, apesar da minha repulsa por minha falta de ação, apesar da minha paranoia por Incy ter visto minha cicatriz, tinham sido centenas, milhares de outras coisas que me levaram a esse ponto, desbastando meu interior até eu me sentir como uma concha sem nada vivo dentro de mim. Eu não tinha andado por aí matando pessoas e tacando fogo em vilarejos, mas seguira um caminho destrutivo por toda minha existência, e havia percebido com uma honestidade nauseante que tudo o que eu havia tocado tinha sofrido algum dano. Pessoas se feriam, lares eram desfeitos, carros eram destruídos, carreiras eram arruinadas — as lembranças não paravam de correr como um riacho de ácido fresco pingando no meu cérebro até eu querer gritar.

Estava no meu sangue. Eu sabia. Uma escuridão. *A* escuridão. Eu a tinha herdado, assim como a imortalidade e os olhos negros. Eu tinha resistido quando era mais jovem. Tinha fingido que não estava lá. Mas em algum momento no caminho, parei de lutar, cedi a ela. Por muito tempo, corri com ela ao lado. Mas naquela noite, a escuridão que me seguia havia mais de quatrocentos anos despencava sobre mim com um peso sufocante, e agora eu odiava a coisa horrível em que tinha me transformado.

Se eu fosse uma pessoa normal, ficaria tentada a me matar. Sendo quem sou, quase tive um ataque histérico de riso quando me dei conta de que, mesmo se conseguisse cortar minha própria cabeça, não teria como fazer com que ela ficasse longe o suficiente do corpo para que eu realmente morresse. E qual era minha outra opção? Pular de cabeça em um cortador de madeira? E se ele travasse quando só metade da cabeça tivesse entrado? Dá pra imaginar o processo de regeneração *disso*? Jesus.

De repente, minha vida dava a sensação de que eu tinha caído de um penhasco em uma queda contínua em direção ao desespero crescente, jamais podendo ser feliz de novo. Não consegui me lembrar da última vez que me senti verdadeiramente feliz. Entretida? Sim. Animada? Sim. Feliz? Nem tanto. Não conseguia nem lembrar como era.

A única pessoa que tinha me oferecido ajuda, que parecera entender, tinha sido River. Ela havia me convidado para esse lugar décadas atrás. E ali estava eu.

Olhei em volta de novo, e dessa vez a vi, parada nos degraus largos de madeira que levavam à casa. Ela estava exatamente como eu me lembrava, o que era incomum. Nós tendemos a alterar nossa aparência com frequência, drasticamente. Eu tinha feito isso, provavelmente vinte vezes desde que a conhecera. Não vi como ela poderia me reconhecer. Mas ela estava me observando, e estava claro que tinha a intenção de esperar que eu desse o primeiro passo.

Inspirei profundamente, esperando que a casa estivesse quente, que eu pudesse tomar um chá ou um drinque ou mesmo um banho quente de banheira. Será que ela se lembraria de mim? A oferta ainda estaria valendo? Eu sabia o quanto era ridículo cobrar dela uma coisa que dissera há mais de oitenta anos. Mas o que mais eu podia fazer?

Bem, eu já tinha feito coisas mais patéticas. Saí do carro e vesti minha jaqueta de couro — a velha, não a que perdi duas noites atrás. Andei pelas folhas caídas no chão, já planejando o que fazer quando ela me mandasse embora. Ir me esconder em algum lugar quente, com certeza. Fiji ou algum outro lugar parecido. Ficar lá até me sentir melhor, me sentir menos inútil. Ia acabar acontecendo alguma hora. Incy acabaria parecendo menos assustador em algum momento. Eu acabaria esquecendo sobre o motorista, como tinha esquecido sobre Imogen até ontem.

— Oi — disse ela quando cheguei perto o bastante. Estava usando uma saia longa estampada e um xale de lã sobre os ombros. O cabelo grisalho estava solto, as laterais presas por uma fivela. — Bem-vinda.

— Oi — falei. — River?

— Sim. — Ela avaliou o meu rosto para tentar se lembrar. — Qual é o seu nome, criança?

Dei uma risada curta por ser chamada de criança na minha idade.

— Nastasya. Atualmente.

— Já nos encontramos. — Era uma afirmação, não uma pergunta.

Concordei, amassando folhas com as botas.

— Há muito tempo. Você disse que, se eu quisesse fazer algo mais, para vir até West Lowing. — Olhei casualmente ao longe e vi nuvens vindo do sudoeste.

— Nastasya — repetiu ela.

Olhou para meu cabelo preto desgrenhado, para as lentes que faziam meus olhos ficarem do jeito que meu passaporte americano me descrevia. Tentei me lembrar qual era minha aparência quando nos conhecemos, mas não consegui.

— Christiane — falei, lembrando-a. Um de uma longa linhagem de nomes. Não aquele que me foi dado ao nascer. — Meu nome era Christiane naquela época. Nos conhecemos na França, depois de um acidente de carro. Por volta do fim dos anos 1920. Lembra?

— Ah, sim — disse ela depois de um tempo, relembrando. — Foi uma noite ruim. Mas foi bom ter conhecido você. E estou feliz por você estar aqui.

— Bem — falei constrangida, olhando para qualquer lugar menos para o rosto dela. — Sei que faz muito tempo, mas pensei, sabe...

— Estou feliz por você estar aqui, Chr... Nastasya — repetiu ela. — Você é bem-vinda. Trouxe alguma bagagem?

Fiz que sim, pensando na minha mala enorme. E, é claro, em toda a minha bagagem emocional.

— Ótimo. Vou levar você até seu quarto, e então poderá se instalar.

Eu tenho um quarto?

— Aqui é algum tipo de hotel? — perguntei, seguindo-a pela porta até um saguão. Em cima de uma mesa redonda havia um vaso cheio de galhos secos de bordo. Uma escadaria bela e curva levava ao segundo andar. Tudo era branco, simples e elegante. Era estranho, mas assim que cruzei a soleira da porta, me senti... com menos medo? Menos, sei lá... vulnerável? Talvez estivesse imaginando.

— Costumava ser uma casa de orações Quaker — explicou River, subindo. Eu podia sentir que havia outras pessoas na casa, mas o clima era de calma e paz. — No século XIX, por volta de vinte Amigos* moravam aqui, cuidando da fazenda. Sou dona da casa, usando-a sob vários pretextos, desde 1904.

---

* Amigos: referente a Sociedade Religiosa dos Amigos, da qual os Quaker eram membros. (*N. da T.*)

Os vários pretextos significavam que ela, como todos nós, tinha assumido diferentes identidades para explicar sua contínua existência. Começou como uma pessoa, depois fingiu morrer, depois apareceu de novo como a filha afastada daquela pessoa que herdou a casa, e assim por diante. Acho que teve um episódio de *Jornada nas Estrelas* que falava sobre isso.

— O que a casa é agora?

River me levou por um corredor largo, depois virou à direita, o que levou a outro corredor comprido com janelas de um lado e portas espaçadas a distâncias regulares do outro. Ela deu um leve sorriso que a fez parecer mais jovem.

— É um lar para imortais rebeldes, é claro.

— O que os moradores da cidade pensam que é? — perguntei.

— Uma pequena fazenda orgânica familiar, para onde as pessoas vêm para aprender técnicas de cultivo orgânico. O que também é verdade. — Ela parou ao lado de uma porta que ficava bem em frente a uma janela. A luz âmbar do sol de outono caía sobre a porta, e River a abriu.

Olhei para dentro.

— Tipo, cultivo orgânico para monges?

River riu.

O quarto era pequeno, simples e praticamente vazio exceto por uma cama estreita, um pequeno armário, uma escrivaninha de madeira e uma cadeira. Na última vez que dormi fora do meu apartamento de Londres, fiquei no George V em Paris. Antes disso, no St. Regis em Nova York. Tenho a tendência a procurar o conforto extremo e exagerado.

— Não, não para monges — disse River, entrando no quarto. — Só para pessoas, imortais, que querem se concentrar em outras coisas nesse ponto da vida. Mas você pode colocar seus pertences no quarto, para torná-lo mais aconchegante.

Pensei na decoração típica da minha casa, com roupas espalhadas, garrafas vazias, cinzeiros transbordando, livros, revistas e caixas de pizza e pensei: *Talvez não.*

— Então há mais de nós aqui? — perguntei, me sentando na cama para experimentá-la. O colchão não era muito macio.

— No momento temos quatro professores e oito alunos — disse River. Ela fechou a porta e se encostou nela, o rosto sério. — Você pode passar uma semana e decidir se quer ficar, Nastasya. Espero que fique. Acho que vai aproveitar a experiência e conseguirá encontrar a felicidade aqui se estiver aberta para isso. Mas só para ser clara, aqui não é um spa nem um hotel. É uma combinação de *kibutz* e reabilitação. Há trabalho a ser feito, e todos nós fazemos. Há coisas difíceis e dolorosas que você vai ter que aprender. Ao longo dos anos chegamos a sistemas que funcionam para nós, e não estamos interessados em alguém que chegue aqui e insista que nossas regras não se aplicam a ele.

— Aham. — Talvez eu ficasse por alguns dias, pensasse no Plano B e fosse embora.

River sorriu e pareceu genuinamente calorosa e receptiva, e desejei ser uma pessoa melhor por ela. Mas isso já parecia impossível.

— Se não der certo para você, ninguém vai te forçar a ficar. Ninguém vai tentar te convencer a salvar sua vida. Se você ainda não é adulta depois de... quanto? Duzentos anos?

— Quatrocentos — falei. — Quatrocentos e quarenta e nove.

A surpresa brilhou nos olhos dela e tive a sensação desconfortável de que fora meu comportamento e não minha aparência que tinha feito que ela pensasse que eu era mais jovem.

— Certo, 449. Se você não é adulta depois disso tudo, não temos interesse em arrastar você pra cá. Vamos ajudá-la o quanto pudermos, como pudermos, desde que você faça sua parte. Se você só quiser boa vida, esse lugar não é pra você.

— Aham — falei.

River riu, e depois veio até mim para me abraçar, se inclinando em minha direção na cama. Ela era quente, firme e reconfortante. Não consegui me lembrar da última vez que um abraço fez com que eu me sentisse assim. Correspondi meio sem jeito, dando tapinhas leves com uma das mãos.

— Não quero assustar você — disse ela. — Quero que fique. Mas não quero que comece com bobagem imatura aqui. Entende?

Fiz que sim.

— Aham.

Nenhuma palavra genial me surgiu no cérebro. Agora, mais do que nunca, eu não tinha ideia do que estava fazendo lá. Talvez tivesse reagido com exagero a tudo. Tinha cometido um erro risível. Pelo menos, eu tinha certeza de que riria um dia. Daqui a décadas. *A época em que tentei fugir, ha ha ha.* Quero dizer, talvez eu não fosse tão ruim, afinal. Então me lembrei do motorista, do rosto dele iluminado pela luz da rua e de como simplesmente eu fui embora, e alguma coisa dentro de mim se apertou.

— Quantos anos você tem? — perguntei, sem querer perguntar.

Ela fez uma pausa na porta.

— Bem, sou mais velha do que você — disse ela com melancolia, afastando alguns fios de cabelo do rosto.

— Mais velha quanto? — Não sei por que eu me importava. Talvez não quisesse alguém mais jovem que eu agindo como se tivesse tudo sob controle.

Os olhos dela se encontraram com os meus.

— Nasci em 718 em Gênova, no reino da Itália. — Ela sorriu. — Não mudou tanto assim.

— Ah — acenei com a cabeça, e ela sorriu uma última vez e saiu, fechando a porta. Fiquei feliz de não ter verbalizado minha primeira reação, que tinha sido: "Porra, você é velha."

Deitei na cama, incrivelmente cansada. Eu não tinha nada a ver com aquele lugar. Aquele lugar irradiava calma, paz, padrões de vida e mudança e uniformidade, tudo ao mesmo tempo. Eu era uma estrela ninja em pleno rodopio, voando pelo mundo. Era a personificação de problemas. Um desespero gelado pareceu dominar meu peito — esse tinha sido um plano tão comicamente ridículo, e ainda assim era *a única coisa em que eu conseguia pensar*. Meu Deus, eu estava tão ferrada.

Meu quarto estava quente. Havia um pequeno aquecedor de metal perto de uma parede, e estava funcionando. Tirei minha jaqueta de couro surrada e as botas pesadas de motoqueiro, e me senti livre, leve e muito confortável. Eu estava usando um pulôver aveludado masculino, e o apertei em volta do pescoço, agindo por reflexo para garantir que meu pescoço estivesse coberto e confortável.

Meus olhos estavam se fechando de sono quando ouvi uma batida na porta.

— Está aberta — falei, desejando serviço de quarto. Já tinha reparado que nenhuma das portas tinha tranca. Que curioso.

A porta se abriu e lá estava o deus viking parado. Olhei para o rosto dele por entre cílios semifechados, procurando, mais uma vez perturbada por um leve reconhecimento que fugiu assim que tentei identificá-lo. Em uma das mãos ele trazia minha mala, que pesava facilmente mais do que eu. Ele a colocou no chão do quarto.

— Aqui está.

— Eu ia pegá-la daqui a pouco.

Sentei-me, meio constrangida, sabendo como estava minha aparência. Houve ocasiões na minha vida em que fui verdadeiramente bela. Tenho feições simétricas, olhos bonitos, boca carnuda, maçãs proeminentes, e assim por diante. Nas ocasiões em que cuido bem de mim mesma, sei que posso ficar linda. Mas eu não cuidava bem de mim mesma havia uns quarenta anos. Por aí. Agora eu estava profunda e dolorosamente ciente de que estava magrela como uma viciada, com cabelo de ninho de rato pintado de um preto falso e espalhafatoso. Eu provavelmente parecia que fora embalsamada ou que tinha acabado de me recuperar de cólera. Minhas roupas eram o que eu conseguisse encontrar que não tivesse comida grudada. Em resumo, eu não podia ter uma aparência pior.

O Deus Viking Encarnado era tão impressionante, com pele dourada e brilhante, cabelo curto louro-escuro perfeitamente modelado e olhos dourados da cor de um xerez que provei uma vez na Geórgia (mais uma vez o país, não o Estado). Ele era alto, mas não demais, forte e musculoso, mas sem parecer que estava querendo compensar outra coisa, com feições masculinas nem grosseiras demais e nem delicadas demais. O nariz dele tinha um pequeno calombo e era um pouco torto, como se tivesse sido quebrado uma vez, e é claro que isso completava a perfeição dele, na visão *wabi sabi* japonesa de perfeição, a beleza das coisas não convencionais. Onde eu tinha visto o rosto dele antes? Mas não importava, ele me deixava sem fôlego.

Ele parecia não se incomodar com o trabalho de me ajudar, o que, infelizmente, só aumentava seu charme.

— Qual é o seu nome? — perguntei, tentando parecer imperturbável.

— Reyn.

Rain? Reign? Rane?

— Sou Nastasya.

— Eu sei.

Ele era antipático, nada receptivo. Tentei imaginar por que estava lá. Será que todo mundo era uma causa perdida, como eu? Será que alguém mais estava se escondendo? Eu queria saber a história desse cara. Com sorte, seria pior do que a minha.

— Certo, obrigada — falei rapidamente, irritada pela atitude dele.

— River me pediu pra te avisar que o jantar é às 19h.

Ele deu um passo para trás e fechou minha porta quase silenciosamente. Eu queria perguntar onde se jantava, mas achei que ele provavelmente diria que eu seguisse meu olfato.

Deitei na cama de novo, completamente desperta. Meu coração se apertou quando aceitei que aquilo não daria certo. Se eu precisava de mais alguma prova, o que não era o caso, esse tal de Reyn a tinha fornecido. Aquelas pessoas provavelmente viviam fazendo bons trabalhos e tornando a vida eterna delas mais útil. Eu só estava tentando escapar da escuridão que caía sobre tudo o que eu tocava. Estava tentando me esconder — de Incy, de mim mesma, do meu passado, do meu presente e até mesmo do meu futuro.

Incy. Tremi de novo e esfreguei meus braços sobre as mangas macias. Naquele momento ele já estaria se perguntando onde eu estava. Nós raramente passávamos um dia sem nos ver, sem nos falar. Estaria ele preocupado? O que todo mundo estaria pensando? Será que tentariam me encontrar?

Eu não podia voltar. Disso eu tinha certeza. E não podia ficar ali. Certo. Algumas refeições, algumas noites de sono, e eu daria no pé. Não havia muito de mim para salvar, de qualquer modo.

CAPÍTULO 4

SÃO FRANCISCO, CALIFÓRNIA, 1967

— Venha, quero uma foto de nós duas — disse Jennifer, puxando a manga da minha túnica.

Joguei meu cabelo comprido louro-mel por cima do ombro.

— Claro que quer.

Juntas, Jennifer e eu fizemos uma pose na larga escadaria e sorrimos para a Polaroid de Roger. Na sala de estar abaixo, as pessoas riam aos gritos. "Eight Miles High" estava tocando no caro aparelho de som. Havia velas e incenso queimando, e a nova máquina de luz projetava padrões psicodélicos nas paredes.

Minha aparência era incrível, eu sabia: meus olhos maquiados com Kajal egípcio, um batom bem claro, a túnica de seda que eu tinha comprado na Índia coberta de cores espiraladas. Por segurança, eu usava um lenço de seda Peter Max amarrado no pescoço. Eu estava *amando* os anos 1960. Os anos 1940 tinham sido tão deprimentes, tudo cinzento e desarrumado e autossacrificante. E eu tinha odiado os anos 1950, quando todo mundo acreditava no rígido sonho americano e nos automóveis com para-choque de foguete do tamanho de elefantes.

Mas os anos 1960 eram perfeitos para nós, imortais, meus amigos e eu. Tudo era permitido, todo mundo era louco, qualquer um que não concordasse ou aprovasse era rotulado de quadrado. E as festas. A última vez que tinha mergulhado numa atmosfera festeira tão intensa tinha sido em Long Island, Nova York, logo antes da grande quebra da Bolsa de 1929.

— Hope!

Alguém colocou uma taça de champanhe na minha mão e beijou minhas bochechas. Depois sumiu, o paletó de veludo roxo desaparecendo na multidão.

— Humm.

Tomei um grande gole de champanhe enquanto a câmera de Roger continuou a piscar. Em um determinado ponto ele trocou o flash, jogando a unidade usada para trás. Ela caiu no chafariz que pingava no saguão, e nós rimos.

— Hope.

— Oi, Max — falei, sorrindo. Eu estava me sentindo em êxtase e flutuante e linda e deliciosa.

— Você tem idade o bastante para beber isso? — Havia quase, *quase* uma intenção séria por trás das palavras dele. Max produzia filmes em Los Angeles. Ele era um grande astro. Não imortal. Só havia poucos de nós naquela festa.

— Está com medo de batida policial, de ser preso por servir álcool a menores? — perguntei, atrevida.

Pisquei e senti minhas pálpebras muito pesadas de repente. No momento seguinte, aquela situação se tornou a coisa mais engraçada que eu já tinha vivido, era histericamente engraçada, tão, tão, tão engraçada, e eu era a pessoa mais feliz do mundo. Aquela era a melhor festa *do mundo.*

— É por aí — disse Max, ajeitando os óculos no rosto e olhando para mim.

— Ah, Deus — disse ofegante, olhando para as bolhas do champanhe flutuando lentamente acima do líquido dourado. — Deus, consigo ver todas as borbulhas. É lindo.

Max tinha dito alguma coisa que eu precisava responder? Eu não sabia. Naquele momento era de importância vital que eu observasse cada bolha de champanhe até que estourasse na superfície. Se eu pudesse realmente me imergir totalmente naquilo, todos os segredos do universo seriam revelados. Eu tinha certeza disso.

— Merda — murmurou Max. — Roger? Rog! Alguém batizou o champanhe?

Roger riu, tirando minha atenção da bebida. Ele continuou a tirar fotos, e isso fazia quadrados cinza com moldura branca se acumularem no chão. Os quadrados cinza lentamente adquiriam rostos e sorrisos e cores. Era *mágico*.

— É, cara! — disse Roger. — Com o melhor de Berkeley!

Max gemeu. Ele tirou a taça de champanhe da minha mão, fazendo com que eu entrasse em pânico.

— Não! — gritei. — Preciso olhar as bolhas! — Meu mundo desabaria se eu não cumprisse a missão das bolhas. — Me devolva!

Max segurou o copo acima da minha cabeça.

— Hope, não. Você é jovem demais para isso. Não devia nem estar aqui. Jesus, se houver uma batida...

— Devolva! — falei, tentando pular para pegar, mas na verdade me balançava como um salgueiro em um furacão. — Oh. Oh. Olha só, consigo ver todas as minhas mãos. — Quando mexia minha mão, deixava um rastro de imagens de mãos, como se ela tivesse sido filmada em câmera lenta. Era *incrível*.

— Hope, você é incrível — disse Jennifer, de repente ao meu lado de novo, passando os braços em torno da minha cintura.

— Eu sei! Olhe minhas mãos!

— Hope! Hope! Aqui! — dizia alguém acenando para mim do sofá de camurça laranja.

Meus sapatos eram informação demais para lidar, então os tirei com um sacolejo de pé e mexi os dedos no tapete branco de alpaca.

A sensação da lã era intensa demais na planta do meu pé.

— Não, preciso dos meus sapatos — decidi em voz alta.

Eu me sentei para calçar os sapatos de novo, puxando Jennifer para o chão comigo. Em seguida estávamos deitadas no tapete branco, sorrindo para o teto juntas.

— Hope, você é tão linda — disse Jennifer.

— Hope, por que você está no chão? Você é tão boba. — Incy sorriu para mim, depois se deitou no tapete do meu outro lado. Nós três olhávamos para o lustre de cristal de Max acima de nós.

— Oi, Michael — falei, orgulhosa de ter lembrado o nome que ele usava naquele momento.

— Hope é tão linda — disse Jennifer para ele. Incy sorriu, e Jennifer ficou olhando hipnotizada, inspirando profundamente.

— Hope? Que tal eu levar você e seus amigos para casa? — disse Max. Os olhos dele eram gentis por trás dos óculos de aro de chifre, mas ele ainda parecia tenso e careta, com o suéter de gola alta marrom e calça de corte reto. — Pode ser? Foi burrice do Roger convidar você. Talvez daqui a alguns anos, hein?

— Hope tem que vir sempre! — insistiu Jennifer. — Não há festa sem ela!

Sorri para Max. Era como olhar por um túnel muito, muito longo.

— Não há festa sem mim — repeti.

— É! — disse Incy. — Precisamos de Hope!

Alguém a alguns metros de nós ouviu isso e repetiu, como se fosse seu novo mantra. Em um minuto, todo mundo no andar de baixo da enorme casa de Max na colina estava repetindo:

— Precisamos de Hope! Precisamos de Hope!

O fato de que estavam falando de mim, o duplo sentido da frase,* o quanto eu me sentia bonita, amada, requisitada, popular — era tão divertido, tão alegre, tão adorável. Eu queria que durasse para sempre.

— Tudo bem, Max — falei com voz sonhadora. — Tenho quatrocentos e... — fiz a conta rapidamente — ...e dezesseis anos. *Per*-feitamente legal.

Incy caiu na gargalhada ao meu lado, Jennifer riu confusa e alegre ao mesmo tempo e Max suspirou, revirando os olhos.

Não me lembro como cheguei em casa depois da festa.

Max morreu há dois anos; vi no noticiário. Ele tinha 74 anos.

Ainda tenho aparência de 17.

E sim, pensando bem no assunto, aquela foi provavelmente a última vez que me senti feliz.

Um sino tocando ao longe me fez abrir os olhos. Eu meio que esperava ver o jovem Max se inclinando sobre mim com preocupação, esperava sentir a

* Hope significa esperança. *We need Hope* pode ser entendido como *Precisamos de esperança*. (*N. da T.*)

fina seda indiana deslizando sobre meu corpo, já estava começando a me perguntar à festa de quem eu iria naquela noite.

Em vez disso, vi um teto branco com uma fina rachadura em um canto. Eu estava com frio e deitada em uma cama dura e estreita.

Oh, Deus. Passaram-se cinquenta anos. Eu estava em River's Edge. Ainda. E o sino tocando devia ser o aviso do jantar.

Rolei para o lado e apertei o pulôver ao redor do meu corpo. Não conseguiria lidar com o jantar. Meu estômago roncou com intensidade naquele momento, discordando de mim e me mandando me levantar. Eu não tinha comido nada desde o café e o biscoito naquela manhã.

Sentei-me devagar e peguei uma das minhas pesadas botas. Olhei para a porta destrancada e prestei atenção, mas não ouvi nada no corredor, ninguém andando por ali. Rapidamente tirei um alfinete de metal da língua da bota e o enfiei em um buraco quase invisível no salto. Então segurei o salto e empurrei, olhando de novo para a porta. A parte de cima deslizou para o lado, revelando uma cavidade. Uma peça de ouro antigo e pesado brilhou levemente para mim. Incapaz de me conter, passei o dedo pela superfície, sentindo as runas, os outros símbolos cujos nomes eu não sabia, cujo objetivo eu desconhecia.

Fechei o salto novamente e enfiei o alfinete de volta no couro. Enfiei meus pés nas botas e fiquei de pé. Estava em segurança, ainda escondido — meu amuleto. Metade dele, pelo menos. A única metade que eu tinha, a metade que correspondia à queimadura na minha nuca.

Já no corredor, não consegui me lembrar de onde eu tinha vindo, então comecei a andar, dei meia-volta e encontrei uma escada. Um cheiro de comida chegou a mim vindo de baixo, e meu estômago roncou de novo.

Minha lembrança de São Francisco tinha sido tão alegre. Eu descera por uma larga escadaria de madeira, não muito diferente da que eu descia naquele momento. Mas a túnica de seda e as sandálias douradas eram um contraste enorme com o pulôver masculino, a calça preta surrada e as pesadas botas que eu usava agora.

Farejando como um porco, segui o aroma quente de comida até chegar à sala de jantar: um cômodo comprido e simples com piso de madeira; uma mesa de madeira enorme que acomodaria vinte pessoas; janelas altas e sem cortina que mostravam a escuridão lá fora, um espelho velho, grande, com moldura dourada por cima da lareira; e 12 pessoas olhando para mim com surpresa, curiosidade e, no rosto de River, receptividade.

— Olá, Nastasya — disse River com um sorriso. Ela abriu um guardanapo de tecido e o colocou no colo. — Estou feliz por você não ter dormido demais e perdido o jantar! Deve estar com fome. Sente-se aqui, do lado de Nell — apontou para um assento vazio entre duas pessoas em um longo banco de madeira, é claro.

Com a sensação de ser uma criança desajeitada no *século XIX*, passei as pernas por cima do banco, tentando não acertar ninguém com meus coturnos.

— Pessoal, essa é Nastasya — disse River, esticando o braço para uma sopeira branca cheia de alguma coisa fumegante. — Ela vai ficar conosco por um tempo. — O olhar dela se encontrou com o meu. — Pelo tempo que ela quiser.

— Oi, Nastasya — disse uma garota do outro lado da mesa. Ela era morena e séria, com óculos de armação branca, um corte de cabelo bem-feito na altura dos ombros, franja e pele cor de azeitona preta. — Sou Rachel. De onde você é?

Será que ela queria saber originalmente? Olhei para River para obter alguma orientação quando alguém me passou uma tigela grande de... pareciam verduras salteadas. Ah, que felicidade. Coloquei um pouco no meu prato e passei a tigela para Nell, à minha direita.

— Tanto faz, recentemente ou originalmente. Você que sabe.

Eu não ficaria ali por muito tempo. Não precisava contar tudo.

— Do norte. Originalmente. Recentemente, da Inglaterra.

— Sou do México — disse Rachel. — Originalmente.

— Legal — falei, pegando a tigela seguinte, que tinha pedaços cor de laranja. Inhame.

— Vamos todos nos apresentar — sugeriu River. — A propósito, Nastasya, tudo o que estamos comendo foi plantado aqui, na nossa fazenda. Temos muito orgulho dos nossos jardins. Você vai vê-los amanhã. Tudo é orgânico e balanceado em termos de energia.

Fosse lá o que aquilo significasse.

Olhei para as pequenas pilhas de comida no meu prato. Havia uma mistura de feijão e algum tipo de grão (talvez quinoa?), os inhames alaranjados e as verduras escuras e murchas que depois me fizeram sentir como se estivesse ruminando.

Eu estava mesmo era com vontade de comer sushi. Com uma bela garrafa de saquê quente. Olhei ao redor na esperança de ver algumas garrafas de vinho, mas não encontrei nenhuma. Por favor, por favor, que tenha vinho em algum lugar.

— Sou Solis — disse um homem com jeito de salva-vidas sentado ao lado de River. Quase ri, pensando que dar a alguém o nome de Solace* era um pouco demais, mas depois descobri que era sobrenome e não se escrevia daquele jeito. Ele era bronzeado, tinha cabelo louro-escuro e uma barba farta que era quase ruiva. Os olhos castanhos estranhamente bonitos eram emoldurados por longos cílios.

Como River tinha me dito, havia quatro professores: River, Solis, Asher (que era companheiro de River) e Anne. E havia os alunos. Não era como na maioria das escolas, onde dava para diferenciar com facilidade os alunos dos professores, geralmente pela idade. River parecia a mais velha dos professores, mas um dos alunos, Jess, parecia ser mais velho do que ela. Ele era um homem idoso, debilitado e franzino que parecia ter passado por mais dificuldades na vida, independentemente do número de anos, do que eu tinha passado em quatro séculos.

A professora Anne parecia ter uns 20 anos, com pele clara, cabelo liso e escuro, um rosto redondo e olhos azuis que me examinaram com simpática curiosidade.

A maioria dos nomes não se fixou na minha cabeça enquanto eu tentava engolir as verduras. Teria sido tão difícil jogar um pouco de molho e manteiga neles? Ha ha ha. Não.

O lorde viking acenou rigidamente com a cabeça e disse:

— Reyn.

— Rain, de chuva? — perguntei, com a boca cheia de inhame.

A garota ao meu lado deu um sorriso encantador. Ela era o retrato da dama inglesa, com pele saudável e brilhante, olhos azuis reluzentes e um cabelo castanho-claro levemente cacheado que ia até o meio das costas. Com uma risadinha, ela disse:

— Reyn é um nome alemão — e o soletrou.

— Ah, *alemão* — falei, fazendo parecer que eu o achava responsável pela Segunda Guerra Mundial. O maxilar dele se contraiu. Ele era tão arrogante que era impossível não provocá-lo. Agora, olhando para ele, eu tinha certeza de que nunca o tinha encontrado. Talvez ele me lembrasse alguém que eu já tivesse visto alguma vez.

— Sou holandês — disse ele, sucinto. — Originalmente.

---

* Solace significa consolo. As palavras Solace e Solis tem a pronúncia similar em inglês. (*N. da T.*)

— Humm — falei, tentando engolir a mistura de feijão e grãos.

Tomei alguns goles grandes de água. Água pura. Um pouco de Dr. Pepper teria sido bom demais naquele momento.

— E eu sou Nell — disse a jovem inglesa ao meu lado. — Bem-vinda, Nastasya. Espero que seja feliz aqui. Fale comigo se precisar de ajuda para se instalar.

— Tudo bem. Hã, obrigada. — Eu me sentia suja, grosseira, inculta e um monte de outras coisas negativas. Assim que amanhecesse, eu cairia na estrada. Poderia lidar com meus problemas sozinha, pensei, ao mesmo tempo que meu cérebro sussurrou *Não pode*. Mas o que ele sabia?

Não guardei os nomes; os rostos, masculinos e femininos, brancos, asiáticos, negros e hispânicos meio que se fundiram uns com os outros. Não tentei decorar nada; eu não ficaria ali tempo o bastante para que isso importasse. Mas por um momento me perguntei o que os tinha levado até ali. Será que a vida deles tinha sido infeliz? Ou estavam ali apenas para aprender o que River estivesse ensinando? O que ela ensinava, afinal? Magick? Como ser imortal sem enlouquecer? Ou só... cultivo orgânico? River tinha chamado o lugar de lar para imortais rebeldes. *Rebeldes* sugeria pessoas que tinham seguido caminhos ruins. Mas ao olhar ao redor, na verdade, só Jess parecia estar seguindo ou ter seguido um caminho ruim. Os outros pareciam felizes, saudáveis, não torturados. Como eu parecia aos olhos deles?

Vamos resumir: ali estava eu, em uma sala de jantar fria e pouco mobiliada, comendo comida sem graça com um bando de imortais que estavam tentando ser boas pessoas. Aquele não era mesmo o meu lugar. E Londres também não era mais meu lugar, com Boz e Incy e o restante deles. Só de pensar nisso me dava enjoo e parecia que eu ia engasgar. Se havia alguma época adequada para mim, era nos anos 1960, lindos e coloridos, onde todo mundo me amava e eu estava fabulosa. Olhei para meu prato com tristeza, nem tendo mais esperança de haver sobremesa, com certeza absoluta de que a chance de essa comida estar batizada com qualquer tipo de droga divertida era completamente zero.

Por que eu tinha feito isso comigo? Que pergunta boa. Era algo que eu tinha perguntado a mim mesma mil vezes ao longo dos anos, em várias situações. Parecia ser um tema constante na minha vida.

CAPÍTULO 5

Finalmente o jantar acabou. Eu estava prestes a correr para o "meu" quarto para me encolher em posição fetal na cama e sentir pena de mim mesma, mas uma das alunas perguntou se eu ia me juntar à caminhada noturna.

Minha expressão deve ter revelado minha falta de entusiasmo, porque ela riu enquanto vestia um colete e enrolava um cachecol de lã em torno do pescoço.

— Saímos para caminhar quase toda noite depois do jantar — disse River com aquele tom de voz lindamente modulado. Ela colocou uma boina vermelha sobre o cabelo prateado e sorriu para mim. — Faz parte da atividade de prestar atenção ao mundo... Observamos as estrelas, a Lua, a sombra das árvores.

— Tem pássaros diferentes à noite — disse um dos alunos, o italiano atraente. Lorenz? — Aprendemos sobre seu canto e hábitos distintos.

Concordei com veemência, pensando: você deve estar brincando.

— Nessa época do ano, quase todas as árvores já perderam as folhas — disse Nell; ela estava linda e pronta para o passeio usando um *trench coat* da Burberry. — Você vai aprender os padrões: qual delas perde as folhas primeiro e se isso acontece rápido ou devagar.

Só se for por cima do meu cadáver, pensei. Sim, até os imortais usam essa expressão. Tem um quê a mais para nós.

— Quando a Lua está cheia, lá fora fica tão iluminado como se fosse dia — disse Solis. Seus olhos castanhos pareciam me observar atentamente, como se ele estivesse tentando descobrir por que afinal eu estava ali. — Hoje a Lua está crescente, e isso tem sua beleza própria.

Aceito a palavra dele sobre isso.

— Você quer pegar um casaco e vir conosco? — perguntou River. Os olhos dela brilhavam de expectativa. Ela estava se divertindo com a situação. Será que era um teste? Se fosse, eu ficaria feliz em ser reprovada.

— Não, obrigada — falei com polidez.

— Ah, que bom — disse River, parecendo aliviada. — Quem ficar em casa vai ajudar na limpeza. A cozinha fica bem ali — apontou.

Olhei para ela.

Ela estava praticamente rindo quando saíram pela porta larga pintada de verde.

Placar? River 1, Nasty 0.

Dada a minha idade avançada, é mais do que natural que eu tenha parado de tentar agradar as pessoas há uns 440 anos. Eu não teria problema algum em simplesmente ir para o andar de cima, me deitar em posição fetal na cama conforme planejado e deixar o que tivesse que acontecer, acontecer.

Mas...

Parecia mesmo que River tinha marcado um ponto contra mim. Aposto que ela tinha certeza de que eu não iria fazer a caminhada noturna com eles. Ela sabia que eu pularia fora e que deveres de cozinha me aguardariam quando eu fizesse isso. Que irritante. Agora River estava, sem dúvida, *esperando* que eu simplesmente fosse para o andar de cima e deitasse em posição fetal na cama — como se ela me conhecesse profundamente. Era muito irritante.

Trinquei os dentes e andei até a cozinha. Estou aqui porque quero, falei para mim mesma. Estou aqui porque não consigo suportar mais estar em outro lugar. Estou aqui porque não consigo diferenciar o certo do errado, o claro do escuro. Estou aqui porque não consigo suportar ser eu. Estou aqui porque não quero que ninguém saiba onde estou.

A cozinha era grande e mal-iluminada. Devia ter sido muito eficiente por volta de 1935. Não havia uma lavadora de louças industrial fazendo jorrar água na louça suja a cada dois minutos, nem bancadas de granito ou portas de vidro nos armários. Havia prateleiras altas de madeira cheias da louça pesada e branca que usamos no jantar. Vidros de massa, arroz, grãos, feijões e cereais estavam alinhados em outra prateleira. Grandes janelas mostravam a escuridão lá fora e refletiam a luz inadequada do teto.

E a melhor parte? Meu amigo, Reyn, parado na pia de pedra-sabão, olhando para mim. Ele literalmente suspirou e olhou para o teto, depois ergueu um prato ensaboado.

— Você enxágua — disse ele, apontado para a outra pia cheia de água limpa.

Para provar que a maturidade não necessariamente acompanha a idade, bati continência e marchei até a pia.

— Sim, *Herr Kommandant*! — Joguei a ponta do cachecol por cima do ombro, arregacei as mangas, enfiei o prato na água limpa e depois o coloquei no escorredor.

Ele me passou outro. Enxaguar, sacudir, empilhar.

Eu estava fazendo o melhor possível para parecer indiferente, superior a ele e para ignorar completamente sua existência. Como se ele fosse uma máquina alta e proibitiva a me entregar pratos ensaboados. A verdade humilhante da situação era que esse cara era deslumbrante, e eu estava quase hiperventilando só por estar perto dele, algo nada característico da minha personalidade.

Não tem exatamente um tipo de cara que eu ache atraente — eles não precisam ser altos, nem baixos, nem musculosos, nem magros, nem grandes; as cores do cabelo e da pele não importam. Não me interesso por homens com muita frequência. Para mim, ficar com alguém é algo conveniente, para matar o tempo, como o Jase do armazém, como coçar por coçar e não porque realmente está coçando. Na última vez que me apaixonei, ele acabou morrendo na Índia quando os ingleses finalmente conseguiram anexar o território Maratha. Acho que foi em 1818. Foi nessa época que o governo inglês começou a governar um país enorme não falante de língua inglesa e foi a última vez que me permiti me apaixonar por humanos. Eu não tinha me apaixonado verdadeiramente desde então, nem por imortais. Se apaixonar por um imortal tinha uma terrível aura de permanência com a qual eu não conseguia lidar. Pense em terminar o relacionamento com alguém e depois correr o risco de vê-lo, talvez feliz com outra pessoa, por *centenas* de anos. Não, obrigada.

Mas ficar ali ao lado de Reyn, sentir o calor do corpo dele, sentir o cheiro das roupas recém-lavadas, ele parecia... único, e aparentemente capaz de lidar com qualquer coisa, sabe? Uma parte de mim queria passar os braços ao redor da cintura dele e apoiar a bochecha contra o seu peito, bem acima do coração. Meu rosto ficou vermelho com o pensamento. Mas não consegui frear a sensação de que independentemente do que pudesse acontecer naquele momento — um meteoro, crise no governo, estouro de boiada —, Reyn tomaria a frente e lidaria com tudo, e protegeria... a pessoa com quem ele estivesse. Com toda a reserva dele, até antipatia, ele ainda dava a sensação de... segurança. Como se fosse sempre fazer a escolha certa, fazer a coisa certa, mesmo se não quisesse.

Ele parecia ser o oposto de Incy, cujas habilidades se restringiam a conseguir o que queria, encantar as pessoas, se desviar das regras, leis e costumes sociais.

Reyn, sobre quem eu não sabia absolutamente nada, dava uma impressão de solidez, de força e resolução, e me dei conta de que não conhecia mais ninguém assim. Não na minha vida.

É claro que ele também dava a impressão de ser esnobe, arrogante e cheio de desdém, então acho que é verdade o que dizem: ninguém é perfeito! Apenas sacuda e enxágue, falei para mim mesma. Encare a verdade, ele é um idiota irresistível que não liga se é gostoso ou não, e que não liga se *você* é gostosa ou não, e que tem interesse zero em ir atrás de você porque a cabeça dele está em coisas mais sublimes e mais importantes.

Odeio caras assim. Houve um padre lindo em Malta nos anos 1930 — mas essa é outra história.

Agora minhas bochechas estavam quentes e tive que desacelerar a respiração. Enxaguar, sacudir e empilhar. Quando tinha formado uma pilha de bom tamanho, o Sr. Personalidade me passou um pano de prato limpo. Comecei a secar, fazendo outra pilha. Estava ansiosa de novo, sentindo um nervosismo agitado que não era familiar e nem bem-vindo. Meu grupo estava acostumado comigo; me aceitavam como sou, sem comentários ou perguntas. No meio do meu grupo, eu ficava *ótima*. Aqui, eu era tão diferente; estava me dando conta de que tinha me afastado tanto das normas da sociedade comum que eu parecia quase uma aberração perto dessas pessoas. Era estranho e desequilibrado, e aumentava meu desejo de fugir. E é claro que meu nervosismo aumentava meu quociente de insolência.

— Acho que isso é o tipo de atividade zen e tal... — falei, meu tom insinuando que eu queria ser zen tanto quanto queria pegar peste bubônica.

Reyn olhou para mim por um segundo, mas não respondeu.

Tenho mais de 1,60m de altura, e era considerada *muito alta* na minha época. Era uma *amazona* em comparação com as outras mulheres, até mesmo na Islândia, com nossa população forte de saqueadores nórdicos. Há apenas uns cem anos, eu tinha uma boa altura para uma mulher em praticamente qualquer país menos na Holanda, onde elas são absurdamente altas. Agora, considerando uma melhor alimentação e melhores cuidados pré-natais, todo mundo está ficando mais alto do que eu, e nem tenho mais uma altura *média*. É tão incrivelmente injusto, porque é claro que parei de crescer. Há *muito* tempo.

Então era enfurecedor que Reyn fosse tão alto. Era enfurecedor que ele fosse alto, dourado e a pessoa mais bonita que já vi, tanto entre homens quanto mulheres, e que a presença dele devesse sequer me incomodar, ainda mais de forma tão intensa, inesperada e indesejada.

— Aqui.

Pisquei no meio do meu desvario interno e vi Reyn segurando um prato na minha frente, como aparentemente já estava fazendo havia algum tempo sem que eu percebesse.

Peguei o prato e o sacudi, desejando ser uma condessa e ele um cocheiro camponês, e que eu pudesse fazer o que quisesse com ele sem grandes consequências. Ah, os bons e velhos tempos.

Não que eu já tivesse sido condessa.

— O tempo amanhã deve ficar frio e aberto — falou Reyn, me assustando. Agora que prestei atenção, havia um leve arrastar nas consoantes que entregavam uma herança holandesa. É claro que isso era extremamente atraente. Mais um defeito dele.

— Obrigada pela informação — falei. Sequei outro prato, coloquei-o na pilha e depois carreguei todos eles até uma prateleira de madeira onde o restante dos amigos pratos estavam esperando.

— Então você não vai ter problema com a estrada quando for embora — prosseguiu ele, e houve um estalo na minha cabeça. Ah. — Está claro que aqui não é seu lugar — disse ele com solidez teutônica, me passando outro prato. — Sei que você chegou à mesma conclusão. Está óbvio que você está horrorizada com a nossa vida aqui. — Ele deu de ombros. — Ela não é pra qualquer um. Na verdade, a maioria das pessoas não conseguiria tolerar. Não significa que você seja... *fraca* nem nada. — Ele me passou outro prato com um pouco mais de força enquanto eu fervia por dentro.

— Deixe-me adivinhar — falei, enxaguando o prato. — Você está usando psicologia inversa em mim, tentando me irritar e fazer com que eu me sinta desconfortável para que então eu queira ficar e provar que você está errado. Certo?

— Ah, não. — Os olhos dourados, um pouco puxados nos cantos de uma forma enfeitiçante, se deslocaram em minha direção. — Não, não estou mesmo — disse ele com uma segurança insultante. — Acho mesmo que você deveria ir embora. Temos uma boa vida com nossas aulas e trabalho, e não precisamos que nenhum tornado idiota passe por aqui destruindo tudo.

Meu maxilar travou e o fato de que ele estava certo até os mínimos detalhes só me deixou mais irritada.

— Todo mundo vai entender. — Ele me passou o último prato e enfiou as mãos na água limpa. — River vai entender. Você não é a primeira alma perdida que aparece por aqui em busca de uma solução rápida e barata. River coleciona gente assim como cachorros de rua. — Ele enrolou as mangas da camisa e deixou à mostra braços fortes cobertos de pelos louro-escuros. — Nova York, Roma ou Paris seriam lugares melhores pra você. As luzes fortes da cidade grande. — Ele deu um sorriso breve e mordaz. — Não a floresta de Massachusetts, com nada a fazer exceto trabalhar e respirar e prestar atenção às estrelas da noite, à Lua crescente e ao modo como as folhas caem das árvores. Simplesmente esqueça que existimos.

Ele olhou para mim seriamente, como se estivesse literalmente desejando que eu esquecesse que eles existiam. Como se estivesse usando magick. Talvez essas pessoas usassem magick todo o tempo. Havia uma pequena planta em um vaso no parapeito acima da pia, e lancei um olhar para ver se ela estava murchando, desmoronando e morrendo enquanto ele tirava força dela. Mas a planta continuou empinada e verde e, quando olhei para Reyn, ele ergueu as sobrancelhas ligeiramente.

Era um sinal de amadurecimento meu que eu não tivesse jogado um prato pesado na cabeça dele para arrancar aquele sorriso arrogante do seu rosto.

Eu estava furiosa, e era estranho, porque normalmente não consigo sentir mais do que aborrecimento ou tédio. Eu já tinha desistido há muito tempo de emoções mais radicais por gastarem muita energia. Mas Reyn tinha perfurado minha carapaça com sua beleza e desdém desvelado, e por dentro eu estava gritando histericamente. Pelo menos, eu esperava que fosse só por dentro.

Respirei fundo, procurando o comentário mais certeiro para deixá-lo diminuído e derrotado naquela cozinha estúpida. E...

— Você... você nem é tão bonito — soltei por fim. Os olhos dele se arregalaram de leve. Ele provavelmente estava esperando uma resposta mais bem-elaborada. — Seu nariz é muito pontudo. — Eu me senti humilhada ao ver meu peito dar um salto quando inspirei. — Seus lábios são finos demais, você é alto demais e seu cabelo é mais castanho do que dourado. Seus olhos são pequenos demais e vesgos!

Agora ele estava me olhando como se nunca tivesse visto alguém ter um surto psicótico antes e estivesse achando fascinante.

Arremessei o pano de prato, humilhada por estar fazendo algo tão... clichê.

— Além do mais — sibilei —, você é um babaca!

Dei meia-volta e corri pela pesada porta de vaivém de madeira, seguindo para a sala de jantar. Se eu fosse Scarlett O'Hara, ele correria atrás de mim, me tomaria nos braços másculos e me levaria no colo lá para cima para me fazer mulher. Em vez disso, a porta atrás de mim permaneceu fechada, eu ainda parecia uma completa idiota e ouvi risadas e passos das pessoas felizes e bem-ajustadas que se aproximavam da porta da frente.

Subi a escada, dois degraus de cada vez, entrei em pânico por não conseguir achar meu quarto imediatamente e depois me lancei pela porta, fechando-a para me apoiar ali, ofegante, como fazem nos filmes.

É por isso que me esforço tanto para entorpecer qualquer emoção.

Porque *dói.*

CAPÍTULO 6

A única coisa realmente boa que aquele lugar tinha era toneladas de água quente, muito quente. Eu ainda estava tentando lidar com o fato de essa água muito quente ser no banheiro feminino *comunitário, no meio do corredor* onde ficava meu quarto. Havia uma banheira funda com pés em formas de garras em um pequeno compartimento, cabines separadas com privadas e alguns chuveiros. Havia uma bancada com cinco pias alinhadas em uma parede, no estilo de colégios internos, e cada uma tinha seu pequeno espelho na parede acima. Não havia luz para maquiagem, nem espelho de corpo inteiro — nada de vaidade por aqui!

O que é uma coisa boa quando não se tem muitos cuidados pessoais há, digamos, várias décadas. Afundei na banheira, repentinamente transportada para outra banheira fabulosa que eu tinha conhecido, em uma casa velha, mas graciosa, onde morei por um tempo em Nova Orleans. Cabia um urso-polar naquela banheira. O agente imobiliário tinha me dito que ela havia sido feita para um juiz nos anos 1930 — ele tinha mandado juntar duas banheiras de tamanho normal, criando uma banheira gigantesca do tamanho de um mamute onde eu conseguia me deitar por inteiro.

Mas esta aqui não era ruim, apesar das luzes fluorescentes inadequadas que lançavam um brilho frio e cadavérico em tudo. A água estava fervendo, o sabonete era caseiro e áspero com pedaços de alfazema seca e havia uma pequena caixa de madeira cheia de ervas desidratadas. Como eu já estava lá, peguei um punhado e as espalhei sob a água que caía da torneira. Um vapor com o aroma delas encheu meu nariz e garganta enquanto me reclinei e fechei os olhos.

O vapor me fez lembrar de estar em Taiwan, nos anos 1890, uma das vezes em que o país estava sendo colonizado pelo Japão. Eu estava com tuberculose, e a tosse estava me enlouquecendo. Já havia experimentado vários remédios até que alguém me recomendou as águas curativas de Taiwan, na montanha Yangmingshan. Em um lado da montanha, o ar era repleto de vapor com cheiro de ovo, envolvendo a encosta verde como uma echarpe de seda fina e da cor de neblina. O cheiro de ovo podre era repugnante a princípio, mas em dois dias eu nem sentia mais. Duas vezes por dia eu me sentava em uma cadeira na beirada de uma fonte quente natural e inspirava o vapor aquecido por uma hora. Muitas outras pessoas estavam lá por diferentes motivos de saúde — a maioria relativa ao pulmão ou à pele. Eu observava como os residentes locais se agachavam na beirada rasa da fonte, onde a água borbulhava gentilmente pelo fundo arenoso. Eles levavam palitos de madeira e faziam cercas com eles, enfiando-os na areia em círculos. Depois colocavam alguns ovos dentro do círculo, onde eram cozidos pela fonte geotermal. Comer ovos cozidos assim era considerado muito saudável. Fiquei dois meses lá, aproveitando a beleza luxuriante de Taiwan e inalando gás sulfuroso. Minha tuberculose se curou.

Agora eu inalava vapor não sulfuroso, mais de cem anos depois. Fui lançada de volta ao presente. Havia se passado apenas dois dias desde que deixei Londres? Ontem? Inesperadamente, lágrimas fizeram meus olhos arder por baixo das pálpebras fechadas quando, mais uma vez, o rosto do motorista de táxi apareceu para mim. Será que ainda estava vivo? O que a família dele estava pensando, sentindo, fazendo?

Eu me sentei, a culpa grudada em mim como sabão sobre a pele. Peguei o xampu. Eu não tinha feito nada — quem fez foi Incy. Tudo que eu fiz foi... ir embora.

Lavei meu cabelo e entrei debaixo da água para enxaguá-lo. A água estava começando a esfriar um pouco, e peguei uma bucha de um gancho, ensaboei-a e a esfreguei pelo corpo, sentindo como se estivesse tirando a camada superficial da pele. Toda parte que eu esfregava ficava rosa e ardida, e me senti com a cabeça estranhamente clara, respirando livremente, vendo a água começar a escorrer pelo ralo. Eu me sentia limpa e com a pele macia e viva.

Idiota, hein?

Tive a sorte de voltar ao meu quarto sem ver mais ninguém. Encontrei minha cama arrumada e uma xícara de chá quente sobre a pequena mesa de cabeceira.

— Nada de chocolate? — murmurei, e fui revirar minha mala. Eu não tinha colocado nenhum pijama, mas achei uma camiseta velha que não me pareceu ruim. Também não consegui achar um pente, mas passei os dedos pelos fios pretos e curtos, tirando a maioria dos nós. Depois enrolei o cachecol de lã no pescoço, subi na cama e cheirei o chá. Parecia ser de ervas, é claro. Aquelas pessoas eram doidas por ervas. Tinha ervas por toda parte cada vez que a gente olhava para um lado diferente.

O chá tinha gosto de hortelã e erva-doce. Meu quarto estava frio, meu cabelo ainda estava molhado e foi gostoso sentir aquele calor descendo. Apaguei a luz e me enfiei debaixo do cobertor e do edredom, surpreendentemente aconchegantes e confortáveis. A cama era pequena e dura, mas já dormi em beliches de barcos, em bancos traseiros de automóveis e em um milhão de compartimentos de trem, então aquilo não era problema. Eu odiava o fato de não haver fechadura na porta, mas antes de ter tempo de me preocupar com isso, adormeci.

Não durmo muito bem. Meu cérebro não costuma desligar. Quando estou quase dormindo, quase lá, começo a pensar sobre ir a algum lugar, ou sobre reformar uma fazenda na França, ou sobre onde deixei um determinado par de sapatos, ou onde posso conseguir uma certa comida nessa cidade em particular.

Ou, quando consigo dormir, costumo ter pesadelos. Não sonhos de verdade, do tipo em que se conversa com um pretzel e um esquilo ri da gente, coisa do subconsciente trabalhando troços estranhos. São mais lembranças. Lembranças ruins. Lembranças de pessoas, humanas e imortais, que conheci e que morreram, de anos realmente horríveis que vivi (Já fiquei em uma prisão turca. Nos anos 1770. Nada parecido com um piquenique.), de pragas e guerras mundiais e acidentes de carro e acidentes de carruagem e acidentes de trem e... É como um fardo pesado de coisas ruins, e quando fecho meus olhos à noite, quando estou tão exausta que não consigo impedir que meus olhos se fechem — é quando essas lembranças aparecem, insistindo em que eu as encare de novo, como se quisessem que eu sentisse mais emoção dessa vez.

Geralmente me automedico a ponto de, caso sonhe, nem me lembrar de nada pela manhã. Funciona bem, até certo ponto, mas os efeitos colaterais podem ser meio brutais.

Quando acordei, deixando meus olhos fechados e bem apertados contra a luz rosada que entrava pela janela, imediatamente afastei qualquer lembrança da noite anterior. Esperei que a desgraça física tomasse conta de mim e tentei calcular a quantos passos eu estava do banheiro e se seria melhor simplesmente vomitar pela janela.

Mas eu... me sentia bem. Abri um olho. Um relógio na cabeceira dizia 6h17. Da manhã? Nossa, mas estava... muito cedo. A noite anterior... Fiz uma careta, mas na verdade a pior coisa que tinha acontecido tinha sido meu ato incrivelmente estúpido na frente do lorde viking. Considerando as possibilidades, não foi tão ruim. Respirei fundo algumas vezes e não me senti nada enjoada. Na verdade, me sentia muito bem. Eu me sentia como alguém que dormiu de verdade. Sentei devagar e lembrei que não tinha bebido nada alcoólico, não tinha comido nada além da comida mais sem graça que um homem ou animal já teria comido. Eca. O quarto estava frio, o aquecedor estava começando a fazer um leve barulho. Remexi minha mala, procurando roupas "limpas" — e uso esse termo em um sentido relativo — nas quais entrei com rapidez, vendo minha respiração fazer uma fumaça no ar. Então enfiei tudo de volta na mala e a fechei. Eu a arrastaria lá para baixo — logo depois de surrupiar uma xícara de café.

Coloquei a mala ao lado da porta e enfiei meus coturnos, os dedos passando por cima do salto. Eu provavelmente estava imaginando, mas achei que podia sentir a energia do amuleto. Como se alguém pudesse escondê-lo dentro de um livro numa biblioteca enorme e eu, ao passar os dedos sobre todas as lombadas, conseguisse saber imediatamente em qual ele estava. Com toda certeza.

As chaves do carro estavam no meu bolso; o mapa ainda estava no carro. Eu podia facilmente encontrar o caminho até Boston, ou talvez houvesse algum aeroporto mais próximo, um aeroporto de escalas. Fiz uma pausa com a mão na maçaneta. A possibilidade de voltar para Londres era uma nuvem escura em frente ao meu rosto. Eu sentia... medo. Era o mesmo sentimento que tinha feito com que eu mentisse para Gopala, que fizera com que eu usasse um passaporte que Incy desconhecia. Por quê? Eu estava agindo por instinto, mas *qual* instinto? Incy nunca tinha me feito mal. Irritado? Sim. Exasperado? Com frequência. Mas me machucado? Me assustado? Nunca.

Eu não sabia para onde ir, o que estava fazendo e nem por quê. E esse era um sentimento tão familiar, mas de uma forma completamente diferente.

Dei um suspiro e abri a porta. Eu decidiria para onde ir quando chegasse ao aeroporto. Mas primeiro, café, aquele precioso fluido energizante que desgrudaria meus olhos e lubrificaria minhas células cerebrais. Oh, Deus, por favor, faça com que haja café, café de verdade, aqui.

Não havia ninguém na sala de jantar, então andei até a cozinha, meu olfato trabalhando. Abri a pesada porta devagar e, ao contrário da sala de jantar silenciosa, vazia e cinzenta, a cozinha estava cheia de calor e movimento. As luzes estavam acesas, as pessoas conversavam e riam e o ar estava cheiro de aromas.

— Nastasya!

Virei a cabeça de repente e vi River sorrindo para mim.

— Só vim pegar uma xícara de café — comecei.

— O café da manhã ainda não está pronto. A maioria das outras pessoas ainda está cumprindo suas tarefas — disse River.

— Nunca tomo café da manhã — falei. — Mas uma xícara de café...

— Venha aqui — ordenou River, e meus pés estranhamente responderam. — Me deixe ver suas mãos.

Verificação de unhas? Eu as estiquei, aliviada em ver que estavam limpas, graças ao meu banho da noite anterior. Será que ela ia ler minha mão? Tudo parecia possível.

— Você tem mãos incríveis — disse River, parecendo satisfeita. — Fortes. Faça assim.

— Hã?

River empurrou minhas mangas até acima dos cotovelos. Eu me encolhi quando ela jogou a ponta do meu cachecol por cima do meu ombro para a ponta ficar caída para trás. Depois ela pegou minhas mãos e literalmente as enfiou em uma montanha de massa morna que estava sobre a bancada de madeira como uma larva enorme.

— Hum... — Eu fiquei paralisada, como se minhas mãos tivessem sido enfiadas em um monte de piche.

Os olhos de River, de um castanho límpido da cor de couro, olharam bem dentro dos meus.

— Sei que você sabe sovar pão. — A voz dela era suave. Minhas bochechas se ruborizaram; ela estava se referindo ao fato de que muitos imortais nasceram antes de existirem as fábricas de pão. Muitos imortais (as mulheres, pelo menos) provavelmente tinham feito seu próprio pão milhares de vezes, a não ser que tivessem nascido ricos e de alguma forma tivessem conseguido permanecer ricos a vida toda.

Nasci rica, mas fui uma camponesa pobre aos 10 anos. Morei em fazendas, várias delas, até descobrir que gostava mais das cidades.

Eu sabia sovar pão.

— Já faz algum tempo — falei, ainda sem mover as mãos. Fazia centenas de anos.

— Sim — disse River mais suavemente. — Sim. Mas nunca esquecemos como se faz. — Ela colocou as mãos em cima da minha e as uniu. Juntas, empurramos a massa para longe de nós, depois puxamos os lados e empurramos para baixo novamente.

Do outro lado do aposento, alguém — Charles, o de cabelo ruivo? — começou a fritar bacon em uma frigideira de ferro no enorme e antiquado fogão. A garota negra — seria Brynne? — tirou algumas formas de pão do forno, virou-as sobre um pano limpo sobre a mesa e bateu com firmeza. Pães fresquinhos e quentes caíram das formas e brilharam num tom dourado na luz do amanhecer.

Sim! Senti cheiro de café! Sim! Obrigada Deus, Brahma, São Francisco, sei lá. Havia café no meu futuro!

Percebi que River tinha me deixado para ir encher jarras de cidra de maçã. Continuei a sovar a massa, minhas mãos e braços se movendo auto maticamente.

Levantei o olhar uma vez e vi Brynne sorrindo para mim.

— Você faz isso bem — disse ela, e limpou o suor da testa.

Murmurei alguma coisa ininteligível, e me ocorreu que não conseguia me lembrar da última vez que alguém tinha me dito que eu fazia alguma coisa bem. Na verdade, não tinha muita coisa que eu fizesse bem. Não mais.

— Aqui — disse River.

Ela levou uma pesada caneca de cerâmica até meus lábios, e sem tirar as mãos da massa, tomei um gole de café quente, diluído em leite fervido e já um pouco adoçado. Era a porcaria de café mais perfeito que eu já tinha tomado.

Acho que dei um choramingo patético de prazer, porque River riu. Ela estava tão bonita, o rosto bronzeado enrubescido na cozinha quente, o cabelo grisalho preso em um coque prático, com algumas mechas escapando. Tomei outro gole enquanto ela segurava a caneca e pensei: ela tem quase 1.300 anos. Era algo incrivelmente bizarro, mesmo para uma imortal, e eu teria refletido mais sobre isso, mas havia aquele café extremamente saboroso escorrendo pela minha garganta, e me senti desperta e tranquila e nada enjoada. E então o lorde viking entrou pela porta dos fundos, respirando vapor, usando uma pesada camisa xadrez como um lenhador em um esquete do Monty Python.

Ele olhou ao redor da cozinha, tirando as luvas de trabalho feitas de couro, e lá estava eu, a escória da terra, sovando a massa como uma profissional e tomando café feito pela chefe daquela espelunca. A diversão de bater e sovar uma massa quente e cheia de fermento? Uns vinte dólares eu diria. Aquele café perfeito? Eu pagaria 75 dólares com prazer por ele. A expressão no rosto de Reyn quando me viu trabalhando na cozinha ao nascer do dia? Não tem preço. Dei uma risadinha para ele quando ninguém podia ver, e um músculo no maxilar dele tremeu. Ele foi até a jarra de café e se serviu de uma caneca enquanto dividi a massa em duas partes iguais, coloquei um pano de prato sobre uma delas e comecei a enrolar a outra na bancada. Cheguei a um centímetro de grossura e comecei na ponta, usando as pontas dos dedos para enrolá-la como uma longa cobra, bem-apertado. Quando estava toda enrolada, belisquei a beirada, fechei e dobrei as duas extremidades. Depois a coloquei, com a parte da beirada para baixo, em uma forma untada com manteiga e dei um corte raso em cima. E ali estava um pão, pronto para ir ao forno.

Reyn parecia tão decepcionado que não consegui evitar uma risadinha. Meu estômago roncou; o ar estava cheio de deliciosos aromas de bacon, de pão assando, de cidra, e havia tanto, tanto tempo que eu não chegava perto de nada que se parecesse com café da manhã. Eu geralmente não conseguia suportar essa refeição tão cedo, nunca tinha fome antes do meio-dia. Mas estava com fome agora.

Talvez eu pudesse ficar mais um dia. Ninguém sabia onde eu estava, e eu poderia ver como meu pão ia ficar.

CAPÍTULO 7

No café da manhã, várias pessoas sorriram ou disseram oi, e as que não fizeram isso pareceram apenas não estarem dispostas tão cedo, e não que já me odiavam. Não comi muito, me senti cheia rápido demais, mas o pão torrado com manteiga estava surpreendentemente gostoso, e o bacon tinha muito mais sabor do que o habitual — salgado e suculento e crocante de tanta gordura frita.

Depois de ter cumprido meu dever de levar meu prato vazio até a cozinha, River disse:

— Venha comigo.

Peguei minha jaqueta preta de couro surrada e fui atrás dela para o ar frio de outono. Ela me levou para além de um grupo de árvores, bordos que deixavam o chão vermelho como sangue graças às suas folhas escarlates. Vários cachorros correram até nós, e olhei-os com cautela até River fazer carinho em suas cabeças.

— Sim, Jasper; sim, Molly; bons meninos.

Um longo e estreito celeiro ficava na diagonal da casa, e suas grandes portas duplas estavam fechadas. River me levou para dentro por uma porta de tamanho padrão na lateral da construção e, depois que entramos, vi que não havia animais, nem feno, nem tratores. Em vez disso, janelas altas deixavam que o sol invadisse o local inteiro. Ele era dividido em cômodos grandes que davam todos para um corredor no meio. Pessoas já estavam entrando, acendendo aquecedores a gás, colocando cadeiras no lugar. Ali era a parte escolar de River's Edge.

River me levou para a terceira sala à esquerda. Solis estava lá, sentado em uma almofada achatada no chão gasto e não encerado. Ele olhou para cima, na direção de River, e houve uma comunicação que não consegui interpretar. Então River me deu um último sorriso e saiu, sem fazer som algum.

Algumas pessoas — Jess, o coroa; Daisuke, o japonês sorridente; e Brynne, que era negra e linda e tinha os cabelos trançados desde a base da cabeça — entraram e penduraram os casacos em ganchos na parede. Olharam para mim com curiosidade, mas tomaram seus lugares ao redor da sala, abrindo livros gastos. Droga, estou em Hogwarts, pensei, e então Solis fez sinal para que eu me sentasse ao lado dele. Eu fui, sem tirar meu casaco e com o cachecol ainda enrolado no pescoço.

— Nastasya — começou ele, falando tão baixo que só eu podia ouvi-lo. — River quer que eu te dê aulas. Ela me pediu. Mas não posso aceitar você como minha aluna. Não quero.

Isso me pegou de surpresa, e fiquei sentada em silêncio. Eu já estava mesmo querendo ir embora. Mas...

— É? Por quê? — Tentei manter a voz baixa, mas meu tom saiu agressivo. Minhas bochechas ficaram quentes quando registrei as palavras de Solis.

Solis parecia triste e gentil, como um guarda-costas californiano pensativo, e senti vontade de estrangulá-lo.

— Você não está comprometida — disse ele simplesmente, sem enrolar. — Talvez tenha tido uma crise. Talvez tenha achado que precisava de uma mudança. Se lembrou de River e achou que aqui seria um bom lugar para dar um tempo. Mas você não está aqui de verdade, não para ficar. Seu coração não está presente. Você já está com um pé do lado de fora da porta. Não quero... Não quero perder meu tempo.

Várias frases se amontoaram no meu cérebro, todas tentando sair ao mesmo tempo. Surpreendentemente, a que saiu foi:

— Como você sabe onde meu coração está? — Eu parecia uma punk de rua.

Solis piscou, a luz do sol acima de nós iluminando seus curtos cachos de cabelo louro-escuro.

— Bem, eu *sei* — disse ele, como se eu tivesse perguntado como ele sabia que o sol nasceria amanhã. — Posso sentir.

Fiquei sem graça, humilhada na frente dos outros alunos. Uma expressão sarcástica tomou meu rosto.

— Ah, tá — falei com nojo, ficando de pé. — Você que sabe. Está certo, não quero ficar aqui. Não vou desperdiçar seu tempo. Nem o meu. — Abri a porta da sala de aula, ciente dos olhares curiosos pousados nas minhas costas. — Você que sabe — falei de novo, olhando para trás.

Então fechei a porta com força demais e saí batendo os pés pelo corredor, minhas botas fazendo o chão tremer. Bati a porta do celeiro e praticamente me choquei com Sua Santidade, que esticou as mãos para me segurar.

— Me larga, idiota — rosnei, recuperando o equilíbrio. — Você venceu. Pode ficar com sua Xanadu toda pra você de novo. Vou embora.

Reyn me lançou um olhar intenso. Eu tinha conseguido surpreendê-lo de novo. Ponto pra mim. Puxei meus braços das mãos dele e me virei. Solis não tinha me expulsado da casa — sem dúvida River me deixaria ficar de qualquer jeito. Mas ele tinha se recusado a me dar aula. Quem precisa disso? Cinco minutos depois, eu tinha arrastado minha mala onde caberia um pônei morto escada abaixo até meu carro alugado. Estava praticamente chorando de raiva e frustração tentando enfiar a maldita coisa no porta-malas, mas eu explodiria antes de pedir ajuda a alguém.

Finalmente me afundei no banco do motorista, engatei a marcha e dei uma arrancada, espalhando pedrinhas por onde passei como a adolescente rebelde que eu era.

Que fossem todos para o inferno.

CAPÍTULO 8

Não conseguia achar o maldito mapa. Não conseguia lembrar como voltar para a estrada que levava a Boston. Meu café da manhã agora pesava no estômago como chumbo batizado com ácido quando parei rápido demais no estacionamento em frente à MacIntyre's Drugs na rua principal da cidade. Havia uma rua principal e pronto. Meu Deus, me tire daqui.

Para piorar a sensação de nervos à flor da pele, sentia um desconforto, quase um pânico, por falta de palavra melhor, que parecia aumentar a medida que eu me afastava de River's Edge. O que estava acontecendo? O que era aquele peso? Pelas últimas 24 horas, parecia que meu colapso nervoso tinha dado uma trégua. Mas agora, estava de volta com força total — era como um grito no meu cérebro que alertava: se esconda. Meus dedos tocaram minha nuca, para ter certeza de que o cachecol estava lá.

Alguns adolescentes da cidade, vestidos com roupas pretas góticas e fumando cigarros, estavam sentados junto ao prédio em uma viela larga entre a farmácia e a loja ao lado, Early's Feed and Farmware. Um dos adolescentes, uma garota com mechas verdes no cabelo e uma argola prateada no nariz, decidiu provocar a estrangeira. Ela gritou:

— Você não pode estacionar aí. É para deficientes.

Os outros riram.

Mostrei o dedo do meio para ela sem responder e entrei na farmácia, ouvindo-os rir de novo lá fora. Uma olhada rápida ao redor mostrou óculos de sol baratos, um estande de iscas para pescaria e um freezer antigo com ISCAS VIVAS escrito na lateral. Uma garota alta e magra estava atrás do balcão, ajeitando caixas de despertadores antiquados em uma prateleira. Um espanador estava enfiado no avental. Ela se virou, já rindo, mas hesitou quando me viu.

— Posso ajudar?

— Você tem mapas pra vender? — falei bruscamente. — De Massachusetts ou do nordeste?

— Claro que tenho — disse ela, saindo de trás do balcão.

Ouvimos mais risadas vindas do lado de fora e depois o som de vidro quebrado. A garota levou um susto, olhou para fora e mordeu o lábio, não querendo criticar os delinquentes juvenis da cidade.

— Hum, bem aqui. — Ela me levou até um estande de arame, a tinta amarela descascando e deixando a ferrugem à mostra. — Este é de Massachusetts. E este é da região norte à beira do Atlântico.

A garota parecia sem cor, o cabelo castanho-claro pálido quase da mesma cor da pele e dos olhos.

— Meriwether! — A voz alta e áspera fez a garota dar um salto.

— Estou aqui, pai.

— Por que não está atrás do balcão? — gritou o homem, aparecendo.

Ele tinha o rosto vermelho, com cabelo grosso e preto e costeletas longas e fora de moda. Braços grandes e peludos saíam das mangas dobradas e ele usava suspensórios de verdade.

— Só estou mostrando a esta... moça os mapas — disse a garota, Meriwether. Estava óbvio que ela era cautelosa com o pai, isso se não tivesse medo. Talvez fosse medo mesmo.

O pai dela me olhou de cima a baixo, depois pareceu me classificar como o mesmo tipo de escória que estava vagabundeando lá fora.

— O que você quer?

Encarando-o, ergui os dois mapas que Meriwether tinha me dado e os coloquei em cima do balcão. Meriwether correu até o outro lado e começou a passá-los na registradora, digitando os preços à mão. Meu olhar caiu em uma pilha de energéticos e acrescentei quatro latas à minha compra. E algumas barras de chocolate.

— Certo — disse Meriwether sem fôlego. — É tudo de que você precisa?

— É. Muito obrigada por sua ajuda — falei deliberadamente. — Você foi muito gentil.

— Ah — disse Meriwether, piscando. — Obrigada.

O pai dela fungou e foi em direção à parte de trás da loja.

Enrubescendo, Meriwether me deu o troco e fechou a gaveta da registradora.

— Muito obrigada, volte sempre — disse ela mecanicamente. Pensei: de modo algum vou voltar aqui.

Do lado de fora, a manhã pareceu clara demais e ainda fria, um vento brusco soprando por dentro da minha jaqueta preta de couro.

— É melhor tirar seu carro daí — falou de novo a garota gótica, e lancei-lhe um olhar mortal que pareceu pegá-la de surpresa. Ela riu nervosamente e se virou para os amigos.

— Vai cuidar da sua vida — resmunguei, batendo a porta do carro e ligando-o. Ela olhou para mim com surpresa, depois balançou a cabeça de novo, dando de ombros.

Ocorreu-me que eu devia seguir meu próprio conselho. Mas nunca sigo.

Toda cidade grande tem locais que os imortais frequentam. Parece haver algum tipo de moda — por décadas, muitos de nós preferem Milão, e lá fica cheio de boates e imortais com apartamentos ou casas, e sempre há muito o que fazer e muitas pessoas com quem sair. Depois, Milão aos poucos deixa de ser a favorita — talvez o clima político mude, ou a economia, ou uma guerra seja deflagrada, e outra cidade, como São Francisco, se torne popular. Mas todas as grandes cidades e, é claro, muitas das menores, mantêm uma população de imortais razoavelmente consistente, ainda que meio pequena.

Algumas pessoas se apaixonam por uma cidade e ficam lá durante séculos. Elas geralmente odeiam a inevitável modernização e falam com carinho do passado, antes da iluminação pública etc. E esquecem o fato de que as estradas eram horríveis antes da iluminação pública, e que as pessoas eram roubadas o tempo todo, e que demorava uma eternidade ir de um lugar para outro. O que quero dizer é: caiam na real. Encanamento dentro de casa é sim uma grande vantagem.

Mas a maioria de nós tem lugares favoritos, épocas favoritas. Eu não. No momento, o lugar da moda era Londres. Mas eu sabia que encontraria velhos amigos em Boston, sabia onde procurar por eles. Era idiotice essa sensação de medo, como se eu tivesse que me esconder em algum lugar e ficar de cabeça baixa. Era burrice e era irracional, e eu ia ignorar isso. Em Boston eu relaxaria com pessoas que conhecia e passaria um tempo por lá até decidir para onde ir depois. Aumentei o volume do rádio do carro alugado e segui pela autoestrada 9 até ela se juntar à I-90.

Eu me sentia como há vinte anos, quando enchera a cara de gim no Dungeon. Como eu podia estar tão desligada há, hum, quatro dias? Era outra vida, eu era outra Nastasya. Talvez fosse a hora de mudar meu nome de novo, me reinventar, mudar para outra cidade. Eu já era Nastasya havia trinta anos. Já estava na hora de virar outra pessoa. Alguém que não tivesse como companhia constante Incy e Boz.

Era isso que você estava tentando fazer em River's Edge.

Tenho experiência em ignorar a voz dentro da minha cabeça, então simplesmente me reacomodei no meu banco de bar e fiz sinal para a barwoman trazer outro *screwdriver*. Ela tinha pedido minha identidade, é claro — quase sempre pediam. Eu sabia que não devia exagerar. Minha habilitação americana dizia que eu tinha feito 21 anos poucos meses atrás. Era melhor quando a idade permitida para beber era 18 anos — mais próxima do que eu aparentava. Mas eu conseguia passar por uma mulher de 21 anos com aparência de mais nova.

Eu tinha chegado a Boston no fim da manhã, depois me registrei em um hotel e dormi até dez da noite — hora de sair. Decidi ir ao Clancy's e o encontrei onde estava dez anos atrás. Tinham modernizado o local, e não gostei do resultado. Eu me lembrava de um estabelecimento escuro, sujo, com um carpete nojento verde-oliva ao redor de uma pista de dança de piso de madeira de 4x4 metros. Uma pequena cabine comportava um DJ ruim, que tocava a música que você pedia se você sentasse no colo dele. Era acolhedor, aconchegante e cheio de imortais.

Agora a iluminação tinha melhorado, o piso era de madeira falsa e havia uma cabine de DJ de verdade, acima da pista de dança, com uma garota de marias-chiquinhas rosa manuseando os vinis. A clientela parecia ser meio a meio, humanos/imortais. Reconheci alguns rostos, mas ninguém correu até mim para me dar beijos sem encostar o rosto.

Você sabe, é claro, que imortais são humanos. Não somos alienígenas colocados aqui para nos infiltrarmos na Terra e dominar tudo. Somos completamente humanos, mas só não... morremos tanto. Quando eu era pequena, meu pai nos contou uma história sobre uma princesa que era tão boa que recebeu o dom da imortalidade. Tenho dúvida se ele realmente acreditava naquilo. Há vários mitos e teorias em diferentes culturas imortais, mas quando os analisamos, eles sempre se resumem a bum! Simplesmente aconteceu! Foi um presente ou uma maldição ou eles beberam água com magick ou comeram uma planta com magick. Eu achava que podia ter sido uma estranha mutação genética espontânea. Como câncer ou daltonismo.

Quer ouvir uma coisa engraçada? Nem me dei conta de que era imortal até chegar aos 20 anos. Eu sabia que ainda aparentava ser bem jovem, mas lembrava que minha mãe também. Eu era empregada em uma casa em Reykjavik. A dona da casa, Helgar, me reconheceu como imortal e então lentamente teve que me convencer.

Ela se tornou minha melhor amiga e me ensinou mais do que eu tinha aprendido nos 21 anos até então.

Um dia estávamos sentadas no salão da frente, o que dava vista para a rua de paralelepípedos. Era inverno, mas ainda não estava nevando, e o fogo na grande lareira entalhada estava estalando e soltando fagulhas. Helgar estava sentada em sua cadeira fazendo trabalho de uma dama culta, bordando flores e coelhos no que podia ser a cobertura de um genuflexório na igreja da família. Eu tinha aprendido a fazer aquilo quando criança, quando morei no *hrókur* da minha família. É como um castelo, mas medieval, simples — nada elegante como Versalhes, por exemplo.

Mas agora eu era uma empregada, então estava sentada em um banco de madeira, desembaraçando fios de lã.

— Não sei quando começou — disse Helgar. Ela tinha uma voz profunda e forte, e falava bem. — Minha mãe nasceu em 1380 na Inglaterra. Ela ainda a chama de Aengland. Ela disse que conheceu pessoas da cidade dela que nasceram por volta do ano 1000 de nosso Senhor.

Meus olhos se arregalaram.

— Pois bem, Sunna, ao que tudo indica, sempre existiram imortais — prosseguiu Helgar. Ela chegou ao fim daquele bordado e cortou o fio com o dente, depois bordou outra carreira. — Afinal, sempre existiu o mal. — Ela parecia complacente. — Eu suporia que os primeiros imortais, os aefrelyffen, saíram do próprio Jardim do Éden, logo depois de Adão e Eva. Primeiro veio a luz, depois veio a treva.

— Não estou entendendo — falei. — O que você quer dizer com *mal*?

Terävä — disse Helgar. — Seus pais não lhe contaram?

— Meus pais morreram quando eu era pequena — Fiquei com a cabeça abaixada, sentindo a dor já familiar.

Helgar pareceu sem graça, o bordado esquecido no colo.

— Morreram! Morreram? Os dois?

Mordi o lábio, sentindo uma nova vergonha, a de ter pais imortais que conseguiram morrer.

Helgar ficou estupefata, sem dúvida tentando imaginar o que teria matado meus pais. Obviamente os dois eram imortais, considerando que eu era. Mas sim, estavam mortos. Eu tinha certeza. Bastante certeza.

— Mas e quanto a... Terävä? — perguntei.

Depois de vários minutos, Helgar piscou e disse:

— Terävä. As trevas. Os imortais nascem nas trevas e vivem nas trevas. Não podemos evitar. O mal está dentro de nós.

Parecendo abalada, ela pegou o bordado de volta, sem olhar para mim. Saber sobre meus pais tinha feito com que eu mudasse aos olhos dela, tinha me tornado algo diferente. Fingi não perceber.

— Como assim, *mal*? — perguntei de novo.

— Nossa magick — tentou explicar Helgar, mas pareceu não estar disposta a falar mais nada.

— Nastasya!

Engoli e pisquei algumas vezes, vendo que ainda estava no Clancy's, só que quatrocentos anos mais tarde.

Alguém se inclinou e beijou minhas bochechas, esquerda, direita e depois esquerda de novo. Ela se afastou e vi o cabelo castanho lustroso, olhos castanhos e um sorriso largo.

— Alanna — falei, tentando mostrar entusiasmo. Joguei o cachecol por cima do ombro e sorri.

— Querida! Na verdade, sou Beatrice agora.

Ela se sentou no banco ao lado e bateu o copo no meu. Alanna/Beatrice era relativamente jovem, tinha acabado de completar 90 anos, e era entusiasmada, cheia de energia e juventude. O corte de cabelo era da moda, as pérolas eram verdadeiras e ela usava um suéter de cashmere de estampa de onça e calça preta skinny. Estava linda.

— Nasty... ainda é Nastasya? — Concordei. — Nasty, não vejo você há *séculos*. — Ela sorriu em agradecimento à barwoman e deu-lhe uma gorjeta. — Mas você... — começou ela. — Você está... — hesitou e deu uma outra boa olhada em mim

Eu esperei.

— Você está bem? — perguntou por fim.

— Estou ótima. — Tomei vários goles da minha bebida, cítrica e fresca, revestida pelo gosto frio e medicinal de vodca que ficava na boca ao final. — O que você tem feito?

— Apreciado a longevidade — disse ela e riu, obviamente decidindo deixar minha aparência de lado. — Passei o último verão em Veneza, e foi muito agradável, exceto pelos turistas. Acho que vou voltar no próximo.

Eu não tinha energia o bastante para perguntar a ela sobre a cidade e pegar recomendações sobre restaurantes, hotéis. Eu gostava de Al... Beatrice. Ela estava sempre alegre, sempre feliz com alguma coisa. E ela amaaaaava ser imortal. Achava que era a melhor coisa depois da invenção do ar-condicionado. Nunca achei a companhia dela ruim.

— Sabe, é engraçado que eu tenha te encontrado — disse Beatrice, fazendo sinal para a barwoman. — Teve gente perguntando por você.

— Como assim? — perguntei, sentindo uma repentina pontada de preocupação.

— Algumas pessoas me perguntaram se eu tinha visto você, e falei que não. Ah, você pode me servir um *sidecar*? — Beatrice pediu à barwoman, depois se virou para mim. — Que engraçado! Que coincidência. Era Incy, é claro. Acho que Incy e Boz têm ligado para as pessoas, procurando você, perguntado para todo mundo. O que está acontecendo? Onde eles estão? Vocês estão sempre juntos.

Minha mente disparou.

— Ah, é besteira — falei com um sorriso sem graça. — Estávamos discutindo uma noite sobre como todo mundo conhece todo mundo, e Incy disse que ninguém do nosso grupo conseguiria desaparecer, sabe?

Bea sorveu a bebida e assentiu, intrigada.

Dei um suspiro teatral.

— Então apostei com ele que eu conseguiria desaparecer e ele não conseguiria me encontrar. É besteira, eu sei. Tenho que ficar sumida por pelo menos dois meses.

Beatrice riu.

— Isso é a cara de Incy. Mas dois meses! O que vocês apostaram?

Fiz uma careta.

— Se ele me encontrar, tenho que tatuar o nome dele na minha bunda.

Beatrice caiu na gargalhada, jogando a cabeça para trás. Ela bateu na bancada do bar de leve com uma das mãos. Chegou até a fungar. É, Incy era mesmo sacana.

— Oh, meu Deus! — Ela ofegou, tentando recuperar o fôlego. — E ele tem que tatuar o seu se não conseguir te encontrar?

Disse que sim.

— Dentro de um coração. Você sabe quanto tempo as tatuagens duram em nós.

Beatrice riu de novo.

— Oh, Deus, é engraçado demais! Vocês são loucos! Então acho que você quer que eu mantenha segredo sobre termos nos encontrado?

Tentei fazer um olhar de cachorrinho pidão para ela e provavelmente consegui fazer cara de esquilo com raiva.

— A não ser que queira carregar na consciência o fato do nome dele estar tatuado na minha bunda.

Beatrice fungou de novo.

— Oh, Deus, não! Não vou aguentar! Não vou falar nada!

Sorri para ela com gratidão, mas por dentro me sentia quase em pânico. Incy já estava ligando para as pessoas, perguntando sobre mim. E nem era íntimo de Bea — ela provavelmente estava no fim da lista dele. Eu teria mesmo que sumir, e sumir de vez.

— Vai ficar em Boston por muito tempo? — perguntou Bea. — Vai acabar encontrando outras pessoas se ficar. Acho que vou ficar até o Natal. Aqui fica lindo no inverno, com a neve.

— Não — respondi. — Só estou passando a noite. — Forcei outro sorriso. — Vou para uma expedição de escalada nas montanhas do Peru. Quero ver ele me encontrar lá!

Na verdade, aquela não era uma má ideia... Pedi mais uma bebida, sentindo um calor agradável no estômago, um gentil relaxamento em todos os músculos.

— Perfeito! — disse Bea com satisfação e fez um gesto sobre a boca fechada, como se fechasse os lábios com um zíper.

— Bea! — gritou alguém do outro lado do bar, e Beatrice se virou com empolgação.

— Kim! — Beijo beijo beijo.

Kim era elegante e sofisticada, uma bela loura que tinha sido top model nos anos 1970, com outro nome, é claro. Ela tinha odiado ter que fingir envelhecer e desaparecer. Mas era isso ou aguentar todos os boatos de cirurgia plástica, que tinham começado a ficar cada vez mais traiçoeiros e ressentidos.

— Oi, Kim — falei, sorrindo.

— Nastasya — disse ela. Beijo, beijo. — Mal reconheci você. Quando cortou o cabelo?

— Ah, nem lembro mais — falei com sinceridade.

— E o tom preto. — Ela olhou para mim com olhar crítico. — É tão... *chamativo* para o seu tom de pele.

— Isso! Sou mesmo uma pessoa da primavera — falei de forma irreverente.

— Não — falou Kim balançando a cabeça. — Não é não. Você é de inverno, com essa pele clara e esses olhos escuros estranhos. Será que alguma vez eu vi a sua cor de cabelo verdadeira? — Kim adorava essas coisas, cabelo, roupas e maquiagem.

— Hum, não sei — falei de novo. — Não importa. O que há de novo com você?

Bea rapidamente contou a Kim da minha aposta doida com Incy, e Kim sorriu e concordou em ajudar. Tinha sido uma ideia *brilhante*, devo dizer. Então ela começou a falar sobre o que vinha fazendo ultimamente, e era bastante coisa.

Era isso que eu queria, certo? Luzes e barulho e bebidas e pessoas em volta para conversar. É claro que eu não tinha imaginado os longos tentáculos da influência de Incy se fechando ao meu redor. Mas pelo menos era melhor do que aquela casa fria e vazia em West Lowing. Mas a lembrança dela, do cheiro da cozinha, da risada, da sensação das folhas secas debaixo dos sapatos, do cheiro da camisa de flanela de Reyn quando ele ficava ao meu lado — tudo isso me atingiu com força, e tive de respirar fundo.

— ...então pensei em dar uma olhada no Clancy's — terminou Kim.

— Ah — concordei, abrindo mais os olhos para terminar minha bebida.

A barwoman me entregou outro copo sem dizer nada, e agradeci, deslizando uma nota de dez na direção dela.

— Kim! — falou Bea, acometida por um pensamento. — Mostre aquele negócio pra Nastasya!

Hã?, pensei.

— Ah, aquilo. — Kim parecia modestamente insegura. — É só um truque de festa, na verdade.

— Não, não, faça — pediu Bea, sugando pelo pequeno canudo enfiado na bebida. — É tão legal. — Ela se virou para mim. — Kim criou esse negócio, e é divino. Kim, você tem que mostrar pra ela. E olhe: lá estão Leo e Justin. E Susie. Eles adorariam ver!

— Ah, bem, se você insiste. — Kim ficou lindamente enrubescida e desceu do banco. Bea saiu correndo e começou a juntar pessoas, só imortais, nenhum deles conhecido meu.

— Vamos! — disse Bea, nos chamando para a parte de trás do bar.

Ela levou nove de nós por um corredor escuro até uma escada frágil que levava para cima. E mais para cima. E mais para cima. Subimos quatro lances de escada, e então Bea empurrou uma porta preta de metal que dava no terraço do prédio, com cheiro de alcatrão, fumaça de madeira e aromas vindos da cozinha do restaurante ao lado.

A maioria dos prédios da área tinha seis andares ou menos, pois aquele era o limite de altura pelo qual uma cisterna de telhado conseguia bombear água pela força da gravidade quando tudo foi construído. Algumas cisternas ainda podiam ser vistas, metal enferrujado apoiado em três colunas, as escadas pequenas e quebradas penduradas em um dos lados.

— Pronto — disse Bea. — É tão legal. Mas todos vocês têm que deixar de lado as bebidas e os cigarros. Nove pessoas são o bastante? — perguntou ela a Kim.

— Acho que sim. Podemos fazer um círculo e dar as mãos? — Kim esticou as mãos.

Íamos fazer magick. Senti um frenesi de medo e excitação misturados. Não participava de um círculo havia uns... duzentos anos? Eu evitava magick das "grandes", e a maioria dos meus amigos era preguiçosa demais para aprender tudo o que era necessário para fazer com que funcionasse. Nas poucas vezes em que tentei alguma coisa além de um pequeno feitiço, quase sempre tive uma reação ruim, incluindo vômitos, dores de cabeça e desmaios... Aquele feitiço de revelação que eu tinha feito para encontrar River's Edge era o primeiro que fizera em muito tempo. Eu estava relutante em tentar de novo, mas todo mundo ao meu redor parecia não hesitar, e me sentiria idiota se desse para trás. Talvez eu devesse superar meu preconceito contra grandes feitiços de magick. Talvez dessa vez fosse melhor. Relaxei, me sentindo impulsiva e determinada, e isso me alegrou.

Era disso que eu precisava. Era exatamente o que não conseguia ter em River's Edge.

Dei um passo a frente e peguei uma das mãos de Bea e uma das mãos de Susie. Sorrimos uns pros outros, e Bea apertou minha mão. Eu me senti interessada, empolgada e sortuda por estar ali.

— Certo, todos aqui sabem como me emprestar seu poder — disse Kim, e nós assentimos. — Esperem até que eu peça, aí digam as palavras. Mas primeiro tenho que preparar tudo.

Ela respirou fundo várias vezes e fechou os olhos. Por um minuto, tudo ficou em silêncio; os únicos sons eram das pessoas gritando e falando cinco andares abaixo. Carros buzinando ao longe. Som de música bem fraca. Um casal gritando no prédio ao lado. Mas ali em cima tudo estava calmo, sereno. Diminuí o ritmo da minha respiração e fechei meus olhos. Helgar, depois de se recuperar do que contei sobre o mistério dos meus pais, descreveu nossa magick como se tivéssemos uma cobra negra enrolada dentro de nós, e quando dizemos as palavras certas, a força dela é liberada pela boca. Fora a metáfora nojenta, ainda era assim que eu via aquilo tudo.

Naquele momento, me concentrei em condensar meu poder. Não era fácil, como contrair os músculos. Estava mais para concentração, como na ioga ou na meditação. Essas duas coisas sempre me entediaram mortalmente.

Ouvi Kim começar a cantar, e a letra era composta de palavras tão velhas e misteriosas como as que eu conhecia, mas eram derivadas de outra língua, talvez uma língua românica. Senti um formigamento no meu peito e me concentrei em inspirar e expirar devagar, um, dois, três, quatro. Kim estava cantando, e o feitiço dela começou a nos envolver, se entrelaçando por nossas mãos, nos unindo. Minhas mãos ficaram quentes por causa da magick de Bea de um lado e de Susie do outro, e meu peito começou a se apertar. Eu sempre odiava essa parte, quando sentia como se não conseguisse inspirar ar o suficiente, minha cabeça parecia que poderia explodir e eu ficava com medo de não conseguir falar nada caso quisesse gritar pedindo ajuda. Mas sempre passava, então segurei meu pânico com rédeas curtas e me concentrei na respiração. Senti nosso poder crescer, senti a magick chegando até nós do mesmo modo que os insetos saem da madeira para fugir do fogo.

Reconheci as palavras seguintes de Kim.

— *Gefta, ala, minn karovter. Pav minn gefta, hilgora silder.*

As entoei várias vezes, sem saber a tradução delas. Tinham me ensinado havia muito tempo, como uma forma de dar meu poder a quem executa um feitiço. Eu as tinha usado poucas vezes, mas depois de aprendidas, eram impossíveis de serem esquecidas.

Minutos depois, ouvi alguém arfar. Meus olhos se abriram. Bem ali, delineada contra o céu noturno, estava Kim, o sorriso largo e os braços esticados.

Susie riu e bateu palmas, soltando minha mão, que estava muito quente.

Ouvi outras palavras sussurradas; elogio, admiração. O truque de Kim era realmente incrível: seu pescoço e ombros estavam cobertos de pássaros canoros, enfileirados de acordo com a cor. Os pintassilgos formavam uma linha amarelo-vivo; os abelharucos cinza se alinhavam nos braços dela; cambaxirras formavam uma capa marrom de penas ao longo dos ombros. O ar estava estalando e repleto de magick, os pássaros estavam perfeitamente parados, piscando lentamente, canários-do-mato, tesourinhas, rouxinóis — eles formavam um padrão intrincado e lindo, cheio de energia e vida; pequenos corações que batiam rapidamente.

Era uma das coisas mais lindas que eu já tinha visto, mas não pude deixar de me perguntar por que diabos tinha tentado aquilo afinal. Pensado naquilo. Para quê? É verdade que temos muito tempo, mas...

— Não é incrível? — sussurrou Bea, colocando a mão no meu ombro.

— Acho maravilhoso.

— É mesmo impressionante.

Eu não conseguia parar de olhar. Tantos pares de olhos pretos e brilhantes olhavam de maneira submissa para o horizonte, como se estivessem drogados. Meu estômago se revirou e de repente lamentei estar ali, ter concordado em ser parte daquilo. Outra escolha errada.

— Obrigada, obrigada — disse Kim, fazendo uma pequena reverência. — Mas não posso manter por muito tempo, então... — Ela expirou e disse algumas palavras que liberaram os pássaros do feitiço. Esperei que eles sacudissem a cabeça, voltassem a si e saíssem voando, desnorteados, noite adentro.

Mas assim que os primeiros do meu grupo se encaminharam para a escada, vi os pássaros fecharem os olhos, inclinando as pequenas cabeças macias para um lado. E então, um a um, eles tombaram das costas de Kim, caindo silenciosamente no terraço. Mortos.

— Nossa! — disse Harry. — São pássaros descartáveis, é?

As pessoas riram, e Kim deu de ombros de forma graciosa.

— O efeito é mesmo intenso neles.

Eles foram para a porta, e logo fiquei sozinha no terraço daquele bar de Boston, com uma dor de cabeça lancinante, um gosto ruim na boca e os pés cercados de cem vibrantes e adoráveis pássaros canoros, os corpos macios e cobertos de penas já esfriando.

CAPÍTULO 9

Naquela noite, os sonhos voltaram.

Fui embora do Clancy's logo depois do feitiço de Kim. Fui a única a se importar, a única cujas bebidas reviravam no estômago toda vez que pensava no terraço e seu chão de piche cheio de pequenos corpos coloridos cobertos de penas. Além do mais, com a dor de cabeça lancinante e a náusea habitual, pedi licença e deixei Beatrice, Kim e os outros olhando para mim com expressões confusas. Era por volta de meia-noite e voltei para o hotel, me sentindo imunda.

Eu estava com medo de não conseguir dormir, mas a exaustão e a preocupação me empurraram para um estado de inconsciência profunda que me engolfou, me levou ao horror negro da minha infância, de volta para a noite em que minha vida mudou pela primeira vez.

Um grande tremor me acordou, e olhei para minha irmã mais velha, Eydís, dormindo na cama que compartilhávamos. Teria sido um trovão? Eu amava tempestades. Olhei para a janela estreita, coberta com pequenos e grossos pedaços de vidro. Uma luz brilhou lá fora. Um relâmpago? Ou fogo?

O som se repetiu, um estouro enorme e vazio que chegou a sacudir nossa cama. Vi Eydís piscar com olhos pesados e, no momento seguinte, a porta se abriu. Nossa mãe estava ali parada, os olhos arregalados, o longo cabelo dourado solto nas costas por baixo do pequeno gorro de linho que usava para dormir.

— *Móðir*? — falei.

— Rápido! — disse ela, jogando mantas na nossa direção. — Levantem! Calcem os sapatos! Rápido, vamos!

— O que está acontecendo, *Móðir*? — perguntou Eydís.

— Não temos tempo para perguntas! Apressem-se!

Senti o estrondo seguinte retumbar nos ouvidos quando estava enfiando os pés nos sapatos de inverno, feitos de couro de alce e forrados com pelo de coelho. Nosso quarto estava gelado; o fogo tinha se apagado e as paredes de pedra estavam cobertas de gelo esbranquiçado.

No corredor encontramos meu irmão mais velho, Sigmundur, que, aos 15 anos, era da altura de meu pai. Ele segurava a mão do meu irmãozinho, Háakon. Tinna, minha irmã mais velha, já estava enrolada em uma manta de lã pesada, as longas tranças amarelas caindo sobre os ombros.

— Vamos, crianças, rápido! — Minha mãe se virou e desceu correndo a larga escadaria principal com todos nós tão perto que o cabelo dela batia em nosso rosto.

Gritos e passos fortes nos receberam quando chegamos ao térreo, e lá vimos os homens de *Faðir*, armados com espadas e arcos, vestidos com pesadas armaduras de couro. Nos encostamos na parede de pedra quando eles passaram correndo, gritando ordens. Em fila única, eles correram pela estreita escada dos fundos, que se curvava em uma espiral no sentido contrário ao do relógio. Sigmundur tinha mostrado para mim e para Háakon a inteligência daquele projeto — se você estava descendo, defenderia o castelo com a espada em seu braço direito e haveria espaço suficiente para atacar os invasores. Se você era o invasor e estava subindo, o braço da espada não tinha espaço para se movimentar, e você era forçado a ficar em uma posição ruim para a luta.

E mais uma vez houve o estrondo, o tremor. Caiu poeira das pedras acima de nós, o que me fez espirrar.

— *Móðir*, o que está acontecendo? — Háakon, de 7 anos, estivera doente nas duas últimas semanas, com calafrios e febre. Ele estava magro e pálido, com círculos escuros em volta dos olhos.

— A muralha externa foi derrubada — disse minha mãe visivelmente tensa, nos levando para o escritório do meu pai. — Invasores do norte.

Eydís e eu nos entreolhamos, de olhos arregalados. O som trovejante chegou a nós de novo, e Tinna agarrou minha mão.

— Um aríete — cochichou ela.

Enquanto descíamos o corredor correndo, minha mãe ia derrubando as tochas das bases de ferro. Os pedaços de pau caíam no chão e uma chuva de fagulhas voava, deixando só a escuridão atrás de nós.

Chegamos ao escritório do meu pai. Lá dentro, minha mãe girou a pesada chave de metal forjado para trancar a porta, e então ela e Sigmundur colocaram a imensa trave de madeira atrás da porta, cruzando-a, apoiada nos suportes. Minhas irmãs, Háakon e eu nos encolhemos perto da lareira e minha mãe foi até o grande armário de madeira de *Faðir* e o destrancou com dedos ligeiros e trêmulos. Assim que as portas se abriram, Sigmundur deu um passo à frente e pegou a maior espada. A arma era vários centímetros maior do que eu, reta e afiada em ambos os lados, com um cabo simples de madeira enrolado com finas tiras de couro.

Minha mãe olhou para as armas por um momento, depois pegou uma para Tinna. Os braços de minha irmã fraquejaram com o peso. Eydís foi a próxima — aos 12 anos, ela já tinha tido seis anos de aula de armas, mas normalmente usávamos adagas pequenas que fingíamos ser espadas. Eu tinha 10 anos e estiquei as mãos. Depois de um momento de hesitação, minha mãe me deu uma espada curta, com uns 40 centímetros de comprimento. Segurei-a com as duas mãos, sem conseguir entender o que estava acontecendo. Até Háakon recebeu uma adaga, que ele observou com olhos arregalados.

— Onde está *Faðir*? — perguntou Sigmundur, correndo até a janela e olhando pela fresta estreita.

— Está lá embaixo, com os homens.

— Você vai pegar uma espada, *Móðir*? — perguntou Háakon, ainda admirando sua adaga.

— Tenho uma coisa mais poderosa.

Móðir tateou abaixo da gola da camisola e puxou o amuleto pesado, o que eu amava observar. Eu ficava sentada no colo dela e o segurava nas mãos, examinando-o, mas ela nunca o tirava, nunca me deixou experimentar. Era redondo, quase do tamanho da palma da minha mão, com uma pedra achatada, transparente e leitosa no meio, com cerca de 5 centímetros de largura. Ao redor da pedra havia símbolos entalhados. Alguns eram do nosso alfabeto, runas, que reconheci, mas outros eu não conhecia. Perguntei do que era feito, e ela tinha dito: "De ouro. De ouro e de poder."

Agora ela pegou o amuleto com as duas mãos e as fechou sobre ele. Quando outro estrondo sacudiu a sala, ela fechou os olhos e começou a cantar.

Acordei ofegando, o suor gelado escorrendo pelo meu rosto. Minha nuca ardia, arranquei o lenço fino que usava para dormir e passei os dedos sobre a pele enrugada.

Eu não tinha aquele sonho havia muito tempo. Balancei a cabeça, ainda ofegando, depois fiquei de pé, trêmula, e fui até o banheiro, onde abri a torneira e joguei água no rosto. Não tinha sido um sonho, é claro, mas sim uma lembrança. A lembrança de minha mãe tentando salvar nossas vidas naquela noite. Ela não tinha como saber, não havia como adivinhar que, ao juntar todos no escritório do meu pai, ela tinha nos levado para a morte.

Menos eu.

Ainda respirando pesado, joguei um pouco de água fria na nuca, depois ajeitei o lenço. No quarto, puxei as pesadas cortinas do hotel e vi que o sol estava subindo — eu tinha dormido durante umas 6 horas. Quando estava respirando normalmente, me vesti e usei o computador do hotel para procurar vendedores de carros usados.

Três horas depois, cruzei meus braços, sentindo os dedos gelados do outono entrando no carro — o modelo usado que comprei naquela manhã em uma loja anônima nos arredores de Boston. O motor estava desligado, assim como o aquecedor, e um tremor profundo começou no meu estômago e fez meu corpo todo ficar tenso. Embora o sol brilhasse no meio de nuvens altas e finas, a temperatura não chegava nem a 4°C.

Eu não queria sair do carro.

Odiei o que Kim tinha feito usando magick na noite anterior. Magick significava morte e dor. Aspirar ao uso de magick significava aspirar ao poder e, se você tem poder, alguém vai querer tirá-lo de você. Alguém vai se esforçar muito para isso. Eu odiava o fato de Incy ter ligado para um milhão de pessoas, pedindo que me procurassem. Mais do que nunca, eu queria ficar longe dele, de todos eles.

Então tive aquela lembrança. Eu me esforçava para não pensar naquela noite, e na maior parte do tempo conseguia. Não tinha esse sonho há décadas. Uma semana antes, todos os meus sentimentos e lembranças estavam enrolados em segurança em camadas de lã, fora de alcance. Agora minha concha tinha se partido e a dor estava vazando. Dei uma risada amarga — será que Eva tinha se sentido assim quando provou a maçã? Que ela de repente via coisas que não queria ver?

Engoli em seco, a garganta apertada. Ali estava eu. Não tinha para onde ir. Ficar com os outros da minha espécie em Boston tinha sido um desastre. A ideia de voltar para a Inglaterra me enchia de repulsa. Pior do que repulsa. Medo de novo. Pavor.

Sério, qual minha outra escolha? Tinha dado de cara com a parede. Depois de mais de quatrocentos anos vagando, de repente não tinha ideia de quem eu era e nem do que devia fazer. Já havia mudado de nome incontáveis vezes, mas sempre consegui me sentir como aquela pessoa que eu mostrava ao mundo. Agora estava me sentindo como a pessoa que eu tinha deixado para trás há tanto tempo, e essa sensação estava fazendo a histeria subir pela minha garganta. Agora me sentia como o envoltório frágil em torno de algo seco, enegrecido e morto.

Dez anos atrás — cinco anos atrás — eu teria tido inveja do feitiço de Kim, ficaria impressionada, quase desejaria saber magick o bastante para conseguir fazer igual. O que tinha mudado em mim? Quem eu estava me tornando?

Dei um salto quando Solis bateu de leve na minha janela. Eu estava com vergonha, humilhada por voltar rastejando, por ser tão inútil que não tinha nem para onde ir, tão desajustada que precisava pedir ajuda a estranhos. Tentei engolir de novo e abri a porta, me sentindo extremamente velha ao sair do carro. Era bem pior agora em comparação à primeira vez que eu fora para lá. Era humilhante voltar, e tão rápido. Mas eu simplesmente... não sabia mais o que podia fazer.

Solis acenou positivamente para mim, a expressão atenta enquanto eu olhava com pesar para o chão, mexendo nas folhas secas com a ponta da minha bota. Ele acenou de novo e tocou no meu braço.

— Por aqui — disse ele, e começou a andar.

Eu o segui até uma parede de pedra coberta de vegetação atrás do grande celeiro. Uma porta de madeira, maior do que eu, estava quase escondida por baixo da hera, e Solis a abriu e gesticulou para que eu entrasse. Quase gemi quando vi as fileiras de verduras, as caixas contra o frio, a estufa. Reexaminei minha ideia de suicídio no cortador de madeira e mais uma vez a descartei com relutância.

Várias pessoas trabalhavam no jardim. Recusei-me a olhar para eles, com medo de ver o lorde viking ou, pior, Nell, com aquele jeito meloso e simpático, porém nada sincero. Também não estava ansiosa para dar de cara com River — sem dúvida ela seria compreensiva e generosa, o que faria com que eu praticamente a odiasse.

Solis se inclinou e puxou algumas folhas verdes e grossas. Um nabo saiu da terra escura, e quase vomitei. Odeio, odeio, *odeio* nabos. Depois de se passar por algumas temporadas de fome quando tudo o que há para comer são nabos e lentilhas, você nunca mais quer ver nenhum dos dois.

— As plantas tiram seu alimento da terra — disse Solis, como se estivesse falando com algum ignorante. Fiquei em silêncio, pois a única resposta que me ocorreu foi: *Dã, é mesmo?*

— Elas pegam os minerais de que precisam — prosseguiu ele —, os extraem e processam com as raízes e folhas para que possam crescer, semear e repetir o ciclo. Mas elas não conseguem crescer no escuro, conseguem? Elas precisam da luz do sol, da energia dele também.

Mordi a parte de dentro da bochecha para não gritar. Agora ele ia falar de reciclagem, adubagem e dos cuidados com a Mãe Terra. Dessa vez eu realmente, sem brincadeira nenhuma, queria morrer.

— Terävä são como as plantas — disse ele, me surpreendendo. Meus olhos se arregalaram e olhei rapidamente para ele. A maioria dos imortais evitava falar de Terävä, a treva e a luz. Helgar tinha sido uma das poucas que ouvi falando aquele nome em voz alta. — A magick deles é feita tirando energia, vida, das coisas ao redor. Assim como as plantas, que podem esgotar o solo no qual elas crescem, tornando-o estéril e incapaz de sustentar a vida, os Terävä esgotam a força vital de tudo ao redor deles. É por isso que as coisas morrem quando Terävä executa magick. Como tenho certeza de que você percebeu.

Pensei nos passarinhos de Kim e minha garganta doeu.

— Humm — falei. — Então... vocês não fazem magick?

Eu podia abrir mão disso facilmente, sem arrependimento. Eu não usava feitiços com muita frequência, não queria fortalecer minha magick. Sim, houve algumas poucas vezes em que senti a onda de excitação, a explosão de beleza, mas os efeitos posteriores eram péssimos. Eu achava que não sentiria falta.

— Ah, não — disse Solis com a sombra de um sorriso. — Fazemos magick todo o tempo. É nosso sangue vital. Viver sem magick seria como... como ser mortal.

De volta à minha cela de freira, *séculos* depois, tentei tirar a terra debaixo das minhas unhas. Pelo menos tínhamos pias nos quartos, embora ainda tivéssemos que descer o corredor para todas as outras coisas. Eu estava cansada, meus ombros doíam. O rosto estava queimado pelo vento, talvez pelo sol. Cada unha estava destroçada, e eu tinha cortado todas bem curtas.

Uma batida na porta fez meu coração dar um salto. Talvez... Reyn? Eu me permiti a fantasia de pensar que ele secretamente — *muito* secretamente — estava feliz por me ver voltar.

— Está aberta — gritei. — É *claro*.

River abriu a porta e ficou parada atrás de mim perto da pia. Ela colocou as mãos nos meus ombros, sorrindo para mim pelo espelho.

— Bem-vinda de volta — disse ela com suavidade. — Manjei seu carro.

O uso da palavra antiquada deveria me fazer sorrir. Ergui minhas mãos maltratadas.

— Manjei seu jardim — respondi, e ela riu. Tentei não gostar disso.

— Foi o que Solis disse. Você colheu o equivalente ao seu peso em nabos, beterrabas e couve, pelo que eu soube. Sei que vai deixá-la feliz ver tudo isso no jantar.

Minhas pálpebras tremeram, e não consegui evitar um gemido de horror. River riu de novo.

— Eu sei. Já vivi minha cota de temporadas de fome, é claro. Uma vez, no sul da Inglaterra, todas as vacas estavam adultas e lotadas de leite, mas a maior parte das plantações de alimentos morreu. Bebemos leite, fizemos queijo, comemos queijo, demos queijo para alimentar os animais... Que fedor! Foi o bastante para me fazer ficar sem laticínios por sessenta anos.

Enrolei o cachecol de novo no pescoço e me sentei na cama. Do lado de fora da casa, tinha ficado escuro de repente. Rezei para que as pessoas já tivessem começado a fazer o jantar, depois me lembrei que ele seria composto de nabos, beterrabas e couve. Apesar de tudo, ficar deprimida ali ainda era melhor do que ficar deprimida em outro lugar. Do que estar no mundo exterior. Perdida nas lembranças. Mais uma vez, me perguntei o que meus amigos pensavam do meu desaparecimento. Será que estavam procurando por mim? Será que eu estava escondida de verdade ali?

— Não entendo por que tenho que trabalhar no jardim — falei. — Só... quero ser, sei lá. Salva, algo assim. Me diga o que fazer e farei. Mas não vejo o que jardinagem tem a ver com isso. — Esfreguei as mãos limpas contra a calça, incapaz de me livrar da sensação de terra seca nos dedos.

River pensou por vários momentos, o perfil elegante delineado contra a escuridão lá fora. Fiquei de pé e fechei as pesadas cortinas de inverno, pois o frio emanava do vidro da janela.

— Para os imortais, o tempo passa muito rápido — disse ela por fim. — Você se lembra como, quando você era criança, cada dia demorava a eternidade para passar e cada ano até seu aniversário parecia durar uma vida? Depois, quando você ficou mais velha, o tempo pareceu passar com mais rapidez. Você se lembra disso?

Evito pensar na minha infância o máximo possível.

— Não.

— Bem, é um sentimento quase universal — disse River, sem recuar. — Isso acontece porque, aos 10 anos, um ano representa dez por cento de sua existência no mundo. E se você não se lembra dos dois ou três primeiros anos, então um ano é uma percentagem ainda maior. Você entende?

— Acho que sim. Mas o jardim...

— Quando você tem 40 anos, um ano é só a quadragésima parte da sua existência toda. Então cada ano em si parece passar mais rápido, parece não ter tanto peso. Isso faz sentido?

— Hum, bem, sim — falei.

River era paciente, como uma pessoa de quase 1.300 anos tem que ser. Os olhos dela estavam límpidos e calorosos, observando seriamente dentro dos meus.

— Quando você é um aefrelyffen, imortal, parece que estamos esperando o esquecimento. Ou pior, entende que provavelmente estará viva no ano 2250, e é apavorante porque você não tem ideia de como vai ser. Quando você é imortal, os anos rapidamente perdem o significado. Anos, décadas e, em dado momento, até mesmo os séculos parecem voar num piscar de olhos, até que, por exemplo, o século XIX parece só uma festa ruim a que você foi.

Mexi com as pontas do meu cachecol e não falei nada.

— Por causa da relativa extensão das nossas vidas, muitas coisas perdem a importância ou se perdem diante de um pano de fundo tão grande — continuou River. — Quantos amantes você já teve? Quantos filhos? Quantos amigos você amou e já morreram? Para as pessoas normais, esses eventos são enormes e modelam ou mudam suas vidas por completo. Para nós, é só um brilho no tempo. Mas essas coisas nos afetam. Uma a uma, pouco a pouco, perda após perda, nós ficamos diminuídos. Perdemos tanto por tanto tempo que a maioria das coisas, a maioria das pessoas, a maioria das *experiências* perde seu valor para nós, perde o peso. Esquecemos *como* valorizar as coisas, como *sentir* as coisas. Esquecemos como amar.

Certo, tudo bem, é algo sobre o que refletir. Parte disso estava me soando desconfortavelmente familiar.

— O que começamos a fazer aqui — disse River — é dar a você um curso intensivo de como reaprender a dar valor aos momentos, aos minutos. Você vai aprender a habilidade de estar completamente ciente, completamente presente, no momento. Você vai reaprender como sentir as coisas, como valorizar as coisas. E você vai se sentir mais feliz e mais completa depois.

Mordi o lábio, com medo de ela estar falando a verdade e odiando essa possibilidade.

— Trabalhar no jardim, preparar uma refeição, fazer limpeza... Essas tarefas são repetitivas e entediantes. Para um imortal, são quase insuportáveis. Em geral, estamos em busca da próxima *grande* emoção, do próximo *grande* evento, da próxima *grande* sensação física, porque depois de um tempo, é só isso que conseguimos sentir.

Opa. Alô. Ai.

— Nosso presente para você e para todos os imortais que vêm para cá é ensinar como você pode valorizar e sentir cada momento em que suas mãos estão imersas em água cheia de espuma. A ver de verdade e sentir de verdade o cheiro de cada erva daninha que você arranca. A sentir a maciez robusta de um nabo, a sentir de verdade o gosto verde das folhas. A estar dentro do seu próprio corpo sem querer sair correndo, gritando. A se divertir, se valorizar, se conhecer. E quando você conseguir isso — ela parou e sorriu de novo —, aí você vai conseguir amar, amar de verdade, uma outra pessoa.

Não falei nada. Minha garganta estava apertada de novo e meus olhos estavam quentes. Correr por aí gritando parecia a única coisa que eu suportaria fazer naquele momento. Ah, Deus, talvez ela soubesse mesmo do que estava falando. Era uma percepção horrível. Ela podia *me* conhecer mesmo, saber como me sinto. E o quanto isso seria desprezível e humilhante? O que havia dentro de mim era tão feio, tão infeliz, tão encharcado de dor e horror que a ideia de alguém conhecer isso era terrível e difícil de compreender. Eu me sentia como um rato encurralado cuja jaula está sendo lentamente baixada em óleo fervente. Eu sentia o nível subindo, sentia o óleo queimando minha pele...

— E é claro — disse ela calmamente, ignorando o pânico crescente nos meus olhos — que você também conseguirá executar magick sem matar nada. Você será Tähti.

Quase engasguei ao ouvir a palavra dita em voz alta. Do mesmo modo que quase não se falava de Terävä, ninguém *jamais* falava de Tähti. Nenhum dos meus amigos tinha conhecido um, e algumas pessoas insistiam que eram apenas mito. Eu tinha ido para lá na esperança de não serem.

— Você nasce de um jeito ou de outro — falei com voz fraca. — Não podemos mudar.

— Podemos. Mudamos. — River parecia segura e calma. — Sou Tähti. Agora. Fazemos magick sem trevas, sem destruição. Você pode aprender a fazer isso.

Era como se ela estivesse me dizendo que eu podia aprender a não ser humana, a ser uma alienígena, ou um tigre. Incompreensível.

— Como assim, agora? — perguntei.

— Não fui sempre cheia de doçura e luz — disse River, se levantando. — Houve uma época em que eu era... muito sombria mesmo. — Ela olhou para o outro lado, como se em dúvida se tinha falado demais. — E agora os nabos estão nos chamando. — Ela deu um sorrisinho e fez um gesto em direção à porta.

Olhei para ela, incapaz de processar tudo que ela havia acabado de me contar. Nos últimos dez minutos, River tinha descoberto minha personalidade, tinha aberto meu peito e exposto o cadáver em decomposição que havia dentro de mim. Eu estava enlouquecendo.

Enlouquecendo e, hum, com fome também. As horas de trabalho no frio, no sol e no vento tinham despertado meu apetite, e eu estava faminta.

— Vamos — disse River, esticando a mão. — Você pode enlouquecer enquanto come. Soube que tem torta de maçã de sobremesa. Para quem comer todo o nabo.

Oh, Deus, oh, Deus, ela me conhecia. *Ela me conhecia.*

CAPÍTULO 10

— Oh, Nastasya, *me ajude!*

Dei meia-volta ao som da voz de River e a vi saindo de trás da velha picape vermelha. Era cedo e eu estava levando lenha para a casa, para as grandes lareiras do salão principal e da sala de jantar. Eu não sabia como isso salvaria minha alma, mas era melhor do que arrancar beterrabas da terra. Soltei o cabo do carrinho e fui em direção a ela. Ela estava inclinada, segurando um dos cachorros pela coleira.

— Nastasya, você tem que pegar Jasper — disse River. Seu cabelo grisalho fino estava fugindo da trança, emoldurando o rosto dela em mechas.

— Hã, tudo bem — falei, esticando as mãos em direção a ele. — Ah. Eca. Isso é cheiro de *gambá*?

— É. Sinto muito, mas tenho que levar esses repolhos para o mercado dos fazendeiros antes das oito. Jasper costuma ir comigo, mas ele obviamente teve um probleminha com a vida selvagem local. Será que você pode dar um banho nele?

Olhei para ela. Jasper ofegava com alegria aos meus pés, fedendo absurdamente.

— Com suco de tomate — disse River. — Coloque-o na pia grande do estábulo e jogue suco de tomate nele todo. Já pedi a Reyn para trazer o suco e ajudar você.

— Hã — falei.

River começou a achar graça por me passar esse trabalho atroz e tentou reprimir uma risadinha.

— Lamento, Nastasya. Você é minha última esperança. Um tanto de suco de tomate e depois um bom xampu e ele deve ficar bem. Certo, Jasper querido?

Jasper parecia alegre e satisfeito consigo mesmo.

— Desculpe, tenho que correr. Muito obrigada! — Ela deu um tapinha rápido no meu ombro e depois correu de volta para a picape. Observei enquanto ela dava ré e seguia pela via não pavimentada que levava à estrada principal.

Olhei para Jasper. Ele sorriu para mim. O cheiro era horrível. Se qualquer um dos meus amigos pudesse me ver agora... me achariam tão inexplicável e desprezível quanto eu os achava.

— Muito bem, vamos lá — falei, levando Jasper para o estábulo.

Havia o celeiro grande, onde as aulas eram dadas, e havia mais duas outras construções. River tinha seis cavalos, embora o estábulo comportasse dez. Em um canto ficava a sala de equipamentos e bem em frente ficava a pia grande. Reyn estava ao lado da pia, já fazendo buracos em várias latas enormes de suco de tomate. Ele olhou para mim sem entusiasmo algum.

— Temos que dar banho nele — falei desnecessariamente.

— Sim.

Reyn colocou a tampa no ralo, depois se inclinou e ergueu Jasper com facilidade para colocá-lo dentro da pia. Tentei não apreciar o quanto ele era forte, o quanto era capaz e tranquilo. Jasper se contorceu inseguro, depois ficou parado.

— Bom menino — falei, tentando não inspirar. — Ah, meu Deus. Espero que esse negócio de suco funcione.

— Segure-o — disse Reyn, e virou uma lata de suco de tomate nas costas de Jasper. Provavelmente estava frio, e Jasper parou de sorrir, parecendo ofendido.

— Pegue aquela caneca e jogue mais — disse Reyn.

Fiz o que ele mandou. Eu me dei conta de que Reyn e eu estávamos sozinhos naquele estábulo quente e com cheiro de feno. A manhã mal tinha começado; raios de sol entravam pelas poucas janelas. Ao nosso redor, cavalos bufavam baixinho, os focinhos aveludados tremendo ao capturar o cheiro de nosso Jasper.

Eu não estava à vontade. Odiava estábulos, odiava estar cercada de cavalos. Já tive cavalos que amei muito, e perdê-los tinha doído demais. Agora eu me esforçava para evitar ficar perto de outros cavalos.

Os braços fortes de Reyn viraram lata após lata de suco de tomate sobre Jasper, que agora estava claramente infeliz, a cabeça abaixada. Jasper era da raça corgi, com pernas curtas e grandes orelhas de morcego, e estava com suco de tomate até o meio das patas. Eu enchia caneca atrás de caneca e continuava a jogar nele, massageando para dentro do pelo com a mão livre.

— Vamos conversar sobre escolhas, Jasper — falei. — Vamos falar sobre tomar as decisões certas.

Ao meu lado, Reyn era tão sólido, como se pudesse permanecer de pé depois de atingido por um tsunami. Ele tinha cheiro de ar de outono repleto de fumaça de madeira, insuportavelmente bom. A camisa xadrez de flanela estava aberta no pescoço, e eu queria pressionar meu rosto contra a pele macia do peito dele e inspirar aquele aroma. Então ele poderia me envolver com os braços, e eu ficaria aquecida e segura... Apesar do que parecia ser uma troca emocional de mão única, eu podia imaginá-lo rindo muito, totalmente entregue. Podia visualizá-lo bêbado, embora nem um átomo dele parecesse que se permitiria tal coisa. Podia vê-lo furioso, tendo ataques de ira... Vacilei, minha mão ainda no pelo grosso de Jasper.

Olhei para Reyn e examinei o rosto dele.

Ele olhou para mim e derramou mais suco.

Reyn furioso, tendo ataques de ira...

Balancei a cabeça, piscando, a imagem se desfazendo em meu cérebro como uma névoa. O que era? Tinha sido... Eu não sabia. Sumiu. Decidi pegar o touro pelos chifres.

— Você não gosta de mim. Tem certeza de que não nos conhecemos?

Os olhos de Reyn brilharam. Ele derramou a última lata grande de suco sobre Jasper e eu esfreguei, tentando cobrir cada centímetro do cachorro fedido.

— Não tenho... qualquer tipo de sentimento por você — disse ele, a voz tão distante quanto sua atitude. — Deixe o suco agir um pouco.

Do canto do olho, vi a pele do pescoço dele sob a camisa aberta em V, o queixo coberto por uma penugem de barba.

— Há quanto tempo você está aqui?

Ele olhou para mim de lado e depois respondeu:

— Enxágue-o e depois pode passar o xampu. Tenho trabalho a fazer.

— Você pode me ajudar? Ele pode pular daqui.

Eu não achava que Jasper fosse a lugar algum; ele estava totalmente desmoralizado agora, só aguardando seu destino. Tinha até se sentado no suco de tomate. Um pequeno músculo tremeu no maxilar de Reyn, mas ele ficou. Enxaguei Jasper e puxei a tampa do ralo, depois lavei-o com xampu de cavalo.

— Ah, Reyn, aí está você! — A voz de Nell me fez virar, e a vi descendo o corredor, com o rosto limpo e aparência fresca com um suéter de lã tricotado à mão e calça de veludo para dentro de galochas. Eu parecia que tinha passado a noite toda dançando e depois tinha ido dar banho em um cachorro fedido. Não era meu melhor momento.

— Estava procurando você — disse ela a Reyn.

Ele não tinha qualquer resposta para isso, e Nell se virou e me olhou de cima a baixo, alegre e simpática como sempre. Tentei não lembrar que meu moletom preto tinha uma caveira de pedras ou que minha calça roxa de cintura alta parecia perfeita para o elenco do Cirque du Soleil. Quero dizer, *e daí?*

— Nastasya, talvez você tenha encontrado uma nova aptidão! — Ela sorriu para mim e minha coluna se contraiu.

— O que você quer dizer? — perguntei.

— Como cuidadora de cachorros! — Ela deu uma risadinha. — Você parece profissional.

Decidi não molhá-la com a mangueira da pia, mas suspirei baixinho.

— Reyn, queria saber se você pode vir me ajudar. — Nell deu um sorriso de dama inglesa, enrolando um cacho de cabelo em um dedo. — Tenho que plantar espinafre. — Eu já tinha reparado nela fazendo isso antes, tentando ficar com ele, perto dele, querendo levá-lo para ajudar no que ela tivesse que fazer. Ele parecia nem perceber.

Eu esperava que Reyn agarrasse a oportunidade de sair dali, mas ele balançou a cabeça.

— Vou terminar isso e depois Solis me pediu que olhasse a ferradura de Titus.

— Titus é um dos cavalos? — perguntei, sem nenhum interesse real. Nell me deu um sorriso condescendente.

— Sim. Reyn é nosso especialista em cavalos. Ele tem um ótimo assento

Eu sorri.

— Percebi.

O rosto de Reyn se contraiu e Nell ficou vermelha, parecendo sem graça.

— É um termo equestre.

— É mesmo? Pensei que você estava falando da bunda dele.

Os dois pareceram sem jeito e considerei ter ganhado pontos por isso. Eles eram duas das pessoas mais irritantes que já havia conhecido. Mereciam um ao outro, embora imaginar os dois juntos fizesse a bile subir pela minha garganta enquanto eu enxaguava Jasper de novo. Eu me inclinei e cheirei as costas do cachorro como teste. Só havia um leve toque de aroma de gambá. Aceitável.

— Tudo bem, garoto, não faça isso de novo — falei, tirando-o da pia. Apesar do tronco parrudo, ele pesava só uns 14 quilos. Coloquei-o no chão e esperei...

— Ah! — Nell deu um salto para trás quando Jasper se sacudiu com entusiasmo, molhando a todos.

Sequei minhas mãos na toalha áspera e sorri para Reyn quando Nell se virou e saiu praticamente marchando pelo corredor.

— Obrigada pela ajuda — falei com suavidade.

Ele me olhou por um segundo e depois passou por mim, indo na direção oposta de Nell.

Os dois me irritavam profundamente.

River e Solis aparentemente decidiram que eu estava a anos-luz de conseguir lidar com aulas formais de qualquer tipo, então, em vez disso, eles simplesmente me colocaram para trabalhar. Meu nome era escrito no quadro de trabalhos, e por vários dias lutei contra os pesos onipresentes tanto do tédio entorpecente quanto do desespero enlouquecedor. Eu tinha *evitado*, de propósito, cada uma das coisas que eu fazia. Durante *décadas*, talvez até durante séculos.

No entanto, finalmente encontrei um trabalho do qual eu gostava: bater nas coisas com força com um martelo. Hoje Brynne, Jess e eu estávamos consertando algumas tábuas do revestimento do celeiro grande onde as aulas aconteciam. Pensei no quanto aquela atividade era diferente de tudo o que eu estaria fazendo com Incy e Boz em Londres. Será que nós estaríamos planejando férias fabulosas? Ir a festas imperdíveis? Nos recuperando de uma noitada louca? Aleijando motoristas? Tudo parecia tão sem sentido. Por outro lado, vejam só, eu estava consertando um celeiro! Útil, hein?

— Me conte sobre você, Brynne — falei, limpando o nariz na manga da camisa. — O que a trouxe aqui?

Brynne segurava uma tábua para que Jess pudesse prendê-la no lugar com algumas marteladas rápidas. Depois martelaríamos os pregos de novo para prendê-la melhor.

— Venho para cá a cada década aproximadamente e fico por volta de um ano — disse Brynne. Hoje as mechas de cabelo dela estavam cobertas por um lenço colorido. Ela era elegante e bonita, como uma modelo adolescente, como um guepardo. Um guepardo usando macacão e um suéter verde esfarrapado. Ela sorriu para mim, iluminando o céu cinzento e sem-graça da tarde. — Normalmente depois de um rompimento horrível. River me acolhe, me alegra, eu treino algumas habilidades e depois, quando me sinto bem de novo, vou embora.

Eu me lembrei do comentário de Reyn sobre cachorros de rua e tentei não fazer uma careta.

— Hum. Que tipo de habilidades?

Brynne deu de ombros.

— Cuidado, Jess. Tem uma farpa ali. Ah, qualquer coisa. Magick, cozinhar, jardinagem, o que for. Teve um ano em que ajudei River a repintar vários aposentos. Em outro ano, me concentrei em pães e bolos. Teve um ano em que não fiz nada além de estudar magick das pedras e cristais. Teve um ano... Ah, você se lembra, Jess? Vim aqui e ensinei todo mundo a dançar hip-hop. — Ela riu, jogando a cabeça para trás, a linha do pescoço marrom marcada contra o céu.

Jess resmungou, com pregos na boca. Pelo que parecia, ele não gostava de hip-hop.

— Quantos anos você tem? Se você não se importar de responder, é claro.

Brynne pensou por um momento.

— Hum. Duzentos e trinta e quatro. Nossa. — Ela sorriu de novo. Parecia ter uns 18 anos.

— Como conheceu River? — Será que era demais interrogá-la assim? Eu não sabia.

— Pronto. — Jess acenou positivamente para mim e fez um gesto em direção à tábua. Segurei um prego no lugar e bati com o martelo. Melhor. Trabalho. Do mundo.

Brynne parou de sorrir.

— Fiquei furiosa com uma pessoa e taquei fogo nela.

Pisquei, repassando as palavras na minha cabeça. Ela tinha dito aquilo? Jess nem levantou o olhar. Decidi deixar meu queixo cair.

— Como? — Que engraçado, ela não parecia uma psicopata... Pensei com desconforto em algumas das coisas que fiz e peguei outro prego.

— Não foi fogo de verdade — disse Brynne, se recostando na tábua para segurá-la no lugar. — Não a queimou de verdade. Mas eu queria assustar, e consegui. River estava passando perto da viela. Isso foi na Itália, em, sei lá, 1910? 1915? Antes da Primeira Guerra Mundial. Ela viu que eu *obviamente* estava usando magick da maneira errada e veio até mim, me passou uma conversa.

— E então você simplesmente veio pra cá?

— Ah, não. Eu dei um soco nela.

Jess riu e me passou outro prego.

— Mas acabei vindo. Vim pela primeira vez em 1923. Depois da guerra.

— De onde você é?

— De Louisiana. Minha mãe era escrava, da África. De Angola. Meu pai era um fazendeiro branco. Rá! Que tal ser uma escrava imortal! Deus.

Terminei aquela tábua e segurei outra para Brynne prender.

— O que aconteceu? — Aquilo tudo era demais para processar.

— Meu pai percebeu que minha mãe era imortal é claro. Eles esperaram, até que a mulher dele morresse, e então fugiram juntos. Ele vendeu a fazenda e deu liberdade a todos — disse rindo. — Ainda estão juntos. Tenho dez irmãos. Talvez você conheça alguns deles. Eles aparecem aqui de vez em quando.

Dei um prego para ela, pensando no que acabara de dizer. Eu não conhecia muitos casais imortais felizes, mas ali estava um. E eles tinham adicionado mais 11 imortais ao mundo! Parecia estranho ter filhos por anos e anos, então você podia ter irmãos que eram cem anos mais velhos do que você. Conheci alguns assim. Todos os meus irmãos tinham diferenças de um ou dois anos um do outro, não sei por quê.

— E você? — finalmente perguntei a Jess.

— Não vou falar sobre isso — disse ele com a voz rouca e colocou outra tábua no lugar.

Tudo bem, então.

— Vocês sabem a história de outras pessoas? — perguntei casualmente. — Como de Lorenz ou de Nell? Ou de Reyn? — Ah, sim. Sou sutil. Tãããão sutil.

Brynne deu de ombros.

— Eles podem contar as histórias deles — disse ela. — Sei que Lorenz tem uns 100 anos e é italiano, obviamente. Tive a impressão de que a família dele era amiga da de River. Nell é inglesa e só tem uns 80 anos. Não sei muito sobre Reyn. Acho que ele disse que tem uns 260 anos? Algo assim? É holandês. Fora isso, você terá que perguntar a eles.

Fiz que sim, pensativa.

— E você? — perguntou Jess. O som da voz dele lembrava o sacudir de uma lata cheia de pregos enferrujados.

Meu primeiro instinto foi responder com a frase que ele mesmo usara: não vou falar sobre isso. Mas eu estava lá para crescer e aprender a *amar*, certo?

— Sou mais velha.

Brynne sorriu.

— Certo. Mais velha quanto? De onde você é? Qual é sua história?

E assim, de repente, as trevas do meu passado despencaram sobre mim de novo, e eu não podia tocar nesse assunto, não podia compartilhar nada, não podia tolerar a troca que havia em uma conversa normal.

Olhei para Brynne, e acho que ela viu alguma coisa nos meus olhos, porque o rosto dela se suavizou e ela deu um tapinha no meu braço.

— Tudo bem — disse ela. — Algumas estradas são mais longas e mais difíceis do que outras.

Concordei sem falar nada, pensando que algumas estradas pareciam levar direto ao inferno.

Grupos diferentes de pessoas, geralmente em duplas, às vezes em trios, faziam o jantar a cada noite. Outras pessoas faziam a limpeza. As pessoas saíam para caminhar quase todas as noites depois do jantar, mesmo se estivesse chovendo ou muito frio. Eu era forçada a ir algumas vezes, embora odiasse estar em contato com a natureza depois de escurecer. Mas cercada pelos outros, parecia menos ameaçador, e eu ficava no meio do grupo porque, se alguma coisa nos atacasse, a coisa teria que passar por várias pessoas até chegar a mim.

Ei, se eu fosse totalmente racional, não estaria ali.

— Não teve um filme sobre isso? — perguntei alguns dias depois enquanto descascava uma montanha de batatas. Eu tinha colhido aquelas malditas batatas da terra dois dias antes, e a terrível sensação de terra seca ainda estava grudada nas minhas mãos. Infelizmente, nem toda tarefa era tão satisfatória quanto martelar pregos. — E de repente eu viro uma expert em caratê?

Asher, lavando couve ao meu lado, sorriu.

— Sim. Esse é nosso plano secreto desde o começo.

— Você é professor aqui — falei. — Por que ainda está fazendo trabalho chato? Você ainda não atingiu o "nirvana"? Não está apreciando cada minuto em que lava a couve?

Asher sorriu de novo.

— *Au contraire, mon petit chou. Estou* apreciando cada minuto. Mas é importante que você compreenda verdadeiramente que não basta fazer *x*, *y* e *z* e então fica feliz e pode relaxar pelo resto da sua loooonga vida.

O senso de humor dele me surpreendeu, e me dei conta de que era igual ao de River. Na verdade, parecia que eu estava sempre ouvindo ao longe uma piada, quando ouvia risadas chegarem a mim do jardim, do quintal ou do corredor. É claro que eu ainda estava para ver Reyn abrir um sorriso sem ser na minha imaginação, mas não esperaria por isso prendendo a respiração.

— O que você quer dizer? — perguntei. — Que nunca vou ficar... melhor?

— Não, não, não interprete errado — disse Asher. Ele colocou outra pilha de couve limpa na bancada e mergulhou mais na pia. — É só que não é como escalar uma montanha e pronto. Depois que você escala a montanha, jamais terá que escalá-la de novo.

Merda.

— Vou ter que escalar a montanha *de novo*?

— Não. — Ele desligou a água, secou as mãos em um pano de prato e olhou para mim. — É só que, depois de escalar a montanha, você se dá conta de que a vista é tão espetacular que você quer continuar.

Balancei a cabeça.

— Estou confusa. Esqueça a metáfora da escalada. Seja mais direto.

— Nenhum de nós aqui decidiu um dia abraçar o bem, ou a luz, e deixar as trevas totalmente para trás — disse Asher, paciente. — Não é uma decisão que se toma uma vez. Ser Terävä é como nascemos, mas não como permanecemos. Ser Tähti pode ser alcançado, mas quando conseguimos, podemos facilmente perder tudo de novo.

Eu ainda estava chocada com a facilidade com que as pessoas falavam daquilo ali.

— Ser "bom", e com isso quero dizer não ser das trevas, não ser do mal, não quer dizer que eu esteja falando em ser certinho e caretinha, entende?

Fiz que sim.

— Ser bom é uma escolha que devemos fazer sempre, todo dia, ao longo do dia, pelo resto da vida — disse Asher. — Um dia é feito de milhares de decisões, a maioria pequena, desimportante, algumas enormes. Com cada uma, você tem a chance de trabalhar em direção à luz ou afundar em direção às trevas.

— Ah, Deus — gemi. — Nem quero ser tão boa!

Um sorriso iluminou o rosto dele.

— Vou te contar um segredo: nenhum de nós toma cada decisão o tempo todo fazendo a escolha certa. Nem mesmo River, e ela é a pessoa mais genuinamente boa que já conheci.

— Então qual é o sentido de tentar se não se pode vencer?

— Vencemos de muitas maneiras diferentes — disse Asher. — Muitas pequenas vitórias. O principal nessa vida é não ser bom o tempo todo. É ser tão bom quanto se *pode* ser. Ninguém é perfeito. Ninguém faz a coisa certa o tempo todo. Não é assim que a vida é.

A porta da cozinha se abriu e várias pessoas entraram: Lorenz, Nell, Anne e... o deus viking. Eu via Reyn todo dia, é claro. Depois do nosso episódio de banho no cachorro juntos, eu tive a infelicidade de trabalhar ao lado dele, ou perto dele, em duas outras ocasiões. Ele falava só quando falavam com ele, nunca sorria, nunca ria — em resumo, era muito hostil e frio — um pé no saco.

Continuei a achá-lo familiar sem saber por quê. Quanto mais eu olhava para ele, mais irritante ele parecia, mais agressivo — e com verdadeira ironia cármica, minha mente tinha escolhido achá-lo mais atraente do que qualquer outra pessoa que conheci. Isso tinha me surpreendido. E Reyn não tinha me dado *nada* em que me basear, nenhum sinal de interesse. Mas eu era atraída por ele como se nos conhecêssemos ou tivéssemos um passado juntos. Por um minuto febril, imaginei se tivéramos uma vida passada em comum e depois reencarnado, e então me dei conta de que a ideia de mais de uma vida como imortal era o tipo de coisa que não dava nem pra pensar.

Mas ao mesmo tempo eu não o suportava — ele não tinha uma única característica admirável exceto sua devoção total e entediante ao bem. Certo, vamos só dizer que ele não tinha uma única característica admirável. Era o babaca mais irritante, reprimido, arrogante, metido a superior e quadrado que eu conhecia. Ainda assim, todas as noites, na minha cama dura de solteiro, eu... *sentia saudade* dele, como se ele tivesse sido meu alguma vez e agora eu o quisesse de volta. Eu ardia por ele, ansiava que viesse a mim, que me tocasse, queria beijá-lo, desejava fazer aquela fachada ruir, fazer com que ele perdesse o controle, fazer sua respiração disparar.

Quero dizer, normalmente não gosto da maioria dos homens e só os uso por tempo curto e limitado. Mas Reyn me afetara, e eu tinha uma atração visceral e intensa por ele, querendo ou não.

— Nastasya? — Asher estava olhando para mim. Todo mundo estava olhando para mim.

Respirei fundo, peguei uma batata e comecei a descascá-la furiosamente.

— Certo, explique toda essa coisa do bem e do mal de novo.

Os outros riram (exceto Reyn) e se viraram para sair, cheios de sorrisos, bochechas rosadas e boa saúde. Na porta, Nell fez uma pausa.

— Ah, Reyn? Minha porta está prendendo. Você acha que pode dar uma olhada? — Ela deu um dos seus sorrisos, do tipo morango com chantilly.

Reyn concordou e foi atrás dela.

— Reyn? — disse Asher, fazendo com que ele parasse.

— Sim? — O tom de Reyn era de respeito. Não exatamente caloroso, mas também não chegava a ser desdenhoso como o que ele usava comigo. Nell parou, mas Asher gesticulou para que ela fosse em frente. Depois de um momento de hesitação, ela sorriu e saiu.

— Descrevi nossa busca como sendo uma série contínua de decisões ao longo do dia, ao longo da vida — disse Asher. — E tentei explicar como nenhum de nós é perfeito, como ninguém pode realmente escolher agir pela bondade todas as vezes sem falhar. Falei que a vida não é assim. Você pode colocar isso de uma maneira diferente, para ajudar Nastasya a entender o que quero dizer?

Ah, Deus, sim, por favor, coloque para Nastasya, pensei com maldade, então dei um tapa na minha cabeça mentalmente. Lá estava eu: fazendo uma escolha não para o bem, bem ali, bem naquela hora. Eu não tinha salvação.

Reyn pareceu estupefato, o que fez com que eu me sentisse um pouco melhor. Ele não gostava de ficar perto de mim tanto quanto eu não gostava de ficar perto dele.

— Como está indo a *sua* busca? — perguntei com petulância, jogando as cascas de batata na pia.

Ele parecia... simplesmente inacreditável, o cabelo revirado pelo vento, os olhos brilhantes, o rosto levemente ruborizado. Era quase impossível eu não derrubá-lo bem ali, na frente de Asher, e subir em cima dele. Se eu o acertasse com uma frigideira, ele talvez não lutasse muito...

— É difícil — disse Reyn. — É a coisa mais difícil que já fiz. É uma batalha constante. É vida ou morte.

Asher pareceu surpreso.

Reyn normalmente não transmitia tanta coisa, e olhei para ele. Eu entendia a parte sobre vida ou morte, mas era de se esperar que ele visse mais o lado bom, que estivesse lutando com disposição.

— E por que você tenta? — Não estava tentando ser espertinha. Eu queria mesmo saber.

Reyn ficou em silêncio, e achei que ele iria embora sem me responder. Mas então disse:

— Porque não tentar é admitir que o outro lado venceu. Não tentar é abraçar a morte e a escuridão eterna. E nesse caminho estão a loucura, o desespero e a dor sem fim.

Asher e eu estávamos de olhos arregalados.

— Ah, hum — consegui dizer.

O olhar de Reyn era incompreensível. Ele saiu da cozinha sem dizer mais nada.

Olhei para Asher, que estava pensativo e talvez preocupado.

— Ele é um cara divertido — falei.

Asher só coçou a barba e me deixou sozinha com as batatas, para lutarmos juntas.

CAPÍTULO 11

— Você vai ficar? — A pergunta gentil de River me fez parar no meio da tarefa: dobrar panos de prato limpos.

Abri minha boca para dizer *Não, não posso*, mas não saiu nada.

Não era exatamente divertido estar ali, mas quando eu pensava no assunto, também achava que não estava em sofrimento profundo o tempo todo. E *tinha* sido doloroso estar em Boston, estar em Londres. Tinha parecido que eu estava morrendo ou pior, que já estava morta.

Eu não me sentia assim ali.

Ainda me perguntava, é claro, o que Incy e os outros estavam fazendo naquele momento, se sentiam minha falta, se estavam preocupados. Eu nunca tinha desaparecido antes, não completamente. Já tinha abandonado a cidade, deixado bilhetes com frases como *Me encontre em Constantinopla* ou coisas do tipo, mas dessa vez eu tinha desaparecido da face da Terra. Como eles tinham reagido a isso? Tremi com um calafrio repentino.

Minha vida tinha mudado completamente, em todos os aspectos. Não era isso o que eu queria? Eu acordava todas as manhãs a tempo de ver os primeiros debruns gelados do amanhecer subirem pelo morro ao longe. Fazia minha cama (ou pelo menos esticava o cobertor), me vestia e ia para o andar de baixo. Às vezes meu nome estava na lista para ajudar no café da manhã. Às vezes eu tinha que fazer alguma outra coisa, como pegar ovos, varrer a varanda ou botar a mesa.

Minhas manhãs eram repletas de trabalho, normalmente com um professor ou um dos alunos mais avançados: Daisuke, Charles ou Rachel. Às vezes eles me faziam perguntas, que eu tentava responder; às vezes falavam de coisas aleatórias, e só depois eu me dava conta de que tinham transmitido a Importante Lição de Vida nº 47 ou algo do tipo.

Eu agora conhecia todo mundo, sabia os nomes, de onde tinham vindo, onde eram seus quartos, há quanto tempo estavam lá. Jess tinha apenas 173 anos. Mas ele vinha de uma situação pior do que a minha, e aquela era a sua quinta tentativa de ficar ali. Eu nunca tinha visto alguém tão jovem que parecesse tão velho — com pele cinzenta, grisalho, rosto cheio de rugas, nariz coberto de vasinhos. Na última vez que saiu, ele se embebedou e atropelou um ciclista acidentalmente. O ciclista não morreu, mas Jess disse que a culpa pesava 500 quilos sobre seus ombros. Ele tinha muita coisa para apaziguar dentro de si. Assim como eu.

Rachel em geral era bastante séria, mas de vez em quando era incrivelmente engraçada. As histórias do que ela tinha feito durante os anos 1920 eram hilárias e faziam todos nós rirmos.

Anne, a outra professora além de River, Solis e Asher era alegre, sorridente e estava sempre com pressa. Também gostava de contato físico, tocava no meu braço, colocava a mão no ombro de alguém, massageava as costas de River. Eu já não tentava me afastar. Ela tinha 304 anos e atribuía a aparência jovem a "toda aquela vida limpa", o que fazia os outros professores bufarem e ela caía na gargalhada.

Sim, eles eram um grupo feliz.

Lorenz e Charles eram bem legais, bem interessantes. Não investi muita energia em conhecê-los, pois eu provavelmente não ficaria ali por muito tempo, mas eles não me irritavam nem nada. Lorenz era italiano, com uma combinação impressionante de cabelo preto e olhos azuis e um adorável perfil romano que parecia saído de um mosaico antigo. Falava meio alto, com gestos grandiosos, expressivos e cheios de emoção. Charles era da Irlanda e ainda tinha um leve sotaque, como a maioria de nós, só que ele tinha morado no sul dos Estados Unidos pelos últimos duzentos anos. Era gay, tinha cabelo ruivo intenso, olhos verdes e sardas. Ele conseguia parecer arrumado e apresentável mesmo quando estava arrancando ervas daninhas ou tirando leite de vaca. Brynne, como já falei, parecia uma modelo: alta, magra e graciosa, com um rosto belo e simétrico. Como Lorenz, ela era incrivelmente vibrante, uma flor de estufa. Ela sempre parecia ter tudo sob controle: quando a frigideira pegou fogo, ela simplesmente cobriu-a de sal, sem se enrolar com nenhuma palavra da história que estava contando.

Reyn era ele mesmo. Nell ainda fazia de tudo para ser simpática e ajudar, mas um minuto era o bastante para se perceber o quanto aquilo era falso, só uma exibição para os outros. Principalmente para Reyn. Eu tinha concluído que Nell era um lobo com roupa de patricinha, mas ninguém mais parecia perceber. Ninguém também parecia perceber como ela estava envolvida com Reyn. Ela era sutil, mas não a ponto de eu não perceber. Por fora, ela era uma coisinha doce: toda sorrisos e generosidade, trabalhadora, séria com os estudos e gentil com os demais.

Mas por dentro eu via seu desespero silencioso por Reyn, que a tratava como um cãozinho a quem ele apenas tolerava. Reyn achava que eles eram amigos, colegas, porque ele era um idiota cego e distraído. Ela queria cavalgar com ele em direção a um pôr do sol Tähti e tê-lo todo para si *literalmente* e para *sempre*. Vezes e mais vezes eu a vi dar um jeito para que os dois fossem designados para a mesma tarefa, trabalhando lado a lado. Ela pedia sua ajuda nos estudos e fazia várias coisinhas por ele, mas Reyn mal reparava.

As pessoas geralmente me adoram ou me odeiam, e Nell parecia se encaixar na segunda categoria. Não sei se ela realmente me odiava, mas se me visse trabalhando com Reyn, seu rosto assumia uma expressão como se fosse me transformar em pedra com os olhos se pudesse. Então eu piscava e o olhar sumia.

Isso tornava meus dias mais interessantes.

Percebi que River estava esperando uma resposta.

Eu gostaria de poder dizer: "Sim! Estou adorando tudo isso! Vamos com tudo! Meu coração e minha alma estão aqui, e estou pronta para mudar!" Mas não podia.

— Hum, acho que consigo aguentar mais uma semana — foi tudo o que consegui dizer, e fiquei tensa esperando que River me pedisse para ir embora.

— Ótimo — disse River, e beijou minha bochecha.

Fiquei confusa. Não pude evitar levar os dedos ao local onde ela tinha me beijado.

— Mais uma coisa — disse ela, e ergui minhas sobrancelhas, atenta. — Você precisa de roupas diferentes. — Ela olhou ao redor do meu quarto com curiosidade desvelada. — Tipo, calças jeans e de veludo. Roupa de baixo para clima frio. Botas mais leves ou sapatos. Tênis. Chinelos. Alguma roupa quente de dormir. — Ela encostou no guarda-roupa com o sapato. — Tem alguma coisa desse tipo aí?

Pensei nas roupas esfarrapadas, em sua maior parte pretas e que não combinavam com nada que eu tinha enfiado lá dentro, roupas caras de grife das quais eu não tinha cuidado do jeito devido, camisetas punks baratas e vestidos vulgares.

— É, tem toda razão — falei com tristeza. — Considerando que, pelo visto, vou trabalhar *muito* lá fora.

River sorriu.

— Vai. Tenho certeza de que alguém irá à cidade em breve e pode levar você às compras.

No dia seguinte, no final da manhã (e quando falo final, quero dizer por volta de 9h), eu estava varrendo a enorme escadaria da frente e tentando me lembrar de como era a música da Cinderela no filme da Disney. E estava pensando sobre como a história dessa princesa — e a maior parte dos contos de fada — tinha mudado ao longo dos anos, tinha ficado mais limpa, menos assustadora, com finais mais felizes. Havia a história do sapatinho de cristal e o erro de tradução. Eu tinha ouvido primeiro a história com o sapatinho feito de *vair*, que é pele, pelo de animal. Foi traduzido para o inglês como *verre*, vidro. Aí está. Agora eu varria e cantarolava a música dos ratinhos no filme. Podemos refletir sobre como minha vida estava diferente em termos de agitação e elegância, certo? Sim. Muito diferente.

— Eu dirijo. — A voz de Nell soou com alegria lá de baixo, do saguão da frente. A cabeleira castanho-clara dela apareceu ao lado do corrimão da escada, e ao seu lado, Reyn disse:

— Posso dirigir. — Eu tinha decidido que ele era Odin, o deus viking do ódio.

Nell fez um biquinho lindo, e o diabo me pegou pelo rabo. Gritei:

— Pelo amor de Deus, deixe que ele dirija, Nell. Ele tem um pinto. Isso faz uma diferença enorme.

Os olhos azuis dela se arregalaram e ela me encarou, primeiro como se questionasse minha audácia, depois com irritação quando se deu conta de que Reyn também estava olhando para mim.

Eu estava entediada. Era hora de sacudir um pouco as coisas. Ainda varrendo, falei:

— Não estou falando de dirigir, não faz diferença alguma. É claro. Mas nas outras coisas. Mijar de pé e tudo mais.

A voz de Reyn estava tensa.

— Aonde você quer chegar?

— Em lugar nenhum. Só estou intercedendo pelo seu direito de dirigir. Quero dizer, você já tem idade, não é? Quantos anos você tem? Uns trinta? — Pela aparência ele mal parecia ter passado dos vinte, 22, com exceção dos incríveis olhos. Os olhos dele pareciam ter centenas de anos.

Ele não disse nada, e Nell franziu a testa.

— Ele tem 267 anos. Eu tenho 83. E você? — O sotaque britânico dela era vibrante.

— Sou mais velha.

Desci um degrau e continuei a varrer. Eu tinha transformado aquilo em arte: uma varrida larga no comprimento, depois duas varridas rápidas em cada canto. Como exatamente algo assim estava salvando minha alma? Eu estava varrendo meu caminho até a salvação ou o quê?

— Ah, que bom, peguei vocês antes de saírem — disse River, descendo pelo corredor que vinha da cozinha. — Vocês dois vão para a cidade, não vão?

— Vamos — disse Reyn.

— E Reyn vai dirigir — falei. — Porque ele é meniiiiino.

As sobrancelhas de River se ergueram.

— Vou dirigir porque Nell amassou os dois para-choques da picape — disse Reyn, pegando a jaqueta da longa fileira de ganchos ao lado da porta da frente. — E arranhou a lateral do Toyota. E estourou um pneu da van.

Nell me lançou o já conhecido olhar envenenado antes de se defender.

— Eu estava me acostumando a dirigir no lado errado da rua! Tudo é ao contrário aqui!

— Você está aqui há dois anos — disse Reyn, pegando as chaves de um carro. Nell parecia que ia explodir, e tive a sensação de que, se River e Reyn não estivessem ali, ela teria cuspido veneno em mim. Em vez disso, ela pegou seu casaco da fileira de ganchos e enfiou os braços nas mangas.

— Pois bem — disse River, parecendo se divertir —, Reyn e Nell, seja lá quem for dirigir, quero que levem Nastasya com vocês para a cidade hoje. Ela precisa de roupas mais confortáveis. Podem levá-la até a Early's?

Se Nell tivesse emitido qualquer som naquele momento, teria sido um grito alto e esganiçado. Em vez disso, ela se virou e foi até a porta sem dizer nada.

— Tenho carro — falei. — Posso ir sozinha.

— Assim economizamos gasolina — disse River confortavelmente. — Tentamos juntar compromissos o máximo possível.

Reyn e eu parecíamos relutantes de forma idêntica. Então percebi o quanto seria divertido ser o terceiro elemento irritante nessa saída que Nell tinha certamente planejado para ficar sozinha com Reyn. Tenho vergonha de admitir que fiz outra escolha errada na estrada para a bondade naquele momento e desci a escada, pronta para tornar o dia de Nell infeliz.

Certo, não é exatamente vergonha. É mais triunfo. Mas pelo menos reconheci que era errado, então foi um progresso, certo?

Early's era a loja de departamentos ao lado da farmácia MacIntyre's. Vendia suprimentos de agricultura, coisas para jardinagem, roupas, brinquedos, doces tradicionais e aparelhos de cozinha. Tinha piso de madeira, teto de metal pintado de marrom e colunas altas de metal que o sustentavam. Era básica e despretensiosa.

— As roupas ficam ali. — Reyn apontou para uma seção da loja. — Tenho que pegar ração. Venho buscar você quando eu tiver terminado. — Ele não podia ter demonstrado menos interesse.

Dei a ele um sorriso caloroso e envolvente.

— Obrigada — falei com doçura, e vi as pupilas dele brilharem. — Você é um amor.

O rosto de Nell ficou duro como mármore e ela saiu andando na direção dos apetrechos de cozinha.

Reyn olhou para mim por mais um momento, mas logo em seguida também se virou e saiu andando.

Dei uma risada quando eles se foram. Vi que estava de frente para araras de roupas femininas, pilhas de jeans dobrados sobre mesas, pilhas de suéteres — e me senti um tanto desorientada. Não me lembrava de ter comprado roupas confortáveis antes. Quando eu era pobre, centenas de anos atrás, eu tinha feito minhas roupas — ei, linho rústico, alguém? Lã tecida em casa? U-hu!

Quando eu tinha dinheiro, não precisava de roupas confortáveis. Há muito tempo, tudo era feito para mim por pessoas que iam até minha casa. Atualmente, por mais que eu vibrasse com a morte dos espartilhos e das saias armadas, não me ligava muito em moda. Quando ficava sem coisas para vestir, ligava para alguém especializado em comprar roupas para os outros para que me mandasse o que eu precisasse. Fazia décadas que eu não me preocupava com o que combinava com o quê ou em ter o traje certo para ocasiões diferentes. Eu nunca me preocupava se ficava bonita com alguma roupa ou se me caía bem.

— Merda. Tudo bem, consigo fazer isso — murmurei para mim mesma. Que tipo de idiota não sabe comprar roupas simples? Nell obviamente sabia.

— Hã? Tá falando comigo?

Levei um susto e vi uma adolescente gótica com um jeans preto na mão. Ela parecia vagamente familiar, e em alguns segundos reconheci-a como a delinquente juvenil que estava na porta da farmácia no dia em que comprei o mapa. Seus olhos maquiados estavam apertados em minha direção, o cabelo era pintado em mechas largas de castanho e verde.

— Não — falei, observando o mar de roupas. — Desculpe. Estou falando comigo mesma.

— Ótima maneira de perceber se tem plateia — disse ela baixinho e encostou o jeans contra a cintura.

— Então... você só está... vendo o que serve? — perguntei casualmente. Peguei uma calça de veludo e a levei até minha cintura. Pareceu grande. Será que eu devia experimentar? — E depois?

— Depois. Eu. Compro. — A expressão dela era impetuosa e cautelosa ao mesmo tempo.

Joguei a calça de veludo por cima do braço e peguei um suéter. Era azul marinho.

— Azul marinho combina com tudo, certo?

— Qual é o seu problema? — perguntou ela, jogando o jeans na mesa.

Trinta segundos depois, o sino sobre a porta de entrada tocou quando ela saiu. Não consegui evitar dar uma gargalhada, mas era uma gargalhada de desconforto, uma que anunciava que eu estava fora do meu território.

— Pronta? — Odin estava impassível, segurando um saco de 50 quilos de alguma coisa de fazenda por cima do ombro. Olhei em volta à procura de Nell, mas não a vi.

— Hã... — Ah, merda, ia ser um daqueles dias, cheio de crescimento pessoal. Eu conseguia ver isso agora. Mal consegui evitar sair correndo dali em busca de algum bar legal por perto. — Estou tendo dificuldades... em decidir o que comprar.

Ele piscou e deu um suspiro, depois me olhou de cima a baixo. Eu usava uma calça de cetim risca de giz Lacroix que estava, obviamente, puída nos joelhos. Um pulôver masculino azul de veludo — só Deus sabia onde eu o tinha arranjado — enrolado em volta de mim como uma mortalha. Minha echarpe, listrada de branco e verde, dava várias voltas ao redor do pescoço. Minhas lindas botas de motoqueiro completavam o conjunto. Eram elas ou um par de Manolos de oncinha que pareciam ser os únicos dois pares que eu tinha trazido em meu êxodo.

— Não trabalho assim há... uns dois séculos. — Dei uma risadinha, mas por dentro me senti incrivelmente idiota e burra. — Fico feliz por anáguas não estarem mais em uso.

Reyn colocou o saco pesado no chão, assim como uma sacola menor.

— Qual é o seu tamanho?

— Hum, sapato tamanho 34? — falei. — E... talvez P pra todo o resto? — Eu ainda era magra como um palito, sem curva alguma. É que eu não precisei prestar atenção nessas coisas durante muito tempo.

— Certo. — Reyn soltou um suspiro longo e sofrido para garantir que eu ouviria. Ele me lançou outro olhar avaliador e depois se virou para a mesa de jeans. Os dedos longos percorreram as pilhas até que ele encontrou o que estava procurando e puxou. — Experimente esta. Você vai ter que dobrar a bainha. — Ele apontou para uma cabine, separada do salão por uma cortina.

Experimentei a calça. Serviu. Ele tinha avaliado o tamanho exato só de me olhar — obviamente, apesar da reserva de monge, ele tinha um pouco de experiência em avaliar o corpo de uma mulher. Quem era ele? De onde ele era? Qual era a sua história? Eu estava bastante... fascinada.

— Serviu — falei, saindo de lá com minhas roupas.

— Pegue duas outras calças jeans e duas de veludo do mesmo tamanho — ordenou ele. Estava mexendo nas camisas e já tinha feito uma pequena pilha de suéteres de lã.

Em pouco tempo eu tinha roupas novas em um carrinho de compras. Reyn me surpreendeu ao me mostrar como as peças combinavam, camisetas e camisas de flanela, camisas de botão por baixo de suéteres. Nenhuma das roupas era de marca, nem da moda, ou nem mesmo bonitas, mas serviam, eram resistentes e seriam bem mais confortáveis e quentes em River's Edge. É claro que eu jamais poderia aparecer na sociedade de verdade usando roupas assim, mas, de toda forma, eu estava resoluta em evitar a sociedade de verdade naquele momento.

— Você era camareiro de alguém? — perguntei. — Mordomo?

Reyn jogou alguns pacotes de meias no carrinho e tornou a pegar o saco, jogando-o por cima do ombro com pouco esforço.

— Não. Suponho que você tenha, hum, roupas íntimas e tal.

— Hã... Eu ia comprar algumas — falei e vi o maxilar dele travar.

— Fica bem ali. — Ele apontou. — Compre coisas simples que sejam fáceis de lavar. Você não vai seduzir nem impressionar ninguém aqui. Estarei no caixa. Esperando.

— Sim, *senhor*!

Não havia calcinhas de cetim La Perla com renda feita à mão. Comprei calcinhas de algodão com imagens de animais, sapos e macacos. Quanto a sutiãs, escolhi os segundos menores que encontrei. Não queria experimentá-los, provavelmente nem iria usá-los. Encontrei um colete e um casaco acolchoado que era quente, leve e lavável, ao contrário da minha jaqueta de couro Roberto Cavalli, que, surpreendentemente, tinha se mostrado ser inadequada para o trabalho no campo. E como cachecóis e echarpes são uma grande parte da minha identidade visual, coloquei alguns no carrinho de compras.

Nell chegou quando eu estava colocando as calcinhas, sutiãs, blusas de baixo e ceroulas no balcão. As palavras tremeram nos meus lábios, coisas provocativas que teriam feito Nell pensar que Reyn tinha me ajudado a escolher minha roupa íntima, mas me controlei. Como estava o placar então? Mal 2 x 1 bem. Ou será que o mal estava ganhando de 3 x 0 agora? Era quase meio-dia. O mal provavelmente estava ganhando por pelo menos três pontos.

Paguei pelas minhas coisas, impressionada com o pouco que tinham custado. Eu costumava gastar duas ou três vezes mais em um único par de sapatos. Eram sapatos fabulosos, mas mesmo assim.

— Onde você estava? — Reyn perguntou a Nell.

Ela sorriu, fingindo ou tendo realmente readquirido a atitude alegre.

— Não precisava de nada daqui, então fui até a loja de linhas. — Ela me deu um de seus sorrisos simpáticos. — Tem uma loja de linhas e de artesanato ótima aqui nessa rua. Você tricota? Fez esse cachecol?

— Não, eu não tricoto, infelizmente — falei, colocando sacolas cheias no carrinho de compras.

Saímos todos andando em direção à picape e colocamos nossas coisas na parte de trás. Reyn amarrou algumas cordas elásticas por cima de tudo e entramos na cabine. Nell novamente teve o cuidado de ficar entre nós, se encostando em Reyn, o que ele pareceu não perceber. Por Deus, ele era lerdo.

— Amo tricotar — disse Nell quando pegamos a estrada.

Passamos pela MacIntyre's, onde a pobre Meriwether estava sem dúvida sendo destratada pelo pai grosseiro. Falei para mim mesma que passaria por lá caso voltasse à cidade.

— É muito relaxante — prosseguiu Nell. — E mantém as mãos ocupadas. E no fim, temos uma coisa bonita e útil.

Concordei.

— Humm.

— Que tipos de coisa você gosta de fazer? — A expressão no rosto de Nell estava convidativa, o tom deliberadamente inocente. Ela estava investindo no fato de eu não ter me especializado em habilidades de escoteira.

Comecei a dizer alguma coisa ousada, como "beber e trepar", mas então fiquei paralisada com a ideia de que eu não *sabia* o que gostava de fazer. Hobbies, habilidades? Beber conta? Conseguir beber sem vomitar? Eu sabia costurar — não bem, mas o bastante para não vestir um saco de batatas. Cozinhava de tempos em tempos, mas isso tinha dezenas de anos. Gostava de ir a museus e ao cinema, mas isso não era uma habilidade. Sabia andar a cavalo. Será que eu já tinha feito alguma coisa bem? Tinha orgulho de alguma habilidade?

Não. Não de forma consistente. A única coisa consistente que eu tinha feito era sobreviver. E obviamente nem *isso* eu fazia bem. Eu estava tomada pelo pensamento de que tivera tanto tempo, tantos anos, e não desenvolvi... a mim mesma. Quando finalmente tive dinheiro o bastante para não trabalhar, eu realmente *não trabalhei*, em nada. E nem meus amigos. Pela primeira vez, senti vergonha disso. Eu me lembrei de inaugurações de exposições de escultores que libertavam a vida presa no mármore por um século ou mais, aprendendo sempre com professores diferentes. Compositores, músicos, que tinham tido mais do que uma vida humana para aprimorar seus dons. Cientistas que tinham feito uma descoberta "do dia para a noite" depois de décadas de experimentos e estudos. Você acha que o cara realmente inventou o velcro porque ele de repente olhou para o cachorro dele? Não. Havia artistas trabalhando na atualidade, museus comprando o trabalho deles, e aqueles mesmos museus, sem saber, tinham outros exemplos de trabalho dos últimos três séculos. Aquelas pessoas tinham evoluído, crescido, mudado.

Eu não.

As coisas que não evoluem e crescem não estão vivas.

Tomei ciência do interesse firme de Nell, dos olhos azuis e grandes. Reyn também estava esperando, embora os olhos dele estivessem na estrada e as mãos fortes, ao volante.

— Não sei — falei devagar, com honestidade incomum. — Não faço muitas coisas bem. Já fiz coisas diferentes em épocas diferentes, mas nunca mantive o hábito de fazer nada. Mas... posso aprender. Acho que estou aprendendo aqui. Talvez.

Reyn me lançou um olhar, com aqueles olhos dourados de leão.

— Bem — disse Nell. — Sim, aqui é um bom lugar para aprender. Mas é preciso comprometimento. E tempo. Você nem começou a ter aulas de verdade, começou?

Citei Solis:

— Há lições a serem aprendidas em tudo — falei com fingimento. — Estou aprendendo a apreciar cada momento, a fazer pausas e sentir cada minuto, a estar intensamente aqui e agora.

Nell ficou confusa e Reyn soltou uma risada que ele tentou disfarçar com uma tosse. Pelo menos achei que fosse uma risada.

— Você precisa ter uma atitude correta — disse Nell, sugerindo que a minha não era.

— Humm — falei de novo e olhei pela janela.

CAPÍTULO 12

Eu tinha aterrissado em um plano diferente de existência: a dimensão River. Tive que reaprender muitos hábitos e padrões: a recolher minhas coisas porque não havia empregada, a limpar meu prato depois de uma refeição, a deixar meus sapatos na porta para não levar lama ou coisa pior para dentro.

Minhas roupas novas sobreviviam à lavagem muito melhor do que meu macacão Jean Paul Gaultier ou meu suéter de cashmere, que eu tinha colocado na lavadora e na secadora. O suéter tinha saído pequeno o bastante para caber em Jasper, que agora o usava com orgulho, saltitando por aí de Chanel rosa-shocking. Eu esperava que ele não deixasse o suéter com cheiro de gambá.

Não havia TV a cabo, só algumas poucas estações locais com transmissão ruim. River tinha um computador no escritório, e era possível colocar o nome numa lista para usá-lo. Eu não precisava dele para nada. Recebíamos o jornal local todo dia, e, devido ao tédio extremo, me vi devorando os últimos relatos de colheita, lendo sobre a vaca de alguém que fugiu, o celeiro de quem foi atingido por um relâmpago e o professor da escola que ia concorrer à câmara municipal. O *London Times* estava sempre cheio de guerras, escândalos de governo, prisões de celebridades, casamentos entre pessoas da alta-sociedade e relatos de corridas. Tudo parecia pouco preciso — primeiros-ministros iam e vinham, as pessoas se agitavam para protestar e depois se acalmavam. Lá, o menor blip inconsequente na tela era tratado como uma novidade incrível.

As pessoas estavam começando a me ensinar coisas que eu jamais tivera vontade de saber: os nomes das estrelas, padrões do movimento do sol, nomes de árvores e plantas e pássaros e animais. Como colher ervas e pendurá-las para desidratar. Como concentrar a atenção na chama de uma vela. Ioga. Meditação, que eu odiava. Mas toda vez que meu espírito interior se rebelava, coisa que acontecia umas oito vezes por dia, eu sempre era tomada pelo pensamento de que não podia suportar a ideia de fazer qualquer outra coisa, estar em qualquer outro lugar. Então engolia tudo e continuava a fazer o que precisava ser feito, até que pudesse encontrar uma razão para ir embora. Até não sentir medo de ir embora.

Uma certa manhã, meu trabalho era pegar ovos no galinheiro. River tinha umas trinta galinhas. Elas andavam soltas pelo jardim, bicando insetos e sendo irritantes. À noite elas se empoleiravam em seus ninhos, trancadas para ficarem protegidas das doninhas, raposas, falcões, cachorros de rua e outros predadores. Nossos cachorros as desprezavam, naturalmente, mas nunca as atacavam.

Pois então, toda manhã, algum pobre coitado (naquele dia, eu) tinha que se enfiar no galinheiro de teto baixo, sempre quente, sempre úmido e com cheiro de penas e palha, e cocô de galinha. Nem eu conseguia ficar de pé lá dentro, e depois que enfiei minha mão em todos os ninhos, às vezes por baixo de uma determinada galinha que não queria se mexer, minhas costas doíam.

— Xô, você! — falei para uma galinha marrom.

As galinhas eram grandes e gordas, com penas brilhantes e olhos cintilantes. Elas pareciam saudáveis e felizes, como os outros animais. Mas essa galinha era do tipo que bicava. Ela queria mesmo ficar sentada sobre os ovos para que não fossem roubados. Ela costumava atacar quem se aproximava e naquela manhã eu tinha esquecido minhas luvas de couro, como sempre. E era por isso que minhas mãos de unhas malcuidadas pareciam pertencer a Jess.

— Olha só, se dependesse de mim, você poderia ficar com seus ovos fedidos — falei para ela. — Mas na casa grande eles têm ideias diferentes. Todos ficam excitadíssimos pelos seus malditos ovos. Então saia do meu caminho.

Balancei os dedos para ela várias vezes, mas ela só *cacarejou* indignada e começou a ficar com um olhar selvagem de quem estava prestes a bicar.

— Maldição.

Olhei para minha cesta. Estava bastante cheia. Provavelmente ninguém perceberia se houvesse alguns ovos a menos. E então quem fosse pegar os ovos amanhã seria mais bem-sucedido e certamente pegaria os daquela galinha.

A galinha olhou para mim com um jeito de *isso aí, fuja*.

Talvez eu devesse tentar só mais uma vez, bem devagar e com calma...

— Olá?

Pulei vários centímetros ao ouvir a voz inesperada e bati com a cabeça em uma viga baixa. Meu movimento repentino fez a galinha marrom entrar em pânico, e então ela enfiou o bico duro e afiado nas costas da minha mão, me fazendo gritar e xingar, batendo um pé no chão enquanto eu passava a mão no galo que inchava rapidamente na minha cabeça.

— Maldição! — rugi novamente.

— Hã, me desculpe. Você está bem? — Uma cabeça marrom-acinzentada olhou para dentro do galinheiro e viu enquanto eu me debatia na penumbra.

— Maldita galinha!

— Me desculpe — disse a voz de novo. — River me mandou vir ao galinheiro. Costumo comprar meus ovos daqui. Normalmente pego na casa.

Parecia que eu estava atrasada.

Lancei o olhar mais terrível que pude para a galinha e então abaixei a cabeça para sair do galinheiro. Que os ovos fossem para o inferno.

Do lado de fora, Meriwether estava esperando, alta e magra, com uma caixa de ovo vazia em uma das mãos. Ela olhou para mim, provavelmente tentando lembrar por que eu parecia familiar.

— Ah — disse ela. — Você passou pela cidade outro dia, não foi?

— Foi. Comprei alguns mapas na sua loja. Quantos ovos você quer?

— Uma dúzia.

Ela escolheu uma dúzia de ovos ainda mornos da minha cesta e os colocou com cuidado na caixa. De repente senti como se estivesse duzentos anos atrás e essa fosse uma cena totalmente normal, rotineira. Não gostei disso.

Meriwether esticou a coluna, fechou a caixa e me entregou dois dólares. Suspirei profundamente e os enfiei no bolso do jeans. Não era exatamente uma grande negociação. Eu me lembrava do dia em que apostei o terço que tinha da Ferrovia Transiberiana para poder ficar em um jogo alto de pôquer. Agora eu estava usando um jeans manchado de lama, vendendo ovos por dois dólares.

— Obrigada — disse Meriwether.

Mais uma vez, ela pareceu sem cor, meio sem graça e sem vida. Diabos, quem podia culpá-la, com aquele pai idiota? Ela se virou para ir embora e falei:

— Como vai a loja?

Ela se virou, surpresa.

— Hum, está indo bem. Eu acho. As coisas andam mais difíceis na cidade desde que a fábrica de tecidos em Heatherton fechou.

— Ah.

— Eles faziam lençóis e fronhas — disse Meriwether, tirando uma mecha de cabelo dos olhos. — Éramos a única farmácia nas redondezas e vendíamos muito.

— É por isso que seu pai é tão babaca? — perguntei enquanto andávamos até o carro dela. — Porque os negócios vão mal?

Meriwether engoliu em seco, pouco à vontade, parecendo não estar disposta a admitir que o pai era um babaca.

— Hum, bem, ele não está feliz — murmurou ela, tirando a chave do bolso. — Minha mãe... morreu há quatro anos, e ele nunca... superou isso. — Ela se sentou no banco da frente e soltou o freio de mão.

— Ah

Muitos imortais se apegam a humanos, inclusive eu, é claro. Se apaixonam ou fazem amizade com eles. Depois que meu Robert, o soldado, morreu na Índia, o inevitável final ruim impediu que eu me aproximasse de outra pessoa. E, entre meus amigos, nós costumávamos não ficar falando de problemas nem de sofrimentos, só fingíamos que eles não existiam e encontrávamos alguma coisa para nos distrair ou bloquear nossas percepções. Então eu não estava acostumada a que me contassem problemas pessoais dolorosos, e eu não tinha nada inteligente ou útil a dizer. Era uma pena, e mais nada. Mas achei que ela estava bem acostumada.

— Mais uma vez, obrigada — disse Meriwether, dando marcha ré.

— Tudo bem. Até a próxima.

— Nastasya? Venha comigo — disse Anne. — Aula de meditação. Sua primeira vez em grupo.

Fiquei de pé, minha coluna lentamente se esticando depois de horas inclinada. Ali estava eu, catando nozes do chão. Uma linha de umas dez nogueiras grandes contornava o jardim da frente, e colher as nozes era uma tarefa frequente no outono. Era um trabalho frio, tedioso, cruel com a coluna, e porque eu novamente havia esquecido minhas luvas, meus dedos agora estavam manchados de marrom por causa das cascas. Levaria semanas para a cor sumir. Meus joelhos estavam cheios de lama e molhados por eu ficar ajoelhada no chão úmido, meu nariz estava escorrendo e eu sentia frio no corpo todo.

— Vai ser difícil — reclamei, e Anne sorriu.

Até então, meditação não parecia passar de uma eternidade sentada imóvel, junto com a diversão de reviver horrores passados. Não, obrigada. Na semana anterior eu tinha feito aquilo sozinha, com alguém para me guiar apenas. Agora era hora de uma experiência completa em grupo. Que alegria.

— Venha — disse ela de novo, apontando para a casa. — Pelo menos você estará aquecida.

Olhei para meu saco de juta. Estava com cerca de três quartos do conteúdo cheio. Suspirando profundamente, me levantei e fui com Anne.

— Hoje vamos usar uma vela para nos ajudar na concentração — disse Anne de maneira tranquilizadora, dez minutos depois.

Eu me sentei de pernas cruzadas em um pequeno travesseiro duro recheado de trigo sarraceno. Havia cinco de nós, cada um sentado em uma ponta de um pentagrama desenhado no chão com giz. Estávamos no andar de cima da casa, e eu podia ver o céu que escurecia lentamente pela janela com vidro canelado. Pensei se não poderia fugir pelo corredor e ir para meu quarto, considerando que todo mundo estava meditando. Eu não queria fazer aquilo. Mas, principalmente, não queria fazer aquilo com Lorenz e Charles, embora eles fossem legais. E com o time dos sonhos, Nell e Reyn.

— Pessoal, vamos nos concentrar na respiração — pediu Anne, num tom baixo e melódico. Ela apertou o botão em um CD player e um tipo de música tilintante estilo Enya/canto de baleia começou a tocar baixinho. — Prestem atenção à respiração — prosseguiu ela por cima da música de fundo. — Sintam-na preencher seus pulmões, sintam-na sair dos seus corpos. Vocês estão inspirando energia, expirando o que não precisam mais.

Como dióxido de carbono, por exemplo.

— Se ajudar, vocês podem contar até quatro enquanto inspiram e expirar ao chegar ao quatro. Depois contem até seis na próxima inspiração, levando seis batimentos para encher os pulmões completamente. E expirem ao chegar ao seis. Vocês podem fechar os olhos se quiserem.

Fechei meus olhos imediatamente. Sem ver a expressão pedante de Nell e o rosto sério de Reyn, talvez eu conseguisse sonhar acordada por um tempo e acrescentar detalhes à minha mais recente fantasia romântica, aquela com Reyn, óleo de amêndoas e uma banheira quente.

— Agora, começando com os dedos dos pés, quero que relaxem cada músculo, um de cada vez. Sintam seus dedos, sintam-nos relaxar. Agora os tornozelos. E as canelas. Se há alguma tensão concentrada ali, libertem-na. — A voz de Anne parecia um sonho, flutuando na música que nos envolvia como fumaça.

Meu peito doía, meu estômago doía e meu nariz ainda estava escorrendo do ar frio lá fora. O dia de Ação de Graças seria em algumas semanas aqui nos Estados Unidos, e me perguntei se River sabia disso e se eu podia ter esperança de comer alguma sobremesa não saudável nesse dia. Lembrei-me da minha ida à cidade para as compras e de como eu tinha sido negligente em fazer estoque de doces e biscoitos contrabandeados. Ah, Deus, eu adoraria um muffin de chocolate.

A voz de Anne era constante e baixa no fundo da minha consciência. Eu me acomodei na almofada, senti parte da tensão deixar meus ombros. Nozes imbecis. Minhas mãos ficariam manchadas de marrom por semanas, aquilo não saía com água. Era por isso que as pessoas usavam-nas para tingir tecidos e lã...

* * *

Olhei para cima e vi a lavadeira de nossa família, Aoldbjörg Palsdottir, mexendo no enorme caldeirão com a pá de madeira do tamanho de um remo. O dia estava frio, mas não gelado; o fogo debaixo do caldeirão lambia as laterais e levava um rubor àquelas bochechas maltratadas pelo tempo. O cheiro acre de tinta de casca de noz se misturava à fumaça e dominava o recinto. Ali era confortável, seguro. Às vezes minha irmã mais velha, Eydís, e eu subíamos até o topo da fortaleza de *Faðir*. Olhávamos além das paredes do castelo e víamos trechos enormes da floresta negra ao redor. Ao longe havia os terrenos rochosos e nus das montanhas, onde não crescia nada. Na direção oposta havia o mar. O mundo fora do castelo era escuro e hostil, mas ali no quintal, com os bodes balindo pedindo feno, os garotos do estábulo escovando os cavalos e os ajudantes de *Faðir* dando ordens, tudo era cheio de vida.

Meu irmão mais novo, Háakon, e eu estávamos jogando com pedrinhas. Ele era três anos mais novo do que eu, não mais um bebê e nem um pirralho medroso, mas um menino que corria, jogava e guardava segredos. Ficávamos sentados cuidadosamente fora do caminho de todo mundo, em uma pilha de pelos tosquiados de ovelhas, talvez de umas vinte, cada uma um grosso tapete de lã na forma de uma ovelha esticada. A lã estava suja, cheia de galhos, mas ainda era oleosa e macia e boa de se sentar em cima.

— Odeio esse cheiro — disse Háakon, torcendo o nariz.

— Não é tão ruim quanto limo de pedra — falei, e ele concordou, lembrando-se do cheiro de líquen fervido depois de recolhido da praia. Aquilo gerava uma tinta verde-escura.

Um brilho escarlate me fez olhar para cima, e vi minha irmã mais velha, Tinna, e Eydís correndo pelo quintal, rindo, a caminho da fortaleza. Elas seguravam os aventais nas duas mãos; o tecido parecia uma pequena trouxa. Quis saber o que estavam carregando — frutas vermelhas típicas do inverno? Casca de árvore para fazer chá? Os cabelos claros, brilhos de sol e bronze, voavam atrás delas. No ano que vem, Eydís teria que começar a usar o cabelo preso, como as adultas, como Tinna tivera que fazer no ano anterior.

Sorri para Háakon e ele sorriu para mim. Tínhamos uma vida boa.

Morra.

A palavra surgiu na minha mente como uma bolha na superfície de um lago. Inspirei lentamente, tentando imaginar por que meu traseiro estava dormente. Em que eu estava sentada? Por um momento, não sabia onde estava, e me perguntei por que não sentia mais o cheiro das tinas do quintal. Então lembrei: eu era adulta, e tudo de que eu lembrava tinha acontecido 450 anos antes. Nada daquilo, nenhum deles, existia mais.

Não sei por que não abri os olhos, por que mantive minha respiração calma e leve. Só fiquei sentada imóvel, abrindo minha mente para aquela sala, para aquelas pessoas, percebendo meus sentidos se apurando ao meu redor.

Aquela vaca — eu a odeio.

Era um pensamento, não uma lembrança, vindo de alguém ali.

Não, não, me perdoe, eu não quis dizer isso.

O pescoço dela... beijar o pescoço dela, o calor ali...

Foi preciso toda a força que eu tinha para não reagir. Eu estava captando todo tipo de coisa, e de repente percebi o apelo sedutor da meditação em grupo. Esses pensamentos vinham de homens e mulheres, mas não eram reconhecidos como vozes propriamente. Só como personalidades.

Eu a quero.

Os olhos dela. A boca. Os lábios dela na minha pele, no meu peito.

Ah, eu a odeio! Não consigo evitar!

Não, não, não posso.

Minha respiração estava ficando mais rápida. Eu estava completamente ciente dos meus dedos enrijecidos, curvados sobre meus joelhos, do meu traseiro dormente nessa almofada dura, da minha boca seca. Esses pensamentos estavam vindo de todo mundo ou só de duas pessoas? E quem estava pensando o quê? Eu sabia que Charles estava a fim de Lorenz, mas Lorenz era hétero, e isso atrapalhava. Havia obviamente Nell e Reyn, é claro, com a novela tortuosa do amor não correspondido dela. Anne tinha marido, mas ele não morava ali, e eu não sabia a história toda.

Era a coisa mais excitante que tinha acontecido desde que cheguei ali. Eu estava sem respirar, esperando para ouvir mais, mas houve um tilintar, a música parou e meus olhos se abriram com relutância.

Anne estava olhando para todos nós, e achei que ela parecia mais alerta, a expressão mais afiada do que alguém que estivesse saindo de meditação profunda. Os outros abriram os olhos lentamente, alguns parecendo tão relaxados como se tivessem dormido.

Parei de captar os pensamentos e me espreguicei, me contorcendo na almofada.

— Obrigada — disse Nell, irradiando doçura. — Foi delicioso.

— Obrigada a todos — disse Anne. — Meu Deus, é quase hora do jantar.

Fiquei de pé e mexi o corpo para voltar a sentir o traseiro, e tinha começado a ir em direção à porta quando Anne disse:

— Nastasya? Por favor, fique aqui um minuto.

Eu me senti como uma aluna pega jogando bolinhas de papel, mas esperei enquanto Anne fechava a porta.

— O que você achou? — perguntou ela. — A experiência em grupo foi muito diferente?

— Ah, Deus, foi — falei com entusiasmo. — Não fazia ideia de que ouviria tanta coisa. Foi melhor do que assistir a *Days of our lives*. — Não mencionei minha lembrança de infância.

— O que você quer dizer?

— Esses pensamentos — falei. — Alguém que odeia alguém, alguém que quer alguém, alguém que não pode fazer alguma coisa. Foi excelente. Mal posso esperar para ouvir o que acontece na próxima!

Anne ficou me olhando como se de repente eu tivesse me transformado em um pombo.

— O quê?

Surpresa pela reação dela, falei:

— Bem, você sabe, os pensamentos. Eu não tinha ideia de que isso podia acontecer. Foi muito interessante.

— Você ouviu pensamentos — disse Anne, olhando para mim com atenção. — Sobre alguém que odeia alguém, alguém que quer alguém.

— Ouvi — falei, me sentindo insegura. Será que eu de alguma forma tinha feito bobagem? Não se devia mencionar o que foi ouvido? Será que eu devia fingir não ter captado nada? — Hum, e sobre beijar o pescoço dela. Os olhos. Os lábios dela no peito dele. Esse tipo de coisa — murmurei.

Tinha sido uma coincidência curiosa, considerando o quanto eu era paranoica com meu pescoço. A menção ao "calor ali". Tipo de uma queimadura, talvez? Ha ha ha. Não. Quero dizer, ele não estava falando do meu pescoço, certamente. Charles era gay, Reyn não me suportava e Lorenz nunca tinha dado a menor indicação de que achava minha aparência de rato afogado excitante.

Anne só piscou.

— Você está... bem?

Eu esperava de verdade que nenhum daqueles pensamentos tivesse vindo dela.

— O quanto você já praticou meditação? Achei que você não gostasse.

Ela não respondeu minha pergunta.

— Meu Deus, não, eu odeio — falei. — É um saco. Nunca pratiquei muito.

Anne ficou sentada na beirada da mesa, ainda me olhando.

— Fiz alguma coisa errada? Na próxima vez, não vou dizer nada se ouvir alguma coisa.

— Não, não — murmurou Anne. — Não é isso. Mas eu guardaria o que você ouviu como um segredo seu. É só que... Eu captei esses sentimentos, mas sou muito avançada. Sou *muito* poderosa. Tenho certeza de que ninguém mais nessa sala ouviu ou sentiu qualquer outra coisa além do que havia em suas próprias mentes.

Hum. Será que ela tinha ouvido meus pensamentos? Ugh.

— Senti que alguém estava consciente, mas não sabia que era você — acrescentou ela, e pensei: *Ufa.* — Achei que podia ser Solis. Ele está na sala ao lado agora, dando aula de ervas.

— Então... isso não costuma acontecer com mais ninguém?

— Não. — O olhar de Anne era firme e penetrante. — Nunca acontece, não com alunos. Nunca mesmo.

Hum. Esse acontecimento parecia sugerir que... talvez eu fosse realmente poderosa. Certo, Nastasya? Você tem que ser poderosa, certo? É a última poderosa. Senti o encerramento automático dos meus pensamentos, senti minha mente se esquivando dessas implicações como água pipocando em uma frigideira quente.

Nesse momento houve uma batidinha na porta e Solis entrou. Ele olhou ao redor, viu que só havia Anne e eu lá dentro e franziu a testa.

— Só tem vocês duas aqui? — perguntou ele.

— Só — respondeu Anne. — Você... Por que você veio aqui?

Solis deu de ombros e sorriu.

— Pensei ter sentido alguma coisa. Alguma coisa estranha.

— Você sentiu alguma coisa. — Anne pareceu séria, de uma maneira incomum. — Você sentiu *ela*.

Solis fez uma pausa, como se traduzisse as palavras na cabeça.

— O quê? — disse ele por fim.

— Nastasya libertou a consciência dela durante a meditação em grupo. Senti-a tocar minha mente, e ela captou o que os outros estavam pensando. Ela conseguiu ouvi-los. Com precisão.

Quando, *quando* vou aprender a ficar de boca calada? Agora eu me sentia um animal de zoológico, com os dois me avaliando.

— Vou tentar não fazer isso de novo — propus. Eu certamente jamais falaria nada a esse respeito.

Solis inclinou a cabeça para o lado.

— De onde você falou que era?

Alarmes dispararam na minha cabeça. Eu estava disposta a fazer todo tipo de coisa idiota para ficar ali, mas revelar meu passado não estava entre elas.

— Do norte.

O sino do jantar tocou e me fez dar um pulo.

— Nossa! Estou *morrendo de fome* — falei, guardando a almofada de trigo sarraceno. — Obrigada pela aula, Anne. Foi ótima. Vejo vocês no jantar!

Eu estava claramente fugindo como um coelho assustado, e eles permitiram, embora eu sentisse os olhares me seguindo pelo corredor. Desci a escada e fui em direção à sala de jantar.

Será que eu ainda... tinha poder? Meu poder herdado? Será que ele poderia mesmo estar mais forte, depois de tanto tempo? Eu deveria escondê-lo. Mas no momento em que pensei isso, um desejo novo e intenso despertou em mim, querendo sentir isso novamente, querendo segui-lo para onde quer que ele me levasse, querendo explorar seus limites.

Eu não podia. Não podia. Não ousava. Nada de bom poderia resultar disso — eu tinha visto com meus próprios olhos. Era preciso ser muito, muito forte para lidar com esse tipo de poder. Eu não era forte o bastante. Jamais seria.

Deslizei para um lugar no banco, a cabeça ainda girando. Aquela sensação... tinha sido... mágicka.

CAPÍTULO 13

— O quê? Arrumar um... emprego? Um emprego de verdade? Por quê? — perguntei.

No dia seguinte ao negócio da meditação, Solis concordou em me dar aulas de feitiços de verdade, em vez de se limitar aos nomes das coisas do mundo maravilhoso que nos cerca. Eu ainda estava irritada por ele ter se recusado a me dar aulas antes, e ainda não podia dizer que estava cem por cento comprometida com essa coisa toda..., mas tinha me ocorrido que saber mais sobre esses lances, minha magick, meu poder, seria melhor do que não saber. Se eu soubesse, poderia controlá-lo, protegê-lo, escondê-lo. Não saber não tinha funcionado muito bem para mim. Mas era difícil me convencer, porque eu tinha fugido durante séculos de tudo exceto feitiços menores. Agora eu sentia a atração, a sedução disso tudo, embora ainda me assustasse.

Mas... um emprego?

Solis sorriu.

— Faz parte do programa. O trabalho diário, de certa forma. Comparecer todo dia. Se encaixar em uma equipe. Se dar bem com os outros. Literalmente fazer um bom trabalho em alguma coisa fora daqui.

Não tentei disfarçar minha insatisfação.

— Estou fazendo um monte de coisas aqui. Tenho sido escrava de todos vocês desde que cheguei!

— E é claro que nós apreciamos isso — disse Solis, achando graça. — Mas ter um emprego lá fora é um passo importante para se integrar ao mundo real, e não estou falando de um mundo de tempo, dinheiro e amigos ilimitados, tão superficial e egocêntrico quanto o seu.

No mundo ideal, eu teria protestado com vigor, mas no mundo real, não tinha o que questionar. Cerrei os dentes.

— Você já trabalhou antes, não trabalhou? — perguntou Solis.

— Já, é claro — falei. Se você incluísse gerenciar um bordel na Califórnia nos anos 1850. Eu tinha ganhado uma fortuna. Ou quando fui modelo para um estilista francês em Paris, nos anos 1930. Mas um emprego... de verdade?

Tentei outra tática.

— Eu estava com esperança de que vocês pudessem, sabe, sacudir uma varinha e me tornar uma pessoa melhor.

Solis riu.

— Parece que você tem habilidades extraordinariamente fortes, Nastasya. É muito importante que aprenda o que fazer com elas.

Pensei em dizer "ai que saco" ou algo do tipo, mas eu estava tentando controlar a onda de ansiedade e orgulho que se misturavam e tomavam conta de tudo dentro de mim.

— Estou disposto a ensinar você — prosseguiu ele —, mas terá que fazer do meu jeito. Não por eu ser controlador, mas porque a experiência me mostrou que esse é o melhor jeito de ensinar o que você precisa aprender. Então sim, você tem que arrumar um emprego lá fora, assim como todo mundo que chega aqui. De preferência de salário mínimo. Algo modesto, um trabalho que seja feito por si só, e não por um grande salário ou para inflar o ego. Ouvi falar que a biblioteca precisa de alguém para ajudar a colocar livros nas prateleiras.

Olhei para ele, desanimada.

— Agora vá — disse ele.

O tom dele era gentil, mas os olhos estavam atentos. Talvez eu tivesse mostrado possuir um poder meio estranho, mas eu ainda era um pé no saco e ele ainda tinha muitas dúvidas sobre mim. Não me permiti pensar que eu tinha ficado tão incrível de repente que ele me aguentaria reclamando e protestando. Embora Deus saiba que isso já funcionou com outras pessoas.

Suspirando, saí da sala de aula e voltei para a casa. Asher me deu uma lista de compras com coisas que eu precisava trazer na volta, então peguei-a e fui até meu carro.

Sylvia's Diner, na estrada, estava contratando imediatamente. Eu já tinha conseguido sobreviver mais de quatrocentos anos sem nunca ter sido garçonete ou atendente de bar, mas meu recorde estava prestes a acabar. E o quão difícil podia ser? As pessoas pediam a comida, você levava a comida para elas. Eu não precisava cozinhar, não precisava mexer no caixa. Moleza. A primeira hora se passou comigo aprendendo onde ficavam as coisas.

A segunda hora foi um drama desmoralizante e irritante sobre tudo o que podia dar horrivelmente errado durante a hora de maior movimento em uma lanchonete.

Desisti dois segundos antes de me demitirem, e sem nem experimentar a torta de limão que havia no balcão.

De volta ao carro, parei em um Stop & Shop e comprei um sorbet de framboesa e alguns pacotes de Donettes e Ding Dongs. Pensei em meu próximo passo enquanto saboreava comidas sem qualquer pretensão de valor nutricional e nem de serem orgânicas e, muito menos, de terem fibras.

Eram duas horas. Eu não tinha emprego.

Minha mente pensou em Innocencio de repente — como se eu pudesse vê-lo sentado em um restaurante escuro, enfumaçado e fabuloso. Ele pediria escargots e acenderia um cigarro, já bebendo seu segundo ou terceiro martíni. O garçom ou a garçonete estaria se esforçando para prever cada necessidade dele, como os atendentes sempre faziam. Incy era tão elegante, magro e curvilíneo, usando uma camisa de seda e uma calça bem-cortada. O cabelo era preto tão escuro que parecia quase azul, e a pele tinha um tom caramelo claro. Os lábios eram bem-desenhados, ligeiramente carnudos, mas podiam adquirir aparência dura e cruel. Ele era muito engraçado, sempre fazendo comentários cruéis sobre outros clientes. Lembro-me de estar deitada em um banco no Les Deux Magots em Paris, com a cabeça no colo de Incy. Eu estava cansada e tinha bebido demais. Incy estava colocando pequenos morangos na minha boca, os primeiros da temporada, os belos dedos mal encostando em meus lábios. Eu me lembrei de ter pensado que devia estar feliz, que tinha tudo de que precisava — mas em vez disso havia um vazio enorme e gritante dentro de mim. Eu escondia isso de Incy, escondia de todo mundo.

Eu me lembrei de não querer ir para Nice, mas Incy tinha implorado e ameaçado de brincadeira até eu concordar. Ele tinha me feito ir a São Petersburgo, tinha me convencido a ir para Hong Kong. Sempre gostei de viajar, amava todos esses lugares. Mas, olhando para trás, me dei conta de que não queria ir, só que de alguma forma Incy tinha me convencido. Ele não queria ir sozinho. Não queria ir sem mim.

Minha mente rodopiava com lembranças, e centenas de imagens dominaram minha consciência. Quantas vezes eu tinha feito alguma coisa sozinha nos últimos trinta anos? Incy não controlava minha rotina — havia milhares de vezes em que eu tinha decidido aonde ir e o que fazer. Mas na maioria delas ele tinha ido comigo, mesmo quando insistiu que não queria, mesmo quando reclamou sem parar. Ele não queria que eu fosse sozinha. Ele não queria ficar longe de mim.

Seguir essa linha de pensamento era assustador, algo que nunca tinha me ocorrido. Eu simplesmente achava que éramos melhores amigos. Eu achava que queria estar com ele — e queria. Não era isso. O problema era que, ao olhar para trás, eu podia ver que teria feito outras escolhas, teria feito mais coisas sozinha ou com outras pessoas, só que Incy sempre estava lá. Sempre, sempre lá. Apesar da torrente de garotas e garotos incrivelmente lindos que passavam pela vida dele, pelo seu apartamento, pela sua cama. Eu era o que havia de constante na vida dele. E ele na minha. Eu estava me dando conta disso.

Ele deve estar ficando louco sem mim. Eu me sentia... bem, estranha, porque estava vivendo uma vida bizarramente comum, mas não sentia que ia morrer por não estar com ele. Eu me sentia bem. O que ele estaria pensando? Sentindo? Fazendo? Como era estranho eu nunca ter reparado nisso, nessa dependência.

De repente me senti sozinha demais e rapidamente liguei o carro para voltar pela cidade, com a intenção de comprar as coisas que Asher havia pedido da única mercearia, Pitson's. Eu teria que voltar para Solis sem emprego, o que me constrangia, embora o fracasso jamais tivesse me incomodado antes.

Quando passei pela farmácia MacIntyre's, pensei na Meriwether sem cor e então vi o cartaz: PRECISA-SE DE VENDEDOR.

Hum.

Continuei em frente, depois fiz o retorno no meio da Main Street. Como a rua estava mais deserta do que um cemitério, isso não foi problema.

Estacionei em frente à MacIntyre's e pensei. Será que o pai de Meriwether a tinha despedido? E então eu tomaria o lugar dela na linha de fogo?

Era irresistível. Eu tinha que saber.

Lá dentro, a loja estava escura e cinzenta. Ocorreu-me que era tão sem vida e sem cor quanto Meriwether.

— Posso ajudar? — A voz do Sr. MacIntyre era rouca e antipática. Ótimo! Eu sempre quis um chefe assim.

— Estou aqui por causa do emprego — falei, apontando o cartaz.

Ele me olhou de cima a baixo — as pessoas pareciam fazer isso com muita frequência ultimamente.

— Tem alguma experiência?

— Tenho. Gerenciei a seção de saúde e beleza em uma SuperTarget na minha cidade — menti com tranquilidade.

— Aqui não é nenhuma Target — disse ele, e pensei: *Ah, que bom que você me esclareceu isso.* — Preciso de alguém para organizar as prateleiras. Atender os clientes. Manter as coisas arrumadas enquanto minha garota está na escola. — Sua garota. Não, sua filha. Argh, que cretino.

— Posso fazer isso.

— Sabe mexer na caixa registradora?

Olhei para a que tinha em cima do balcão.

— Hum, essa é um pouco mais antiga do que as que usávamos na Target. Acho que vou precisar de umas aulinhas pra lembrar.

O Sr. MacIntyre parecia estar tentando arranjar uma razão para não me contratar, mas logo foi derrotado pela necessidade de ter uma funcionária.

— O salário é mínimo.

— Tudo bem. — Solis ficaria tão orgulhoso de mim.

— Por que você não está na escola? Quantos anos você tem?

Eu já tinha conseguido passar por vinte e poucos em algumas ocasiões, mas sabia que não devia forçar a barra.

— Dezoito. Me formei cedo. Estou tirando um ano de folga antes de ir pra faculdade.

— Hum. Tudo bem. Vou mostrar a loja pra você.

Assim começou minha carreira como glamourosa estoquista da farmácia MacIntyre's, aqui, em Lugar Nenhum, Massachusetts.

CAPÍTULO 14

No jantar daquela noite, consegui contar triunfante que tinha um emprego de salário mínimo de verdade. Nell riu, mas engoliu rapidamente a risada ao perceber o olhar de Asher. River me deu um sorriso solidário e Solis pareceu satisfeito. Senti uma explosão boba de orgulho por ter feito uma coisa certa. Para variar.

— Ei, querida, manda pra cá — disse Brynne, e passei para ela o prato de peixe.

Eu estava praticamente engolindo minha comida sem mastigar, tentando satisfazer meu apetite cada vez maior. Quando peixe e arroz tinham sido tão gostosos? Digo, tirando as vezes em que eu não estava no meio de uma temporada passando fome.

Um relâmpago piscou nas janelas escuras, iluminando a sala de jantar por um instante e refletindo no grande espelho sobre a lareira. Um momento depois, um trovão soou a distância.

— É bastante incomum termos uma tempestade em novembro — comentou Asher, e River concordou.

— É uma pena — disse River. — Íamos fazer uma caminhada para observar as estrelas hoje.

Agradeci em silêncio por não haver caminhada para observar as estrelas em meu futuro imediato e me servi de mais chá quente. As primeiras gotas frias bateram nas janelas, e me senti estranhamente confortável ali, cercada por aquelas pessoas que eu não conhecia muito bem.

— Esta noite teríamos uma ótima vista de Zeru-zakur, por volta das 11 horas — prosseguiu River e, veja só, todo mundo olhou para o alto e concordou com interesse.

Fiz uma pausa, o garfo a caminho da boca, enquanto meu cérebro procurava aquela palavra. Parecia ligeiramente familiar. Que diabos, eu ia perguntar. Como dizem, não existem perguntas burras. Só pessoas burras.

— O que é Zeru-zakur?

Algumas pessoas ergueram a cabeça para me olhar.

Por fim, Solis disse:

— Canis Major.

Certo, eu já tinha ouvido falar disso. Uma constelação, o "cão maior". Como o Grande Carro. Mas qual era sua importância? Não consegui pensar em nada.

— Canis Major é uma das nossas constelações mais interessantes, então? — perguntei, colocando três cubos de açúcar no meu chá.

Nesse momento, todas as 12 cabeças se viraram para olhar para mim, e tive a impressão de que a novata ignorante tinha acabado de cometer algum tipo de gafe adorável. Só que de adorável não tinha nada.

— Vou interpretar isso como um sim — murmurei, bebericando meu chá quente demais.

Até River estava olhando para mim com surpresa. Conseguir surpreender alguém com quase 1.300 anos não era pouca coisa, então parei de beber e me ajeitei na cadeira.

— O que você quer dizer? — A gargalhada de Nell soou meio frágil.

— Sei que é uma constelação — falei, começando a me sentir irritada. Olhei para a frente e vi Reyn me observando, os olhos levemente apertados, mas não com maldade. Mais com... consideração.

— É... Canis Major. Zeru-zakur. — Até Daisuke, que era sempre educado e gentil, parecia incapaz de acreditar que eu não soubesse nada sobre isso.

— Tá, já entendi isso. Mas o que tem ela? — perguntei, colocando o chá sobre a mesa. — Só me contem e depois podem rir de mim.

Depois de uma pausa, River disse com calma:

— Zeru-zakur é o nome antigo para a constelação que muitas pessoas atualmente conhecem como Canis Major. A estrela principal é Sirius, a Estrela do Cão, que é a estrela mais brilhante no céu noturno.

— Certo — falei. A mesa estava em silêncio, exceto por Nell bufando, mas River lançou-lhe um olhar e ela parou.

— Não temos certeza do motivo, há muitos mitos e lendas, e é algo que muitos filósofos imortais estudaram, mas há cerca de quinhentos anos, um astrônomo imortal descobriu que, por alguma razão, as estrelas da constelação Canis Major correspondem quase exatamente às oito *fontes*. Ou, pelo menos, supõe-se que elas correspondessem, há vários milhares de anos. — River partiu um pedaço de pão, parecendo deliberadamente casual. Ela sorriu. — Eu não estava lá, então não sei.

— *Fontes?* — repeti. *Fonte* significava origem, princípio. Também significava um tipo de letra, em digitação.

— Ah, gente, você deve saber... — exclamou Nell, e dessa vez o olhar que River lançou na direção dela foi penetrante. Nell inspirou e olhou para as mãos, exibindo um sorrisinho falso no rosto.

— As oito *fontes*, ou casas, dos imortais — prosseguiu River. — Da nossa magick. Elas estão em um padrão no planeta que corresponde às posições das estrelas em Canis Major. — Ela estava observando meu rosto em busca de sinais de reconhecimento.

— Existem... *oito* casas? — perguntei. A sala estava silenciosa como uma tumba.

— Você não estudou isso? — perguntou River. — Nunca? Mas deve ter ouvido outros aefrelyffen falarem sobre isso, mesmo que casualmente.

Pensei.

— Você está falando das capitais imortais? Como a do Brasil ou a da Austrália?

— Sim, então você sabe — disse Solis, com gentileza. — Essas são duas delas. Há, ou melhor, *houve*, seis outras. Essas oito capitais, ou casas, correspondem às oito estrelas na constelação Zeru-zakur. Ninguém nunca conversou com você sobre a história dos imortais?

Pensei em Helgar, com a teoria de Adão e Eva.

— Não. Só que... ninguém sabe de onde surgimos nem por quê.

— Conheci pessoas que nunca tinham ouvido falar das oito *fontes* — comentou Jess com a voz rouca. — Pessoas que, por alguma razão, nunca tiveram isso como parte de suas vidas. Eu mesmo não sabia quase nada quando vim pra cá.

— Na verdade, também conheci pessoas assim — disse Anne. — É um assunto que muitos imortais conhecem bem, mas entendo como alguém pode não ter se dado conta da importância.

Obrigada, Jess e Anne, pensei. Ocorreu-me que talvez meus pais tivessem me ensinado sobre isso, sobre nossa história, nosso poder. Talvez houvesse um rito ou algo do tipo, com uma grande revelação no final. Talvez meu irmão e minha irmã mais velhos tivessem passado por ele antes... daquela noite. Eu jamais saberia.

— Tudo bem, Nastasya — disse River. — Eu não quis deixar você constrangida. As pessoas passam por diferentes círculos sociais, e os diferentes círculos têm tradições diferentes e focos diferentes. Às vezes me esqueço disso. — Ela sorriu para mim, e pensei, *essa* é a mulher mais sincera que já conheci.

— E isso significa que terei o prazer de ensinar a você — disse ela, parecendo satisfeita com a ideia. — Tradicionalmente, essas oito *fontes* foram os principais... *lugares* de força imortal. Os imortais parecem ter se originado lá ou, pelo menos, certamente obtiveram grandes poderes, grande magick desses lugares. O lugar principal, com a magick mais forte, fica na África do Sul, um lugar chamado Mogalakwena Rural. Corresponde à Estrela do Cão. Depois, a cada lado da África, seguindo a linha do Trópico de Capricórnio, tem os dois que você conhece, Coral Bay, na Austrália, a leste, e a oeste, Campinas, no Brasil.

Eu estivera naqueles dois lugares ao longo dos anos. Porque os imortais costumavam ir muito para lá. Nunca tinha pensado no motivo. Senti um rubor subir ao meu rosto. Era irritante, espantoso me dar conta do quanto eu não sabia, do quanto havia para ser descoberto, bem na minha frente, e, de alguma forma, eu tinha conseguido não perceber, ignorar, deixando de lado todos aqueles anos. Eu vivia em preto e branco, e agora River estava me mostrando que todas as outras cores estavam lá o tempo todo, mas eu fora burra demais para vê-las.

— Depois, indo para o nordeste de Mogalakwena, tem Awaynat, na Líbia, ao lado do Egito — continuou River casualmente, jantando ao mesmo tempo, como se aquilo não fosse nada demais. — Aquela linhagem desapareceu há uns dois mil anos. Dois mil e trezentos anos. Não existe mais.

— Dois mil e trezentos anos? — perguntei. — O que aconteceu com o poder de lá?

— Ninguém sabe — disse River. — Duvido que um dia saibamos. E, continuando para o nordeste partindo de Awaynat, chega-se a Gênova, na Itália.

Ouvi a palavra *Gênova* e meus olhos se arregalaram. River sorriu.

— Sou dessa casa — confirmou ela. — Em parte, é por isso que sou tão forte. Meus quatro irmãos e eu ainda estamos vivos, e meu irmão mais velho ainda é... bem, rei daquela casa.

— Rei? — Um reconhecimento gélido se insinuava dentro de mim. Meu estômago se contraiu e afastei meu prato.

— Por falta de palavra melhor — disse River. — Se você algum dia encontrá-lo, pelo amor de Deus, não o chame de rei Ottavio. Ele acredita piamente.

Solis e Asher sorriram. Concluí que já o tinham encontrado. Tentei me concentrar nas palavras dela.

— Continuando numa espécie de Y, partindo de Gênova há Tarko-Sale, no norte da Rússia, mas aquela linhagem também morreu, em 1550. Usurpadores invadiram a capital e cortaram a cabeça de todos da família.

Senti o sangue fugir do meu rosto.

Odin, o Odioso, ficou de pé de repente, afastando o banco com várias pessoas ainda sentadas nele.

— Acho que deixei o forno aceso — disse ele, empurrando as portas de vaivém para entrar na cozinha. Não importava. Acho que ele já tinha ouvido aquela história milhares de vezes.

Tentei encontrar minha voz.

— E o que aconteceu com o poder *deles*? — perguntei.

— Os usurpadores nunca encontraram o tarak-sin daquela casa, a ferramenta, o foco de sua força. Mataram todas aquelas pessoas por nada, e então a magick, a força, sumiu para sempre. Então seguiram para o oeste, procurando o poder de outra casa para tomar.

Ah, Deus. Minha mão apertou a caneca de chá com força.

— O que é um tarak-sin? — Minha voz soou fraca e tensa.

River suspirou com tristeza, e me dei conta de que ela estava viva quando aconteceu. Fiquei na dúvida se ela tinha ouvido sobre o acontecido na época ou se só descobrira depois.

— Cada casa tem um, bem, digamos uma ferramenta mágicka, por falta de palavra melhor. Um nome bem antigo para isso é tarak-sin. Normalmente é segredo, embora lendas contem sobre a faca cerimonial de Away-nat. Outra casa pode ter um livro especial, um globo de cristal ou mesmo uma varinha ou anel ou alguma outra joia como seu tarak-sin. E esse objeto antigo é carregado de muito poder mágicko, específico daquela casa. O chefe da casa pode usá-lo para executar grandes feitiços.

Ah, Deus. Podia até ser um amuleto. Um amuleto feito de ouro antigo e entalhado com símbolos mágickos. Por exemplo. Minha cabeça começou a girar.

— Vi o tarak-sin da casa de Coral Bay — disse Charles.

— É mesmo? — Brynne parecia impressionada.

— É. — Charles estava muito sério. — Era uma Barbie. Colocaram camarões mágickos nela.

Por um momento houve silêncio, então Jess gargalhou. Asher caiu na risada e jogou um pedaço de pão em Charles. O rosto de River relaxou um pouco, e ela colocou a mão sobre a boca e balançou a cabeça.

— Sempre provocamos meu irmão dizendo que o tarak-sin da nossa casa é o Oscar, que ele ganhou como roteirista, usando outro nome — admitiu River. — Ele o guarda no banheiro.

Mais risadas, mas por dentro eu estava gritando.

River limpou a garganta e ficou séria de novo.

— Mas voltemos à nossa história. A oeste, seguindo a mesma linha, ficava a casa da Islândia, em Heolfdavik. Ou melhor, em um pequeno vilarejo perto de Heolfdavik. Aquela linhagem, infelizmente, também foi destruída, em 1561, por invasores. E mais uma vez, o poder de uma casa inteira foi perdido.

Eu não conseguia dizer nada, só olhar para o prato e me perguntar se meu rosto estava tão branco quanto ele.

— Perdido mesmo? — perguntou Rachel. — Nunca entendi isso.

— Sim — disse River. — Os invasores mataram todo mundo da família, depois encontraram o tarak-sin da casa e tentaram usá-lo. Mas não eram fortes o bastante, ou algo deu errado. A história é que foram engolfados em uma torre de relâmpagos, não deixando nada para trás além de cinzas. E ninguém sabe o que era o tarak-sin.

Era um amuleto. Por algum motivo, eu nunca tinha percebido sua importância. Eu sabia que era mágicko, sabia que era o bem mais valioso da minha mãe e o mantive sempre escondido porque era a única coisa que restava da minha antiga vida. Mas ele era um tarak-sin. Eu tinha metade, então os invasores deviam ter pegado a outra parte. Não era de surpreender que a magick tivesse explodido.

Senti como se fosse desmaiar. Eu continuava tentando respirar normalmente, mas meus olhos estavam arregalados, concentrados no rosto de River. Ela percebeu minha expressão, e pensei ter visto um brilho em seus olhos.

Reyn voltou e se sentou sem dizer uma palavra.

Agora eu olhava para baixo, tentando engolir o que parecia ser uma bola de golfe. Eu tinha perguntas, mas não podia fazê-las naquele momento.

— Brynne — disse River, abruptamente mudando de assunto —, temos alguma sobremesa?

Brynne deu um pulo, mas respondeu:

— Se tem sobremesa? Fui *eu* que fiz o jantar? Eu *alguma vez* faço o jantar sem sobremesa? *Acho* que não. — Ela foi até a cozinha e voltou um minuto depois com duas tortas de maçã em uma bandeja.

— Tem sorvete? — perguntou River, e Brynne concordou, como se dissesse sim, é *claro* que temos sorvete, pois temos *torta*, certo? Em um minuto ela trouxe um pote de sorvete orgânico feito em uma fábrica de laticínios a alguns quilômetros dali.

Tive a sensação de que River estava me dando tempo para recuperar o controle, e por dentro eu estava desesperadamente implorando à minha cabeça que se acalmasse, que parecesse normal, tentando afastar a atenção de mim.

— Então ninguém daquelas casas ainda existe? — perguntou Rachel.

— Não que se saiba — disse River. — Awaynat é um mistério total. E ninguém jamais ouviu falar de sobreviventes de Tarko-Sale e nem de Heolfdavik. E, de alguma forma, os respectivos tarak-sins se perderam.

River falava baixo, colocando sorvete sobre sua torta.

— Podemos falar mais sobre isso outra hora — disse Asher, olhando para River. — E posso contar para vocês sobre a última casa, que corresponde à última estrela na Canis Major. Fica em Salem, Massachusetts.

— Você está de brincadeira. — Empurrei um pedaço de torta para dentro da boca. — Do julgamento das bruxas de Salem? — Minha voz parecia um coaxar, e a torta ficou entalada na garganta, me deixando engasgada.

— Exatamente. Adivinhe quantas dessas "bruxas" não morreram depois de colocadas nas fogueiras? — Solis parecia irritado.

— Solis é da casa de Salem — disse River com delicadeza, e minha mente voou para a imagem dele sendo queimado em uma delas. Por muito tempo. Sem a benção da morte.

— Mas não havia ninguém na América há vários milhares de anos atrás — disse Charles. — Exceto índios americanos. Certo?

— É uma longa história — disse Solis, olhando nos olhos de River. — De qualquer forma, não vamos fazer a caminhada para observar estrelas esta noite.

Como se para pontuar aquelas palavras, um trovão alto explodiu, parecendo soar bem do lado de fora da casa. Tentei engolir outro pedaço de sobremesa enquanto ouvia a chuva batendo friamente contra as janelas.

Eu tinha muita coisa em que pensar.

Mais tarde, quando estava saindo de um banho longo e quente, River estava me esperando do lado de fora, no corredor. A expressão no rosto dela era séria, porém gentil.

— Você está bem? — perguntou ela.

— Claro — falei, esfregando uma toalha no cabelo. — Por que não estaria?

River ficou em silêncio por um momento enquanto andava ao meu lado até o quarto.

— Foi muita informação para ser absorvida — disse ela.

— Foi. — Abri minha porta e estendi a toalha nas costas de uma cadeira, perto do aquecedor. — É impressionante que haja falhas tão grandes na minha formação. Por outro lado, sei falar palavrão em oito línguas diferentes. No mínimo.

— Nastasya... — hesitou River. — Você nasceu em 1551. Onde?

Meu coração saltou e quase parou. Falei a primeira coisa que me veio à cabeça.

— Japão.

Ela cerrou os lábios.

— Você vai ter que falar sobre isso algum dia, querida.

— Falar sobre o quê? — Olhei para ela sem expressão, algo que aprimorei até tornar uma arte.

Ela gesticulou com a cabeça, depois me abraçou e acariciou meu cabelo molhado.

— Durma um pouco. Você tem que trabalhar amanhã.

Fui pega de surpresa. Eu realmente tinha esquecido. River sorriu por causa da minha expressão e depois saiu. Eu tinha que pensar. Ela não ia tentar me interrogar, ia? O que eu faria nesse caso? Eu estava impressionada por existirem *oito* casas diferentes, oito linhagens de histórias diferentes. Supus que aquelas eram apenas as principais, as que conseguiram reunir bastante poder. Devia haver milhares de outras. Mas só oito tarak-sins originais? De onde eles tinham vindo? Enfiei meus dedos por baixo do cachecol fino de algodão. O que River pensaria se soubesse que tenho o tarak-sin da Islândia em uma queimadura na minha nuca?

Sem conseguir me controlar, prestei atenção ao som de passos e, quando não ouvi nada, me arrastei para debaixo da cama. Um pequeno pedaço do rodapé atrás da minha cama estava rachado, e enfiei as unhas curtas na rachadura para puxá-lo. Enfiei a mão no buraco e senti, mais uma vez, o pesado ornamento de ouro que sempre parecia quente, independentemente de onde estivesse. Confirmei que estava mesmo lá e coloquei a madeira no lugar, acomodando-a com firmeza e jogando um pouco de poeira em cima para parecer natural. Então me arrastei para fora e me sentei na cama.

Se meu amuleto *fosse* o verdadeiro tarak-sin da minha casa, então ele era ainda mais poderoso, mais valioso do que eu jamais soube. Era o que tinha levado minha família inteira à morte. Era o que os invasores tinham ido buscar. Era por ele que tinham morrido.

Será que alguém suspeitava de que aquela metade ainda existia? Será que ainda valia a pena matar por ela?

CAPÍTULO 15

Não sei se o Velho MacIntyre ficou surpreso ao me ver na manhã seguinte, pontualmente, mas eu estava impressionadíssima. Ele demorou uns vinte minutos para me explicar sobre a arrumação das prateleiras, mais cinco minutos para falar da complexidade da registradora velha (e não de uma maneira encantadora) e, por fim, 45 minutos para me colocar o temor a Deus caso eu decidisse roubar alguma coisa. Ele mantinha trancada a seção de trás, onde ficavam armazenados os medicamentos controlados, então essencialmente ele estava me avisando para não enfiar na bolsa Tampax, leite em pó para bebês e iscas vivas. Vai entender.

Enrolei as mangas da minha camisa xadrez de flanela, sexy e provocante, abri uma caixa de tinta de cabelo Garnier Nutrisse e comecei a arrumar as caixinhas com toda disposição. Concentrar-me nesse trabalho mentalmente entorpecedor significava que eu não conseguia pensar em mais nada. Eu estava determinada a não pensar em qualquer outra coisa pelo tempo que conseguisse. Eu tinha engolido meu chá de ervas na noite anterior e conseguira dormir surpreendentemente bem — sem pesadelos, sem lembranças. Foi a maneira que eu encontrei de lidar com a história das oito casas. Como eu poderia encarar aquilo? Havia tanta coisa que eu não sabia sobre meu passado, sobre minha própria história. Nunca quis saber. Tinha medo de saber. Veja tudo o que eu desconhecia sobre meu amuleto. Agora que eu sabia, ele me levava a um novo nível de paranoia. Que divertido!

Depois de uma eternidade de trabalho mecânico sem pensar, de repente me dei conta do sentido daquilo tudo, do que Solis esperava que eu fosse aprender: ele esperava que esse tédio sem objetivo fosse me sobrecarregar tanto que eu sofreria um surto psicótico, sairia correndo pela rua e desapareceria dali para sempre. *Tinha* que ser esse o plano por trás de tudo.

E, oh, eu estava perto disso. Perto demais. Mas alguma coisa em mim me forçou a ir em frente, e tudo em que eu conseguia pensar era na certeza humilhante e confusa de que minha vida não ficaria nada melhor se eu estivesse em qualquer outro lugar, fazendo qualquer outra coisa. E também, por mais que aquilo tudo fosse um saco — e acredite, era muito ruim —, era o máximo de disfarce que eu conseguiria. Ninguém jamais acreditaria que eu fosse capaz de estar ali, fazendo aquilo. Eu me sentia camuflada, e aquele medo inominável que pairava sobre mim ainda me fazia sentir que me esconder era importante. Por quê? Eu não sabia. Era um grande mistério, até para mim mesma.

Havia alguém perto de mim, estava parado e próximo há algum tempo, me dei conta de repente. Como Meriwether tinha dito, não acontecia muita coisa na cidade de modo geral, e a MacIntyre's em particular parecia estar em estado crítico — não havia quase nenhum cliente. Naquele momento, percebi que havia outra pessoa ali. Eu a senti, senti sua energia, embora não tivesse ouvido o sino da porta soar.

Peguei algumas caixas vazias e segui para a parte de trás, olhando em cada corredor. Era a garota punk/gótica, a que eu já tinha visto duas vezes, a que eu vivia encontrando porque aquela cidadezinha de nada era tão pequena que era impossível não viver esbarrando nas mesmas pessoas toda hora.

Ela olhou para mim, com o costumeiro olhar desafiador no rosto, e agi como se não a tivesse reconhecido. Mas observei-a pelo espelho redondo no fim do corredor e vi quando ela colocou dois vidros de esmalte no bolso. Suspirei e joguei as caixas nos fundos, ao lado da lixeira.

Quando voltei, ela estava esperando com uma expressão impaciente no balcão do caixa. O Sr. MacIntyre ajudava uma senhora na parte de trás que estava comprando medicamento com receita, então murmurei uma oração rápida para me lembrar de como usar a registradora idiota e segui para lá.

O Velho Mac tinha me dado algumas dicas sobre como atender os clientes, mas como ele era um dos homens mais odiosos que eu havia conhecido, os ignorei.

Peguei as coisas que a garota tinha colocado sobre o balcão e comecei a apertar os botões da caixa registradora, torcendo para estar fazendo certo. Não tinha nenhum esmalte entre os produtos.

Coloquei os produtos em uma sacola e falei:

— Certo, agora os esmaltes.

— O quê? — A garota era boa, tinha um jeito de desentendida semiconvincente e um leve ar agressivo que faria a maior parte das pessoas voltar atrás.

— Os esmaltes que você pegou — falei, com segurança. — Me entregue.

O rosto dela demonstrou sua revolta.

— Não peguei nenhum esmalte!

Suspirei e balancei a cabeça.

— Sabe, você está fazendo tudo errado. Você pegou dois vidros de esmalte que estavam com desconto, dois pelo preço de um. Depois pagou o preço normal por esse estojo de sombras Pixi Lumi Lux Eye Palette, que não é muito maior, mas custa três vezes mais. Obviamente, você devia ter pegado as sombras e pago pelos esmaltes. Absurdo.

A garota gótica ficou me olhando.

— Se você vai furtar alguma coisa, furte o que não está em promoção — prossegui. Deveria ser legal ensinar outra pessoa para variar, em vez de alguém estar me ensinando alguma coisa. — Faça valer a pena, sabe? Agora me passe os esmaltes. Vou fazer você pagar por eles, para que sirva de lição. Assim, talvez você pense melhor da próxima vez.

Estiquei minha mão e esperei.

A garota ficou me olhando, depois olhou ao redor, procurando o Velho Mac e câmeras de segurança. Parecendo desnorteada, ela enfiou a mão no bolso do jeans, pegou dois vidros de esmalte L'Oréal e os colocou no balcão.

— E agora? Você vai me entregar? — Ela ergueu a cabeça um pouco; a expressão nos olhos pintados de lápis preto era desafiadora.

— Agora vou cobrar pelo esmalte — falei, apertando os botões da máquina. — Você já me deu seu cartão, a compra está sendo processada.

— Vai proibir minha entrada na loja?

Ela pegou a sacola e olhou para mim com o que supus ser uma de suas duas ou três expressões básicas de desafio. Nossa, quem essa menina me lembra? Deixe-me pensar.

Eu ri.

— Não. Você é a coisa mais interessante que aconteceu a manhã inteira.

— Quem *é* você? — Ela parecia não ter tido a intenção de perguntar.

— Nastasya. Nasty para os amigos.

Depois de um momento, a garota disse:

— Dray, apelido de Andrea, que eu odeio, então não me chame assim. — Ela bateu no peito. — Para os amigos é "Ei, cachorra".

— É um prazer conhecê-la, cachorra falei, esticando a mão.

Eu estava sendo sincera. Depois de toda a bondade que escorria pelos poros de todo mundo em River's Edge, um pouco da velha e boa delinquência era revigorante.

Depois de hesitar um momento, ela apertou minha mão.

— É um prazer te conhecer também, Nasty.

— Como foi o trabalho? — A pergunta de River, bastante inocente, fez todo mundo do meu lado da mesa olhar para cima e parar de conversar.

Enfiei o garfo na comida e disse:

— Acho que vou voltar amanhã.

Me surpreendi comigo mesma e olhei para a frente. Peguei Nell me observando. Era quase como se eu pudesse ouvir a voz dela na minha cabeça, dizendo com deboche, *Quer dizer que vão deixar você voltar amanhã?*

Mas ela não disse nada em voz alta, e me perguntei se eu estava apenas imaginando coisas ou se meus sentidos mágickos, agora despertos, estavam ficando mais fortes. Provavelmente a primeira teoria.

— Que bom — disse River, e a sinceridade dela era tão vibrante e pura que quase fiquei sem graça. — Ei, pessoal, hoje é dia de uma nova Lua, sem previsão de chuva, então se alguém quiser se juntar a mim para um círculo depois do jantar...

A maioria das pessoas fez que sim. Eu queria me esconder. Ainda não tinha me recuperado das revelações chocantes da noite anterior. De alguma forma, mexer com magick esta noite parecia mais ameaçador do que nunca. Comecei a pensar em uma boa desculpa, e então o pensamento desconfortável me ocorreu: eu tinha passado 450 anos evitando coisas. Evitando conhecimento. Evitando magick, poder e qualquer coisa que tivesse a ver com minha herança. Tentando evitar sofrimento. Fingindo que as coisas não eram verdade, não eram reais.

Eu estava ali porque não queria mais ser daquele jeito, certo? E a conclusão lógica que não podia ser ignorada era: tinha que começar a encarar as coisas.

Odeio lógica.

Mas era claro que eu talvez devesse começar a correr alguns riscos — do tipo que não tinha nada a ver com moda. Mas por outro lado, os poucos círculos dos quais eu tinha participado tinham me feito sentir muito mal. Mas River estava ali, e eu... confiava nela. Incrivelmente.

Então percebi Reyn concordando. E Nell, observando Reyn, rapidamente também fez que sim. Aquilo foi decisivo: como eu podia deixar aquela oportunidade passar? Como Oscar Wilde, consigo resistir a qualquer coisa, menos à tentação.

— Estou dentro — falei impulsivamente, e fui recompensada pelos olhos de laser de Nell. *Ainda* não sou boa, afinal.

CAPÍTULO 16

— Você vem, então? — River sorriu e esticou a mão para mim.

Se eu não fosse tão emocionalmente retardada, teria pego a mão dela, como uma amiga, e apreciaria o calor e o gesto amistoso. Como sou mais eu, ignorei-a e apertei mais meu cachecol ao redor do pescoço. Até aquele momento, River não tinha me perguntado mais nada sobre as oito casas e nem sobre minha reação e meu passado, então não falei nada. Eu não sabia por quanto tempo ela ia me deixar escapar desse assunto.

Andamos pisando nas folhas no chão, sentindo o vento frio ao redor dos nossos tornozelos. Como River tinha dito, não havia Lua alguma. Na verdade estava tão negro lá fora que, nos dias de hoje, só mesmo no meio do nada para se experimentar algo assim. Duzentos anos antes, as estrelas eram muito mais óbvias, o céu povoado dos pontinhos iluminados. Nervosa, apertei o cachecol no meu pescoço, olhando ao redor. À procura de, por exemplo, lobisomens. Tubarões terrestres. Coisas no escuro.

— Vou — falei. — Detesto círculos, mas deve ser bom pra mim, né? — Estão vendo como sou virtuosa? Além do mais, quero assistir a outro capítulo da tragicomédia Reyn/Nell se desenrolar diante dos meus olhos.

— Você detesta círculos?

Mais uma vez, falei demais.

— É. É que odeio... mexer com magick. Magick grande, quero dizer. Gosto da excitação, é claro. — Eu podia ouvir os outros à frente, guiando o caminho até a clareira, mas mal conseguia distinguir a silhueta deles. — Mas detesto a parte de passar mal, as visões, essas coisas.

River parou ao meu lado, e só percebi que ela tinha ficado para trás depois de alguns passos.

— O quê?

Eu me virei para ela.

— O quê?

— O que você disse?

— Hum, o que eu disse? Quando?

— Agora mesmo... Você disse que passa mal durante um círculo? Você tem visões?

— Tenho, claro. — Dei de ombros. — Às vezes. Normalmente. Acho que faço tudo errado.

— Não, Nastasya. — O tom de voz de River era solene. — Mesmo quando se é Terävä, não se deve passar mal durante um círculo ou quando se está fazendo feitiços. E a maioria das pessoas não costuma ter visões, a não ser que esse seja o objetivo delas.

Eu não sabia o que dizer. Nunca tinha falado sobre isso com meus amigos. Acho que simplesmente concluí que a magick atingia a cada um de nós de um jeito diferente, que algumas pessoas passavam mal depois e outras não. Pensando bem, eu não conseguia me lembrar de alguma outra pessoa ter mencionado passar mal durante um círculo. Mas, no meu grupo, achávamos que imortais que faziam círculos eram meio como... Martha Stewart. Sabe? Círculos estranhos e sinceros. Para quê?

— Passa mal como? — River parecia muito interessada.

Os outros tinham ido em frente sem nós, e eu estava feliz por não ter que encontrá-los sozinha. Eu ficaria vagando pelas florestas de Massachusetts por meses. Um pesadelo.

Eu não sabia ao certo por que River estava insistindo naquilo, a não ser que tivesse a ver com meu passado, com minha história pessoal. Eu tinha certeza de que ela tinha adivinhado de onde eu era. Talvez não todos os detalhes. Talvez não tivesse certeza. Talvez fosse algo incomum eu ter essas reações. Ela estava agindo como Anne e Solis quando fiz aquela coisa na meditação.

— Hum, acho que sou destreinada demais — falei lentamente, em dúvida se aquilo era mesmo uma boa ideia. — Nunca aprendi como fazer essas coisas. — Tinha evitado aprender como se evitasse a peste, na verdade. — Sabe, eu normalmente passo mal. Não consigo respirar, como se minha cabeça fosse explodir ou meu coração estourar. — Eu estava envergonhada, como se estivesse admitindo uma fraqueza. — Depois, me sinto de ressaca. Quero dizer, círculos são legais, e aquela onda de poder... mas me faz passar mal, então raramente participo.

River ficou em silêncio. Ela estava perto o bastante e eu conseguia vê-la me observando no escuro.

— Hum, pelo menos você vai estar aqui durante esse círculo — falei sem jeito, mas educadamente. — Sabe, estou disposta a tentar. Desde que você esteja aqui. — Eu meio que esperava que ela me mandasse de volta para casa para lavar louça ou coisa assim.

Asher e Solis perceberam que River não estava com eles e voltaram em silêncio para se juntarem a nós.

— O que está acontecendo? — perguntou Asher, colocando o braço na cintura de River.

— Nastasya costuma passar mal quando participa de um círculo — contou River baixinho. — E tem visões. Asher, hoje você vai liderar o círculo, por favor. Quero que Nastasya fique entre mim e Solis.

E lá estava a sensação de animal do zoológico de novo. Eu me sentia idiota por chamar a atenção para mim mesma. Eu já era esquisita demais. Tinha esperança de que River pudesse entender minhas reações, me ensinar o que fazer para que eu não me sentisse como se estivesse morrendo depois. Mesmo com meu passado, eu não podia acreditar que era a única que se sentia assim.

Entramos na clareira, que tinha uns 30 metros de largura e era cercada de árvores altas. A grama seca ficou achatada quando passamos por cima dela e nos juntamos aos outros.

Todos iam participar, então éramos 13, o que eu sabia ser um número "da sorte" para um círculo, embora o número de integrantes pudesse variar — só havia nove pessoas naquele círculo terrível em Boston. Solis se ajoelhou no meio de nós e fez uma pequena pilha de madeira seca. Ele murmurou algumas palavras, fez um gesto, e pronto, uma chama intensa e ardente apareceu e começou a se espalhar pela madeira. Esse é um feitiço útil, pensei. Adoraria saber fazer esse: conjurar fogo do nada.

— Nos juntamos esta noite para celebrar o aparecimento da Lua Nova — disse River com clareza. — Hoje separa este mês do anterior, nos dando a oportunidade de começar de novo. Hoje a deusa lua descansa, e ainda assim a magick dela está ao nosso redor.

Camponeses supersticiosos nos tempos antigos às vezes falavam da deusa lua, mas eu não sabia muito sobre ela. Os outros pareciam à vontade e ansiosos. Já tinham feito isso antes.

Como River tinha pedido, fiquei entre ela e Solis. Eu me sentia protegida, a salvo — e, para minha surpresa, até um pouco empolgada. Mas devia ser parte do fenômeno "nunca aprenderei", pensei. À minha frente, eu conseguia perceber o olhar cuidadoso de Anne. Eu estava perplexa pelo jeito como eles estavam me tratando, e tive um momento de ansiedade, imaginando se levitaria ou algo do tipo. *Isso* sim seria novo e diferente.

— Estiquem suas mãos — pediu River — com os dois polegares virados para a esquerda.

Minha mão esquerda ficou com a palma para cima, e a direita com a palma para baixo. Então percebi: quando todos tinham feito isso, as mãos de todo mundo se encaixavam perfeitamente, esquerda na direita, direita na esquerda. Legal.

— Você já participou de círculos antes, é claro — disse River para mim. — Mas eles são diferentes dependendo do grupo. Siga o que fizermos e você vai ficar bem.

O círculo se moveu para a direita ao redor do fogo. Primeiro as pessoas ficavam de frente para o fogo; depois, no passo seguinte, se viravam para que o lado esquerdo ficasse em direção à chama. Depois novamente com o rosto virado para o fogo, depois todos nos viramos de forma que nossa direita ficasse virada para o fogo. Era esquerda, de frente, direita, de frente, esquerda, de frente, e assim por diante. Alguns pensamentos me ocorreram, e permiti que viessem, embora eu devesse estar ocupada limpando a mente e me concentrando no fogo, me preparando para sentir a magick tomar conta de mim — aleluia!

Um pensamento era que ninguém ficou mais feliz do que eu quando as danças da corte finalmente deixaram de ser moda. Sou a maior desajeitada do mundo, sem senso algum de ritmo, habilidade zero para perceber a marcação de tempo e sem qualquer compreensão sobre onde termina meu espaço e começa o do outro. E oh, meu Deus, o número de danças humilhantes que tive que suportar, errando cada um daqueles milhares de passos precisos. Eu era "a bela que dança como um urso." Em vários países diferentes.

Mas imprensada entre River e Solis, levada pelo círculo, eu não estava me saindo tão mal. O fogo iluminava o rosto de cada pessoa, fazendo com que todos parecêssemos figuras de Dia das Bruxas, e o contraste do calor com a brisa fria da noite ao nosso redor me fazia sentir como... como se houvesse duas de mim, uma quente, outra fria. Uma iluminada, outra escura.

Assim que tive esse pensamento, fugi dele e tentei me concentrar no que estava acontecendo. As pessoas estavam cantando agora, mas eu nunca tinha ouvido aquela música. Não era como a cantoria de Kim em Boston, que eu conseguira acompanhar. Essa tinha uma estrutura diferente.

Enquanto escutava, percebi que cada pessoa parecia estar cantando uma coisa diferente. Todas as vozes e melodias se uniam, mas nenhuma era igual. Algumas pareciam palavras — pensei ter ouvido várias línguas diferentes —, mas outras eram apenas sons, sílabas prolongadas, como se estivessem sendo cantadas na língua das baleias-jubarte.

Mas era bonito e, mais importante, comecei a sentir o poder do canto.

Ninguém estava prestando atenção em mim. Cada pessoa parecia perdida em seu próprio devaneio, foco, som e movimento. Comecei a cantarolar junto, bem baixinho.

Cantarolar me fazia sentir bem, então aumentei a intensidade. Nos poucos círculos dos quais participei, até mesmo no de Kim, as músicas que atraíam o poder eram, bem, digamos, exigentes. Rudes. Marciais. Algumas vezes, sedutoras.

Isso parecia... um *presente*, sem querer parecer melosa. Parecia uma oferenda para o céu, para as florestas, para a Lua Nova, para cada um de nós. Agora eu conseguia acompanhar; podia sentir o cântico crescendo dentro de mim. Passei de cantarolar baixinho a abrir minha boca e participar do canto das baleias-jubarte, emitindo sons que se misturavam aos dos outros e não se destacavam. Várias das vozes eram muito atraentes, então alinhei meu tom com elas, acompanhando sem atrapalhar ninguém.

E, sim, *pronto*, alguns minutos depois senti a onda, o fluxo de poder me preenchendo, me atravessando como uísque quente, a explosão de felicidade, a gigantesca sensação de poder, alegria e excitação. Eu estava feliz em dar tudo o que eu tinha para o que estávamos fazendo, feliz de ser um fio condutor. Eu ficaria feliz independentemente de qual fosse nosso propósito, fosse fazer o milho crescer mais rápido, evitar que nevasse ou derrubar uma nação. Qualquer coisa estava bom, tudo era possível, e eu nunca tinha me sentido tão incrivelmente fel...

Quando inspirei novamente, eu estava dentro de uma pequena cabana. As paredes eram tábuas enegrecidas pela fumaça; as vigas do telhado eram entalhadas e pintadas. Do lado de fora, ouvi gritos, o som dos cascos de cavalos, homens gritando. Oh, Deus, oh, Deus, pensei loucamente. Meu coração batia com força no peito; eu não conseguia respirar. Eu tinha feito tudo que podia — não havia como se preparar para uma coisa daquelas. Com a mão trêmula, apaguei a única vela (quem sabe assim a cabana parecesse vazia) e engatinhei para trás da cama de palha.

A porta foi derrubada. Os gritos de dor e pânico ficaram mais altos. Eu podia ouvir os cavalos andando sobre a lama gelada lá fora. Vozes agressivas. Um homem entrou, ficou parado dentro da cabana, olhou ao redor. O cabelo longo e dourado estava preso em tranças e manchado de sangue, e havia sangue seco no peito de sua malha de metal. Ele foi em direção ao caldeirão na lareira, mas estava vazio, e então ele o jogou do outro lado do aposento com um rugido. O caldeirão que eu mal conseguia erguer. Nossas canecas estavam vazias, e só havia uma casca de pão velho. Furioso, o saqueador chutou a pequena mesa e quebrou uma cadeira contra a chaminé, destruindo-a.

Tínhamos ouvido falar deles, é claro, os invasores do norte — todo vilarejo tinha histórias apavorantes. Mas ninguém pensou que eles cruzariam as estepes no inverno; seria uma marcha mortal. Estávamos errados.

O homem se virou para sair, mas algo o deteve, um som baixinho. Ele se virou, os olhos revirando o aposento escuro. O caos do lado de fora pareceu diminuir quando prendi minha respiração.

Ele me encontrou no segundo seguinte e me ergueu por um braço. Ele podia me matar arrancando minha cabeça e jogando-a longe — mas podia também criar várias situações que me fariam implorar para morrer, rezar pela morte, sabendo que minhas orações cairiam nas orelhas surdas de Deus.

Ele rugiu de novo, como um animal, e me jogou na cama. Tinha duas vezes o meu tamanho, estava coberto com o fedor da guerra — sangue, suor, o medo de outros homens —, e cobri meu rosto com as mãos quando ele ergueu minha saia e em seguida a anágua em farrapos. Só me permita superar isso, me permita superar isso, eu repetia sem parar comigo mesma.

Ele botou a mão na parte da frente da calça, e então um pequeno ruído chamou sua atenção. Mantendo-me presa com apenas uma das mãos, ele vasculhou o aposento de novo. Então ambos ouvimos: um choro de bebê. Segurei o braço dele quando ele começou a ir em direção ao barulho, tentando me lembrar de qualquer palavra bárbara que eu já tivesse ouvido. Pulando atrás dele, segurei-o pelo braço mais uma vez, e ele me sacudiu como se fosse uma folha de outono.

Com a bota suja de lama e sangue, ele chutou a velha banheira que eu tinha encostado no canto. E encontrou meu filho.

Ele olhou de mim para o meu filho de apenas três meses, e apertou os olhos. Desmoronei, fiquei de joelhos aos pés dele, pronta para prometer qualquer coisa, oferecer qualquer coisa, e então um novo som de algo quebrando na porta fez com que nós dois virássemos a cabeça.

Outro bárbaro, quase impossível de se reconhecer como humano, gritou alguma coisa para meu agressor, depois gritou de novo, com mais urgência, quando o primeiro homem hesitou.

Depois de infindáveis momentos que pareceram congelados no tempo, meu agressor sibilou maldições, me jogou no chão e saiu, quebrando nossa jarra de argila de cerveja no caminho.

Engatinhei até meu filho e o peguei, encolhida na escuridão profunda, enquanto o exército invasor marchava, seguindo em frente. Fechei meus olhos e cantei cantigas de ninar, bem baixinho, e então...

— Nastasya? Nastasya?

Pisquei.

Estava escuro, e eu estava no chão da minha... — não, eu estava sobre a terra. No chão úmido e cheio de folhas, olhando para River, Solis, Anne e para alguns outros que estavam inclinados sobre mim com preocupação. Pisquei e engoli em seco várias vezes, farejando o ar atrás de odores rançosos de batalha e morte, de casas queimadas e carne e gado massacrado, e...

— Nastasya? — River parecia muito preocupada.

O cheiro do ar estava ótimo. Amadeirado. Limpo.

O círculo voltou com tudo à minha memória, meus sentimentos de alegria, o poder crescente, e então as portas do inferno tinham sido abertas e fui jogada quatro séculos no passado.

— Qual é o problema dela? — ouvi Nell perguntar.

Alguém disse:

— Shh.

De longe, Nell disse:

— É tudo tão dramático com ela.

— Você sabe onde está? — perguntou Solis.

Fiz que sim e tentei me sentar.

— Não, fique deitada — disse River. — Encoste o máximo que puder do seu corpo no chão.

Balancei a cabeça.

— Vou vomitar.

Com isso, fiquei de quatro e fui até alguns arbustos não iluminados pelo fogo que se apagava. E vomitei as tripas, surpresa por não estar botando para fora o mingau aguado e os nabos da estação anterior da minha lembrança.

River foi até mim e colocou o braço ao redor dos meus ombros, tirando o cabelo da minha testa, murmurando algumas palavras. Com dedos frios ela traçou alguns símbolos na minha testa, nas minhas costas, no meu braço, e lentamente parei de vomitar.

Fiquei ali inclinada, as mãos nos joelhos, coberta de suor pegajoso, ofegante, me sentindo vazia por dentro.

— Vamos voltar para casa — disse River, me ajudando a ficar de pé. — Vou lhe fazer um chá, e você poderá me contar tudo.

Concordei levemente, aliviada em ver que todo mundo menos os outros professores já tinha ido embora. Anne apagou o fogo, certificando-se de que todas as brasas estavam mortas, e andamos pelas folhas em direção à casa quente, acesa e acolhedora que parecia um farol de sanidade e força.

Concordei de novo, mas sabia que não contaria a River e nem a ninguém o que eu tinha visto. Não tinha sido uma visão — tinha sido uma lembrança. O rosto do meu filho, meu bebê. Ele não era imortal, e o filho por quem eu faria qualquer coisa naquela noite morreu apenas três anos depois, de gripe. Toda vez que eu me lembrava daquele rosto redondo, eu sofria horrivelmente, tudo de novo. Mas não era só isso. Pela primeira vez em séculos, me permiti ver e me lembrar da aparência do meu agressor.

Era Reyn.

CAPÍTULO 17

Quando fui deitar naquela noite, fiquei acordada por muito tempo, tremendo debaixo do cobertor. Não conseguia parar de pensar em Reyn, no invasor do norte, no fato de que minha porta não tinha tranca. Eu queria sentir meu amuleto de novo, queria segurá-lo, mas por algum motivo não ousava tirá-lo do esconderijo.

River tentou me fazer perguntas, com delicadeza, mas eu não ia falar sobre aquilo. Minhas desculpas eram tão fracas e desconexas que, no final, ela me deixou sozinha. Pela lógica, não podia ter sido Reyn, certo? Parecia ele, e isso explicaria a familiaridade efêmera, mas contradizia completamente minha atração por ele. E ele não era tão velho assim.

Bebi meu chá de ervas, e River fez um pequeno feitiço para me ajudar a dormir, traçando runas na minha testa com os dedos frios. Deitei na cama, meio adormecida, meus dedos apertando o cachecol num movimento nervoso.

Na manhã seguinte, meus olhos se abriram um minuto antes do despertador tocar. Dei uma olhada no quarto, como se esperasse ver o invasor do norte ali, vindo de quatrocentos anos atrás e de 6.500 quilômetros de distância.

Eu tinha sufocado todas essas lembranças por tanto tempo. Agora tudo estava escapando pela rachadura na minha casca, como lava. Argh. Rastejei para fora da cama, reparando que o alvorecer começava mais tarde a cada dia. Estava frio no meu quarto — o aquecedor começava a sibilar e estalar. Vesti uma calça jeans, uma blusa de baixo, uma camiseta e uma camisa de flanela por cima de tudo, coloquei meus sapatos resistentes e desci com cautela, com medo de gritar feito uma garotinha caso visse Reyn.

— Bom-dia, Nas — disse Lorenz quando entrei pela porta da cozinha. Ele abriu os braços, segurando uma espátula em uma das mãos. — Abrace o dia! Abrace outro lindo amanhecer!

Ele começou a cantar um trecho de ópera, alguma parte de *La Bohème*, e sorri para ele. Brynne, de avental, riu e sacudiu um pano de prato na direção de Lorenz. Esse era o novo normal para mim, e eu tinha que dizer que dava de mil no meu antigo normal.

Meu nome estava na lista para ir buscar os ovos, então peguei a cesta do gancho ao lado da porta dos fundos e segui pela grama congelada até o galinheiro, olhando ao redor o tempo todo, como se uma horda trovejante pudesse chegar pela estrada a qualquer momento. Primeiro abri a pequena porta, e as aves começaram a sair, cacarejando. Depois abri a porta maior, do tamanho de uma pessoa, e entrei, de cabeça abaixada.

A única coisa boa de pegar ovos ao amanhecer era o calor dentro do galinheiro, o oposto do restante do mundo, que estava coberto de gelo pontiagudo e branquinho.

Reyn só tinha 267 anos, era o que Nell tinha dito. Ele não a tinha corrigido. Minha lembrança era de, sei lá, por volta do fim do século XVI. Não tinha chegado a 1600 ainda. Tinha sido em Noregr, Noruega. Naquela época, era o reino Dinamarca-Noruega. Eu sabia aqueles dialetos, mas eles estavam esquecidos agora.

Obviamente, se Reyn nem era nascido naquela época, ele não podia ser o saqueador da minha lembrança. Mas eu podia jurar que o invasor era exatamente, *exatamente* como o Reyn de hoje em dia. Só que era imundo, tinha cabelos longos, estava coberto de sangue fresco e seco e usava peles de animais e armadura rústica. Fora isso, gêmeo idêntico.

— Aqui, galinha, galinha — murmurei, enfiando a mão por baixo de uma delas. Essa nunca tinha me bicado, mas eu tinha certeza de que ela ficava furiosa por eu viver pegando seus ovos.

— Está perdida?

Eu me virei, gritei e deixei cair um ovo. Reyn preenchia a abertura da porta, a pouca luminosidade da manhã deixando-o idêntico à silhueta do invasor na entrada da cabana. Ele olhou para mim enquanto cada nervo do meu corpo se acendeu com a adrenalina.

— Saia! — sibilei com fúria. — Saia daqui!

Eu não era mais uma camponesa indefesa. Estávamos no século XXI, e eu o atropelaria de carro ou o esfaquearia com uma faca de cozinha se ele me ameaçasse de novo. Isso certamente... deixaria um imortal mais lento.

— Que diabos há de errado com você? — disse Reyn, franzindo a testa. — Brynne está pedindo ovos. Ela só tem alguns que sobraram de ontem.

Minha respiração estava acelerada, os olhos arregalados, transformada de uma perdedora inofensiva em uma completa louca em poucos momentos.

Ele inclinou a cabeça e me olhou.

— Você está bem? — Ele parecia curioso, como se estivesse interessado em ver o que a maluca faria agora.

Engoli em seco, odiando me sentir assim.

— Quantos anos você tem?

— Duzentos e sessenta e sete — disse ele, tranquilamente. — Por quê?

— De onde você é? Onde cresceu? — Eu estava fazendo perguntas a ele que eu mesma me recusava a responder. Ironia, alguém? Ironia?

— Da Índia. Meus pais eram missionários holandeses lá. Estavam dentre os primeiros.

Era possível. Por que ele mentiria? *Pelo mesmo motivo que você*, uma pequena voz dentro de mim sussurrou. Abafei-a, como sempre. Lentamente, mantendo um olho nele, me inclinei e peguei o ovo que caíra sobre um monte de palha e não tinha quebrado. Coloquei-o na cesta e olhei em volta, contando as galinhas. Eu achava que tinha passado por todas, menos pela galinha má, e ela que fosse para o inferno.

— Tudo bem — falei abruptamente. — Aqui. — Entreguei a cesta, querendo que ele a pegasse e fosse para longe de mim.

Ele fez um gesto. Estava segurando dois baldes de leite. River tinha várias vacas leiteiras, mas felizmente eu ainda não tinha sido escalada para a tarefa de ordenhá-las.

Quando Reyn se afastou da porta, respirei fundo e me abaixei para sair para a manhã, atrás dele. Andamos até a casa em silêncio, eu vários metros atrás dele, as folhas molhadas no chão ainda assim estalando por causa do gelo. Nossa respiração era visível em nuvens de fumaça.

Reyn *parecia* meio viking, muito mais cossaco/russo/escandinavo do que, por exemplo, holandês. A Holanda é mais perto da Inglaterra e da Alemanha, afinal. Os olhos dele eram meio puxados, amendoados, e a pele era clara mas com tons bronzeados. Não café com leite, como muitos holandeses. A altura correspondia a de um holandês, mas os vikings também eram altos. Ele tinha quanto, 1,85m? Há quatrocentos anos, ele teria parecido um gigante.

Eu estava brincando quando pensava nele como um deus viking, e alguns dias antes isso parecera engraçado. O fato era que ele parecia mesmo um típico invasor do norte. Eles todos se pareciam, ha ha ha. É claro que isso não significava que ele era um. Era totalmente possível que ele tivesse 267 anos e que fosse holandês em sua essência. E também era possível que minha mente pervertida tivesse pegado uma lembrança horrivelmente vívida e inserido nela quem estivesse perambulando pelo meu inconsciente no momento. Não tinha acontecido antes, mas todo tipo de pensamento e lembranças estava sendo remexido ultimamente, e Deus sabe que passo muitos minutos febris pensando em Reyn.

— Nastasya? Olá?

Percebi que ele devia estar falando comigo há algum tempo, e a roda de hamster que era minha mente tinha deixado-o de fora enquanto girava.

— Hã?

Paramos do lado de fora da porta dos fundos da casa, que levava à cozinha. Eu podia ouvir pessoas conversando, panelas e frigideiras fazendo barulho, risadas, água correndo. Exceto por um ou outro canto de pássaro madrugador e por uma leve brisa soprando as últimas folhas das árvores, ali fora o silêncio imperava.

— O que aconteceu ontem à noite, no círculo?

Olhei para ele rapidamente, vi seu olhar preso em mim. Eu não estava à vontade — não estava mais com medo, não exatamente, mas só... feliz por haver muita gente por perto.

— O de sempre — falei, procurando parecer casual. — Visões, passar mal, vomitar. *Amo* círculos!

— Por que isso acontece com você? — perguntou ele. Meus nervos estavam à flor da pele, e eu queria desesperadamente ir lá para dentro, para longe dele.

A porta de trás abriu e Nell, com as bochechas rosadas e aparência descansada, apareceu. Vi-a tentar, sem sucesso, manter a desconfiança e o ciúme fora do rosto, mas aposto que Reyn não percebeu nada.

— Não deixe Nastasya atrasar você! — Nell alertou Reyn com alegria.

Uma demonstração do quanto eu ainda era imatura e não evoluída, junto com uma boa dose de autodestruição, foi que meu primeiro instinto seria dizer: *Oh, estávamos juntos no galinheiro.* Mas meus nervos estavam em frangalhos, e eu não consegui fazer piada com o assunto.

— Estamos conversando — disse Reyn. — Vamos em um minuto.

Nell hesitou.

— Brynne está pedindo os ovos.

— Estão aqui — falei e subi os degraus, deixando Reyn para trás.

Passei ao lado de Nell, e quando estava perto dela, ela sussurrou:

— Ele é meu.

Ergui a cabeça e olhei para ela. Mas, de repente, o rosto dela estava neutro e normal, e ela estava sorrindo para Reyn, segurando a porta para ele passar com os dois baldes.

Ontem ele era minha fantasia mais excitante; hoje é um dos meus piores medos e lembranças. E para completar, Nell achava que eu estava tentando roubar seu objeto de desejo. Ótimo. O destino deve estar rindo sem parar agora.

Falando em destino, *fui trabalhar de novo* naquele dia. Dois dias seguidos! Pontualmente! A última vez que isso tinha acontecido foi... eu não conseguia lembrar. Talvez nunca tivesse acontecido. E, nossa, eu me sentia tão realizada e cheia de objetivos. Era como se eu tivesse evoluído no caminho da cura e da bondade, prestes a entrar em comunhão com o universo... não, não era pra tanto. Quero dizer, ninguém poderia *gostar* de fazer aquilo, *ninguém* poderia achar satisfatório. Mas o trabalho braçal parecia menos deprimente do que a indolência, e eu confiava que Solis e River soubessem o que estavam fazendo. Queria saber por quanto tempo eles queriam que eu fizesse aquilo, um emprego no mundo real, quero dizer. Duas semanas? Será que duas semanas seriam o bastante?

Às 15h30, Meriwether MacIntyre chegou e guardou a mochila da escola atrás do balcão da frente.

— Então você já terminou a escola, né? — perguntou ela timidamente, colocando o avental listrado que usava quando estava trabalhando.

— Terminei.

— Você vai pra faculdade?

— Hum, claro. Só queria trabalhar por um tempo, economizar dinheiro — falei. — E você? Está no último ano, certo? — Eu tinha descoberto que ela estava no último ano e que basicamente ia para a escola e depois para lá, e que pelo visto não tinha mais nada na vida.

Meriwether assentiu.

— Tem planos de faculdade?

Ela hesitou, parecendo pouco à vontade.

— Não sei se vou conseguir deixar meu pai — disse ela baixinho, como se tivesse medo de que ele ouvisse. — A faculdade mais próxima fica a uma hora, mas acho que ele não ia querer que eu fosse pra lá.

Hum. Minha percepção recente de como Incy tinha sido grudento e controlador me deixou mais sensível ao fato de a pobre Meriwether ser manipulada como um fantoche. Mas o que eu podia dizer? Mande-o pro inferno e faça o que você quer?

Eu sabia que não era fácil. Isso era mais do que eu sabia um mês antes, quando a situação de Meriwether teria sido verdadeiramente incompreensível para mim.

— Existem cursos por correspondência — falei meio sem jeito, sabendo que ela precisava de coisa melhor.

— É — disse ela sem esperança. — Ah, uau, você fez muita coisa. — Ela parecia desconfortável perto de mim, mas acho que eu era muito diferente dos seus colegas de escola.

— É, sou praticamente um castor na represa — falei, reconhecendo que ela queria mudar o assunto. Olhei para as prateleiras arrumadas e tentei não pensar em descer as escadas de uma casa de ópera em Praga usando um vestido maravilhoso. Cabeças tinham se virado, homens tinham me olhado e mulheres tinham me odiado. Os bons e velhos tempos. Velhos mesmo, 150 anos antes. — Tenho que ficar aqui até as 16h — prossegui, esfregando as mãos empoeiradas no jeans. — Sabe no que eu estava pensando? Não acabou a temporada de pesca? Por que não colocamos essas porcarias de pescaria no fundo da loja e deixamos, sei lá, os lenços de papel e remédios para resfriado mais perto da porta da loja?

Seus olhos quase sem cor se arregalaram.

— É o que quero fazer há um tempão! Perguntei ao meu pai sobre isso, mas ele disse...

— O que vocês duas estão conversando? — gritou o Sr. MacIntyre, andando em nossa direção. — Não estou pagando as duas para ficarem aí paradas falando!

Meriwether deu um pulo, mas depois de ter acabado de reviver um pesadelo com invasores do norte, não me impressionei com um vendedor rabugento.

— Eu só estava dizendo que devíamos colocar as coisas de pescaria nos fundos e trazer as coisas de inverno para a frente da loja — falei. — O objetivo é que as pessoas entrem, vejam uma coisa e pensem: Ei, preciso disso. Depois elas pensam, MacIntyre tem o que eu preciso. Entende? Não há motivo para o filtro solar e as iscas ficarem aqui na frente. Estamos em novembro.

O Sr. MacIntyre ficou me olhando em silêncio, e esperei para ver se fumaça de verdade ia sair das orelhas dele.

Ele se virou e olhou para a loja, quase como se fosse a primeira vez que a visse — os pôsteres de propaganda gastos, os pontos de ferrugem no teto de metal, as prateleiras antiquadas, o piso gasto de linóleo.

— Você está aqui há quanto tempo, dois dias? — perguntou ele. — E agora é uma especialista?

Eu ri.

— Não sou uma especialista em ser dona de loja, mas tenho *olhos*.

Meriwether não respirava desde que a conversa começou, e eu estava curiosa para ver se ela ia cair desmaiada a qualquer momento.

Depois de um minuto de silêncio total, durante o qual o Velho Mac e eu nos olhamos, ele falou:

— Não façam bagunça. — Então voltou para a área dos remédios. — É melhor limparem tudo o que tocarem!

Eu quase ri da expressão silenciosa de "Ah, meu Deus" de Meriwether, mas em vez disso fiz sinal para ela ir comigo até a frente da loja.

— Não acredito que ele concordou — falou Meriwether, os olhos cinzentos arregalados. — Quando sugeri, ele quase arrancou minha cabeça.

— É, ele não vai ganhar o prêmio de mais caloroso e alegre — falei. — Vamos planejar isso, para fazermos aos poucos, para que ele não repare muito. Posso começar amanhã, e quando você chegar, você assume.

— Parece ótimo — disse Meriwether, e me deu um sorriso rápido, mas sincero. Bati o ponto obedientemente, depois entrei em meu carrinho e dirigi para o que agora era a minha casa.

CAPÍTULO 18

Então, vejamos: minha vida anterior de roupas de grife; festas fabulosas; homens aos montes atrás de mim; amigos lindos, divertidos, animados; viajar quando me dava na telha; diversão diversão diversão — ou minha vida atual de jeans, camisas de flanela e botas grosseiras; meu emprego de subalterna em uma farmácia pequena e velha; acordar ao amanhecer; cair na cama por volta das *nove*. Não havia motivo para esta vida parecer melhor, não mesmo.

Ali, pela primeira vez em décadas, possivelmente séculos, meu estômago não doía. Sempre tive um ponto lá dentro que me dava a sensação de ter engolido uma estrela ninja ou fogos de artifício. Um lugar bem dentro da minha barriga que ardia, se retorcia, doía, era contraído, tenso. Às vezes, se eu bebesse muito ou coisa parecida, a sensação sumia um pouco, depois voltava com tudo para se vingar. Nem mesmo me incomodava — eu só sabia que estava lá. Eu convivia com a sensação. Às vezes ficava pior, mas a maior parte do tempo eu só reparava na sensação, no nó, na irritação e na ardência crua lá no fundo.

Naquela manhã, percebi que eu mal sentia aquilo. E não tinha me automedicado em semanas — desde que cheguei à Casa de Reabilitação de River. Foi chocante me dar conta de que eu estava em River's Edge havia cinco semanas. Ao mesmo tempo parecia tudo novo e que eu estava lá havia meses ou anos.

Tudo estava diferente.

Eu tinha mais aulas de verdade agora. Com Anne, às vezes com Asher, com Solis ou a própria River, eu estava aprendendo meditação, astronomia, botânica, geologia, tudo que se possa imaginar. Se fosse algo árido e incompreensível, eles estavam jogando em cima de mim. Estava aprendendo sobre plantas, e não só sobre as plantas da fazenda. Havia tantas plantas, ervas e flores com propriedades específicas, tanto físicas quanto mágickas, e elas podiam ser usadas em feitiços. Há diferentes formas de magick que usam plantas, ou metais, ou gemas e cristais, ou óleos, ou velas. Pessoas diferentes se adequavam melhor a diferentes tipos de magick; ou seja, certo tipo de magick fluía melhor com a personalidade delas, então os feitiços davam melhores resultados se elas usassem determinada planta ou cristal, por exemplo. Eu ainda não sabia o que funcionava melhor para mim. Estava aprendendo que basicamente tudo ao meu redor, tudo no mundo, estava conectado a magick de alguma forma. E, portanto, conectado a mim. Voltaram a tocar no conceito das oito casas, e tentei não demonstrar medo e nem desmaiar quando falavam da Islândia ou sobre a Casa de Úlfur.

Eu via mudanças. Mesmo aos meus olhos, eu parecia menos doente. É claro que minha atração natural ficava completamente obscurecida pelos calos nas minhas mãos, poeira e palha nos meus cabelos, roupas masculinas e pelo perpétuo aroma de titica de galinha que me envolvia, mas minha pele e meus olhos pareciam mais saudáveis.

Eu estava dormindo. Em vez de quatro ou cinco horas de sono agitado, eu agora desmaiava cedo e dormia como uma pedra drogada até a hora de acordar. Eu estava mais forte fisicamente; conseguia levantar caixas de madeira e papelão na MacIntyre's, empurrar vacas até o local onde era tirado o leite e levantar as panelas maiores e mais pesadas da cozinha. Meus sonhos não eram ruins. Eu geralmente não conseguia me lembrar deles, mas não estava tendo pesadelos constantes e não estava acordando enjoada e exausta.

Ao mesmo tempo, essa vida saudável estava começando a dar a sensação de que ia me matar. Ha ha ha. E embora eu estivesse vendo mudanças, o que eu estava vendo era *diferença*; não achava que estivesse vendo *progresso*.

Em um domingo, eu estava numa aula com River, trabalhando com diferentes metais. Tudo (não só meu amuleto), tanto natural ou feito pelo homem, tem energia, uma espécie de vibração. Eu sei, é super new age, super terapia do toque. Ei, só estou relatando como é. Eu estava aprendendo a me tornar mais ciente das vibrações e energias, e como alinhar as minhas com as outras. Era parte da experiência Tähti — criar força e magick ao trabalhar *com* as coisas, em vez de simplesmente sugar a força delas até morrerem.

É muito mais fácil sugar a força das outras coisas e canalizá-la do que desenvolver um feitiço branco e trabalhar dentro de todas as limitações que temos que estabelecer — as limitações com as quais nós, imortais das trevas, nunca nos importamos, se fizermos alguma magick. Então eu estava sentada à mesa em uma das salas de aula, tocando em pedaços de ferro, cobre e prata e mal captando qualquer coisa, e é claro que os outros, Jess, Daisuke e Rachel estavam todos vibrando com o êxtase de estarem tão afinados com sua magick que os metais praticamente cantavam para eles — e de repente tudo aquilo foi demais.

— Isso é um saco! — falei e bati meu pedaço de cobre na mesa.

Todo mundo deu um pulo.

River se aproximou e colocou a mão no meu ombro.

— O que foi?

— Isso! — Sacudi minha mão em direção ao cobre, à sala, ao prédio todo. — Não estou captando nada. Aqui não é meu lugar. — Cinco semanas antes eu realmente pensaria aquilo. Agora eu estava com tanto medo de que fosse verdade, e não queria que fosse. Não mais.

River olhou para mim, e ela parecia tão... sólida. Esperei que ela tentasse me acalmar, me guiar pelo processo de novo, talvez me passar algum sermão, e me preparei.

Em vez disso, ela pareceu olhar pelos meus olhos até minha alma, esfarrapada e mal-aproveitada, e perguntou:

— O que você quer, Nastasya?

— Quero entender esse troço de vibração de metal — falei, pensando, *obviamente*.

Ela balançou a cabeça.

— O que você *quer*?

Era uma pergunta capciosa? Apertei os olhos, pensando rápido.

— Quero... saber essas coisas?

— *O que* você quer? — River me olhava sem hesitar, e eu tinha uma vaga noção de uma sala cheia de espectadores fascinados, mas nenhum deles provavelmente jamais tivesse agido assim.

Talvez...

— Quero... me sentir melhor?

— Não. O que você quer *de verdade*?

Certo, agora eu estava ficando irritada. Que porra ela estava querendo dizer? Seria algum tipo de estupidez de terapia de reabilitação?

— Quero me sentir melhor!

— Não. O que você quer *de verdade*? — As palavras saíram com força.

— Não sei! — gritei, ficando de pé tão rápido que meu banco caiu.

River não estava chateada comigo — seus olhos castanhos estavam calmos e receptivos quando ela me olhou. Ela fez um aceno positivo com a cabeça e afastou a mão, depois se sentou de volta à própria mesa.

Eu queria sair da sala batendo os pés, descer o corredor e voltar para a casa grande. No andar de cima, eu encheria a grande banheira e entraria nela, deixando que as lágrimas rolassem pelas minhas bochechas e se misturassem à água.

Isso era o que eu queria fazer.

O que fiz foi pegar meu banco. Meu rosto estava quente. Eu me sentia como um bebê enorme. Coloquei o banco no lugar com raiva e me sentei nele. Decidi que o cobre não estava em harmonia comigo, então tentei um pedaço grande de prata bruta, retorcida, macia e não refinada. Sabendo que todos estavam me observando, fechei os olhos e controlei a respiração. Meus olhos estavam quentes e meu nariz tinha aquela sensação de entupido que se tem antes de começar a chorar, mas me controlei. Chorar em público depois daquela cena seria demais.

A prata era pesada e macia, e logo ficou quente na minha mão. Eu me concentrei nela tanto quanto pude (nem tanto) enquanto tentava, sem sucesso, limpar a mente de todos os pensamentos. Eu sentia vibrações? Não, não podia dizer que sentia. Nunca usei prata, eu achava que parecia fria demais contra a pele. Minha mãe também nunca tinha usado.

Incy usava.

Incy usava muita prata, o tempo todo. Correntes, pulseiras, um brinco, abotoaduras, fivelas de cinto, botões, o que mais você imaginar. Se um objeto pudesse ser feito de prata, ele usava.

Senti River parada perto de mim.

— A prata é muito poderosa magickamente — murmurou ela com aquele tom tranquilizador. — É associada à Lua, à energia feminina e à cura. Antigamente, as pessoas usavam prata para afastar os espíritos do mal.

— Espíritos do mal? — sussurrei. — Eles existem?

River apoiou as mãos nos meus ombros.

— O que você acha?

Com uma claridade repentina, vi Incy. A sala ao meu redor desapareceu, e tudo o que eu percebia eram as mãos de River nos meus ombros e o pedaço pesado de prata, quente nas mãos. Inspirei fundo. Era como se uma passagem tivesse se aberto entre meu mundo e o dele. Era noite onde ele estava, e com choque reconheci seu apartamento, embora tivesse sido totalmente destruído depois da última vez que o vi. Havia buracos enormes nas paredes, palavras grafitadas. Um lustre fora arrancado... havia móveis virados e quebrados. O que tinha acontecido?

Enquanto eu observava, Innocencio jogou um enorme vaso de argila iraniano — que tinha custado uma fortuna — contra uma parede. Aquilo explodiu em milhares de pedacinhos e ele gritou:

— Onde ela está?

Boz e Cicely estavam parados com uma expressão infeliz perto de uma porta, tentando evitar serem atingidos.

— Ela só está de férias, Incy — disse Cicely. — Ela foi a Paris fazer umas compras.

— Ela não está em merda de *Paris* nenhuma! — berrou Incy, batendo a mão contra a parede ao lado da cabeça de Cicely. Ela tentou não se encolher. Vi a palavra grafitada na parede ao lado da mão de Incy: *vadia*.

Ele estava falando de mim, procurando por mim. Minha respiração ficou presa na garganta. Eu estava vagamente ciente das mãos de River me tocando, mas fiquei olhando horrorizada para a cena à minha frente.

— Ela não está em Paris! Ninguém a viu! Não consigo... *senti-la* em lugar algum! Vocês entendem? Não consigo sentir onde ela está!

Ele parecia um louco. Incy, o delicado, sofisticado e belo Incy, com suas belas camisas de seda feitas à mão e cortes de cabelo de quatrocentos dólares, parecia um sem-teto enlouquecido. Ele não tinha feito a barba, o cabelo estava desgrenhado, as roupas estavam rasgadas e sujas. Ele segurou Boz pelas lapelas e gritou na cara dele.

O rosto de Boz ficou rígido e ele pegou os pulsos de Incy. Vi a pele ao redor dos seus dedos ficar branca.

— Vestuvio! — gritou ele em resposta, e Incy piscou, assustado. Eu não conseguia respirar. Vestuvio era o nome de nascença de Incy, escolhido quase quatrocentos anos antes.

— Olhe para você! — falou Boz, soltando as mãos de Incy com um gesto brusco. — Você está *ridículo*! Patético! Nas foi *fazer compras*, seu idiota de merda! Talvez tenha encontrado alguém! Talvez tenha ficado com algum babaca francês! Talvez tenha decidido ir a algum outro lugar! Ela vai voltar!

Innocencio olhou para Boz com esperança louca e uma confiança quase infantil.

— Ela vai? Você acha?

— Ela vai voltar — disse Boz com firmeza. — Ela sempre volta. E o que ela vai achar de você, *disso*? — Ele fez um gesto de desprezo apontando o apartamento destruído de Incy. O apartamento de 12 mil dólares por mês.

Incy olhou ao redor, ficando calmo de repente. Ele franziu a testa para a destruição em torno de si como se finalmente visse aquilo tudo, compreendesse aquilo tudo.

— É sério, Incy — disse Cicely. — Isso é demais. Todos nós sentimos falta de Nasty, mas não é nada de mais. Você sabe que ela vai voltar. O apartamento dela ainda está lá; todas as coisas dela estão lá. Boz está certo. Quando ela voltar, o que ela vai achar disso?

Innocencio se virou para Cicely, enfurecido.

— Ela não vai achar *nada* disso! Ela vai entender! Ela sabe que preciso dela! Ela também precisa de mim! Ela está em algum lugar se divertindo sem mim! — Uma sombra passou por seus olhos. — Talvez ela esteja sendo mantida contra a vontade. Talvez tenha sido sequestrada.

— Ah, por favor — disse Cicely, e Incy empurrou-a contra a parede.

— Você não sabe como é! — gritou ele.

— Foda-se! — gritou Cicely em resposta. Ela afastou a mão dele com um tapa e foi em direção à porta da frente. — Me ligue quando deixar de ser um babaca!

— Não, Cicely, me desculpe — disse Incy, arrependido. — Me desculpe! Não vá!

Ela ergueu o dedo do meio para ele e bateu a porta ao sair.

— Aquela *vadia*! — urrou Incy. — Aquela *vadia* maldita!

Boz parecia exausto. Ele passou a mão pelo rosto e lentamente escorregou encostado na parede.

Incy abriu a boca para gritar alguma coisa, e então viu Boz. O rosto dele imediatamente mudou de novo e ele se abaixou ao lado do amigo.

— Boz? Me desculpe. Me desculpe. Não sei o que há de errado comigo. Eu só... É que não fico longe dela há muito tempo. Não sei o que está me dando. Me desculpe. Eu... sinto falta dela. Quero estar com ela.

Boz falou, parecendo muito velho e cansado.

— Você sente falta do *poder* dela.

Dei um pulo, sentindo os dedos de River se afundarem nos meus ombros. Pisquei rapidamente e a sala de aula entrou em foco de novo.

Minha respiração estava acelerada quando olhei ao redor. Senti como se acordasse de um desmaio. Jess, Daisuke e Rachel estavam solenes, me observando, seus metais intocados na frente deles.

Meus ombros caíram e minhas mãos se abriram, deixando cair o pedaço de prata sobre a mesa. Estava quente, praticamente brilhando. Engoli em seco.

— Hã — falei.

— Quem eram aqueles? — A voz de River estava baixa e firme.

— Meus... amigos — falei, e engoli em seco de novo. — Você viu Incy naquela noite... em que me conheceu. Você... você os viu agora? Viu tudo?

River admitiu lentamente.

— Vi. Não tenho certeza do motivo. Eu não estava tentando ver.

Minha pergunta seguinte foi feita em voz baixa.

— Ele poderia me encontrar aqui?

River balançou a cabeça.

— Vou dar um jeito para que ele não consiga. Podemos dar um jeito. Você vai ficar escondida enquanto estiver em West Lowing.

— Ah, que bom — falei, a voz falhando.

É claro que não me livrei com tanta facilidade. Naquela noite, depois do jantar, Solis, Asher, River e Anne me interceptaram na sala de jantar. Depois de ter a terrível visão de Incy, mal registrei a presença de Reyn no jantar. Sim, há diferentes níveis de horror, de medo, de dor. Tudo é relativo. Naquele momento, Incy ocupava o centro do palco.

— River nos contou o que aconteceu — disse Solis, sem preâmbulos. — Que você teve uma visão muito real durante a aula de metais.

Concordei, desejando, não pela primeira vez, não ser tão "especial".

— Eram amigos seus? — perguntou Solis.

— Eram. Eu costumava passar muito tempo com eles.

— Por que Innocencio ficaria tão perturbado por você ter sumido? — perguntou Anne.

— Não sei — falei com sinceridade. — Ele era... Fazíamos quase tudo juntos. Mas achei que era... coisa normal de melhores amigos. Pensando melhor agora, acho que ele era meio dependente de mim. — Do mesmo jeito que dependia de ar, por exemplo.

— Você acha que ele poderia machucar você? Ele tem um poder mágicko forte? — Asher parecia preocupado.

— Eu diria não para as duas coisas — falei, pensando. — Jamais achei que ele poderia me ferir. Agora... não sei. Ele está muito... perturbado.

— Ele é forte? — perguntou River. Ela queria saber em termos de habilidade mágicka.

— Mais uma vez, eu diria que não — falei. — Mas logo antes de eu ir embora, ele usou um feitiço que... quebrou a coluna de uma pessoa. Deixou-o aleijado. Só com magick. Eu não tinha ideia de que ele sabia fazer aquilo.

— O que o outro homem quis dizer quando falou que Innocencio sentia falta do seu poder? — Os olhos de River estavam sérios e gentis.

— Boz. Não sei — falei de novo. — Nunca fiz nenhuma magick grande. Você já viu o que isso provoca em mim. Não uso magick, nunca. Eu não tinha ideia de que tinha qualquer habilidade. Não sei o que Boz quis dizer.

River compreendeu e me deu um tapinha nas costas. Um pequeno ruído me fez virar, e vi a porta da cozinha se mexendo de leve. Nell e Charles receberam a tarefa de limpar a cozinha depois do jantar. Nell teria escutado?

— Vou andar com você até o quarto — disse River, ficando de pé. — Vou preparar um chá pra você.

Subimos juntas, e o caminho parecia familiar, o corredor parecia com o de um lar.

— O que tem no chá? — perguntei. — Alguma coisa pra me fazer dormir ou não sonhar?

River sorriu.

— Nada abertamente mágicko — disse ela enquanto eu abria a porta do meu quarto. — Sem contar as propriedades mágickas das próprias plantas. O ingrediente principal é nepeta. Tem um efeito relaxante nas pessoas. E também camomila e valeriana. Nada de feitiços e nem de drogas feitas pelo homem.

A terceira porta depois da minha se abriu. A porta de Reyn. Ele colocou a cabeça para fora, viu que era River e eu e fez um gesto brusco com a cabeça. Ouvimos a porta dele fechar e eu também fechei a minha.

River fez o chá e ficou comigo alguns minutos, acho que querendo se certificar (e me certificar) de que eu estava bem.

Quando estava saindo, ela disse:

— Lembre-se, amanhã é um novo dia.

Era uma coisa estranha, banal para se dizer, mas eu estava cansada demais para pensar o que diabos aquilo significava. O sono caiu sobre mim como uma onda, e eu apaguei.

CAPÍTULO 19

Na manhã seguinte, meus nervos ainda estavam à flor da pele, e eu estava inquieta. E, para piorar mais meu desequilíbrio mental, fui forçada a pegar uma carona para o trabalho com o terrível viking. Eu queria protestar e pegar meu próprio carro, mas alguma coisa na expressão de River me fez fechar a boca e entrar na picape. Lá dentro, sentei o mais perto da porta possível, segurando na maçaneta.

Enquanto saíamos da propriedade, vi Nell nos observando pela janela do salão da frente, e gemi em pensamento. Ótimo. Ela já achava que eu estava atrapalhando, e, francamente, começava a parecer meio lerda também. Agora eu ia ficar constrangida e paranoica por causa dela o dia todo.

E a parte triste? Apesar de *tudo* — da minha lembrança, do desdém de Reyn por mim, de nossa óbvia incompatibilidade, do interesse cada vez mais ameaçador de Nell — eu ainda o achava um gostoso, e realmente apreciava seu lado responsável. Naquele momento, eu não confiava em ninguém exceto em River e nos outros professores, mas vamos encarar a verdade: *ninguém* teria confiado a Boz ou Incy seu trator, sua picape ou sua... aluna. E sou alguém para quem responsabilidade nunca foi argumento convincente. Eu mesma nunca fui responsável e nem confiável em aspecto algum.

Incy, antes de aparentemente enlouquecer, tinha sido divertido, animado, mas confiável? Não. Se algum dos meus amigos dissesse que ia me pegar às quatro, talvez pegasse e talvez não. E talvez eu estivesse lá quando ele chegasse. Talvez não. Tudo acontecia espontaneamente. Mas se Reyn dissesse que ia voltar para me pegar às quatro, por Deus, ele já estaria impaciente batendo o pé na calçada do lado de fora exatamente às quatro. Estranhamente, naqueles dias eu achava aquilo atraente em vez de irritante. Achava atraente ele não estar gritando e grafitando *vadia* nas paredes. Meu mundo parecia tão de cabeça para baixo, minhas emoções tão intensificadas, que eu já estava quase a ponto de pensar, *Invasor do norte que nada*! Ele disse que só tem 267 anos! Que seja!

Mesmo assim fiquei segurando a maçaneta da porta durante todo o caminho até a cidade, pronta para saltar do carro em movimento se Reyn de repente puxasse uma espada ou alguma coisa assim. Quando chegamos em frente à MacIntyre's, rapidamente abri a porta e pulei para fora, apertando o cachecol em volta do pescoço.

— Obrigada pela carona — me forcei a dizer, sem olhar para ele.

— Volto às quatro — disse ele. — Sabe... — Ele parou, os lábios apertados.

Olhei para ele com cautela.

— O quê?

— Nada. — Ele balançou a cabeça, olhando para a frente. Eu me virei para ir embora e ele disse: — Seu cabelo. Está meio parecido com um gambá.

Ele nunca tinha feito qualquer comentário sobre minha aparência, e a impressão que eu tinha sempre fora que ele tentava olhar para mim o mínimo possível. Meus olhos faiscaram, e olhei no espelho retrovisor lateral da picape. Ah, nossa. Meu queixo caiu tamanho o choque. Dentre outros detalhes da minha aparência que deixei de lado, havia a cor do meu cabelo. Minha cor natural estava aparecendo nas raízes e eu não tinha retocado a tintura preta. Então sim, eu realmente tinha uma listra louro-esbranquiçada no meio da cabeça. Tão atraente.

Fechei meus olhos e balancei a cabeça, sem acreditar.

— Justo quando eu achei que não podia piorar — murmurei.

— Sempre pode. — Era amargura aquilo na voz dele?

Filho da mãe, pensei, batendo a porta.

Concentre-se, falei para mim mesma. Concentre-se no trabalho. Quando entrei na MacIntyre's, vi pessoalmente que algumas coisas realmente *po-*

dem melhorar. A farmácia estava melhor. Meriwether e eu tínhamos feito muita coisa nas últimas semanas. O Velho Mac tinha se recusado a gastar dinheiro com novos displays e prateleiras, e tinha rugido de fúria quando pedi, mas ainda assim tínhamos feito muita diferença. Jogamos fora displays velhos e apagados e encontramos novas maneiras de arrumar as coisas para as quais queríamos chamar a atenção. Meriwether tinha tirado um monte de porcarias do balcão do caixa, então agora ele estava limpo e acessível. As vitrines da frente estavam praticamente bloqueadas por tralhas, e jogamos tudo fora e lavamos os vidros, de modo que a loja ficou mais iluminada. O local realmente parecia ter dado um salto para o século XX, talvez até para o XXI. O Velho Mac resmungava e reclamava, mas eu via o rosto dele quando os clientes comentavam que aprovavam a nova aparência, e então sorria descaradamente para ele quando ele olhava para mim com raiva.

Embora Meriwether tivesse ficado mais à vontade comigo, ela ainda parecia apagada e cansada, e o Velho Mac continuava gritando com ela de forma cruel. Eu não gostava de sair às quatro, porque parecia que ele guardava todo o veneno para quando ela ia trabalhar depois da escola. Eu tinha a sensação de que, assim que eu saísse, ele caía em cima dela. Eu não sabia como mudar isso.

Fiquei surpresa por simplesmente querer ajudar.

Eu não via Dray há várias semanas e não sabia se ela estava com vergonha pelo furto ou furiosa por eu tê-la feito pagar pelas coisas. Estava frio demais lá fora agora para ficar de bobeira, bebendo cerveja sentada no meio-fio, e me perguntei onde ela estava passando o tempo.

Naquele dia, sentia um aperto no peito desde às três, e eu estava bastante nervosa na hora em que Reyn foi me buscar, às quatro. Estava do lado de fora esperando, meu nariz escorrendo no frio. A picape encostou ao lado do meio-fio e entrei, me lembrando do comentário sobre o gambá. Eu não ia pensar naquilo. Só queria ir para casa, tomar chá quente e ver o que eu tinha que fazer antes de comer. Eu podia até estar na equipe do jantar — tinha me esquecido de olhar. Eu precisava me acostumar a olhar isso antes, para me preparar para o que estava por vir. Balancei a cabeça e a encostei na janela da picape. Essa linha de pensamento era totalmente estranha e incomum para mim.

Reyn olhou para mim, mas não expliquei nada.

Eu ficava inquieta perto dele, embora tivesse me convencido de que ele não podia ser o homem daquela lembrança. Era jovem demais. Eu odiava o fato de que meu subconsciente doentio tinha escolhido colocar um rosto pelo qual eu estava atraída em uma das minhas piores lembranças, mas eu estava lá para resolver toda aquela bosta, certo? E talvez isso explicasse a sensação vagamente familiar que eu tinha em relação ao cara — talvez ele só me remetesse a um tipo físico que eu já tinha visto antes, e nem sempre de uma maneira relacionada a um saqueador assassino e incendiário de vilarejo.

Eu estava, de fato, na equipe de preparo do jantar, mas felizmente não na de limpeza, o que teria sido pior. Então esfreguei uma pequena montanha de pastinacas, cortei 4,5 quilos de peras para fazer um assado e me comportei como um pequeno elfo cozinheiro enquanto o mundo ficava mais escuro e mais frio lá fora.

Depois do jantar, River disse:

— Venha comigo. — E esticou a mão.

Ah, Deus. Por favor, nada de magick por um tempo. Toda vez que eu chegava perto de magick, alguma granada psicológica explodia na minha cabeça. Eu não aguentava mais. River fez sinal para que eu pegasse o casaco, e enfiei os braços nas mangas pensando: Não, não, não a maravilha das estrelas! Não hoje. Na verdade, eu conhecia bem as estrelas — era a única aula em que eu conseguia me sair bem como os outros. Eu tinha cruzado vários oceanos em barcos mais vezes do que conseguia me lembrar, na época em que viagens assim podiam demorar semanas ou mesmo meses. Acredite, quando não há nada a se fazer além de olhar as porcarias das estrelas, você olha as porcarias das estrelas. Eu só nunca aprendera sobre a importância da Canis Major, só isso.

Ela me levou pela porta de trás, em direção ao celeiro onde era a escola. Entramos nele e descemos o corredor, e no fim dele havia uma escadaria pequena e estreita na qual eu nunca tinha reparado. Ela levava a uma outra ala de salas, bem menores do que as do andar de baixo.

— Aqui era o palheiro — explicou River. — Ainda tem cheiro de palha, principalmente no verão.

— Humm — falei, tentando imaginar o que estava acontecendo.

River abriu a porta de uma sala bem pequena, talvez com dois metros quadrados. O teto inclinado tinha uma janelinha na altura do peito, e o ponto mais alto da sala devia ter uns 2 metros.

— Usamos as salas aqui de cima para círculos menores ou para trabalho particular — disse ela, acendendo uma lamparina a gás e ajustando o pavio.

— Um dos motivos é que é mais quente aqui. — Ela me deu um dos seus sorrisos atemporais, depois foi até um pequeno armário rudimentar que estava encostado em uma parede. Ela me passou um pedaço de giz e falou:

— Tome. Desenhe um círculo no chão, grande o bastante para nós duas sentarmos nele.

Olhei para ela.

— Hum. Ainda não me recuperei do desastre da prata, e nem da incrível e nauseante experiência do nosso último círculo. O que estamos fazendo aqui?

— Não é um círculo daqueles — disse River. — Acho que você não vai se sentir enjoada depois. E posso acrescentar algumas coisas no feitiço para fazer com que se sinta bem se você quiser. Agora vá em frente, desenhe um círculo grande, o mais perfeitamente redondo que conseguir.

Eu tinha um pressentimento ruim sobre aquilo, mas minha nossa, não passo de uma garota confiante e obediente, não é mesmo?

Eu me inclinei e lenta e cuidadosamente desenhei um círculo de giz nas tábuas cruas do chão. Saiu meio espremido e torto, mas, fazer o quê.

— Não o feche — lembrou-me River, e deixei uma "porta" de 60 centímetros. Ela passou por trás de mim e jogou sal kosher, direto da caixa, fazendo um círculo do lado de fora do meu círculo. — O sal purifica as coisas e oferece proteção.

— Eu sabia disso!

Ela sorriu para mim, depois fez sinal para que eu entrasse no círculo.

— Agora nos fechamos — murmurou ela, fechando primeiro o círculo de sal e depois o de giz. Achei que estávamos presas.

Ela colocou quatro pedras nos quatro pontos cardeais, e comecei a ficar preocupada. Parecia que ela estava se preparando para criar relâmpagos ou algo do tipo.

— Então, hã, o que estamos fazendo aqui? — perguntei de novo.

— Vamos fazer um feitiço de revelação.

CAPÍTULO 20

Feitiço de revelação. Bem, isso não explicava nada. Meu primeiro instinto foi sair do círculo e correr. Ou simplesmente dizer não e cruzar os braços. E eu estava prestes a...

— Certo, sente-se de frente para mim.

Não sei como, mas obedeci. Nos sentamos de pernas cruzadas, nossos joelhos quase encostando uns nos outros. River esticou as mãos, e peguei-as com hesitação. O que revelaríamos? Um tesouro enterrado? Um assassino? O local onde Solis tinha enfiado a pulseira de cobre que ele não conseguia achar? Qualquer coisa, desde que não tivesse nada a ver comigo ou com meu passado. Eu já estava com medo da inevitável náusea, independentemente do que River tinha dito.

— Não vai haver náusea — garantiu-me River. Levei um susto e fiquei olhando para ela.

— Você lê mentes?

Ela riu.

— Não. Mas consigo ler as expressões das pessoas muito bem. Para esse feitiço, vou impor limitações ao seu poder, canalizando-o e controlando o que ele faz. Suspeito que normalmente ele foge ao controle e seu sistema não consegue lidar com isso. Todas as forças lutando juntas deixam você enjoada. Essa é minha teoria, pelo menos.

— Hã.

— Agora nós duas olhamos para a vela acesa — instruiu ela, indicando a pequena vela que queimava entre nós.

— O que preciso fazer?

— Só siga minhas instruções — disse River com uma voz calma e determinada.

— O que vamos revelar?

— Você.

O tom dela estava sonhador agora, distante. Os olhos castanhos e límpidos ficaram pesados enquanto ela observava a chama tremer e dançar. Ela a tinha prendido a um pequeno espelho com a própria cera; agora, cera branca escorria pela lateral e fluía para o vidro prateado.

— Não.

— Vai dar tudo certo, Nastasya — disse River calmamente. — Você só precisa... confiar em mim.

Oh, Deus, vou morrer, pensei com tristeza. *Não consigo fazer isso.*

— Você consegue fazer isso.

Uma força silenciosa se irradiava dela como calor. Engolindo em seco, apesar do medo, tentei me concentrar na chama, tentei acalmar minha respiração e libertar todos os pensamentos, como estava aprendendo nas aulas. Eu podia sentir meu coração batendo com força e rápido.

Percebi a voz de River cantando com suavidade. Ela cantava palavras de verdade, nenhuma das quais eu reconhecia, e me resignei a cantar junto em idioma de baleia-jubarte quando pareceu certo. Ela soltou minhas mãos e os dedos delgados traçaram símbolos no ar. Reconheci todos: runas — eu conhecia as runas muito bem. As pessoas aqui usavam Elder Futhark, e vi Eolh, para proteção, e Beorc, para novos começos. Aquele me fez sorrir — parecia brega. Eoh me confundiu por um segundo. Cavalo? Depois me lembrei que o significado tinha relação com algum tipo de mudança. As mãos de River se moviam com tanta rapidez que não peguei parte do que ela fez, mas então ela traçou a runa Peorth na minha testa. Peorth para coisas escondidas serem reveladas.

Ela dissera que ia *me* revelar. Eu não tinha ideia de que diabos ela queria dizer, e odiei as implicações. Tipo, revelar minha vida inteira para ela? Isso seria bem ruim. Eu não queria fazer parte daquilo. Revelar o que eu estava pensando de verdade? Quem ia querer fazer isso? Senti os olhos dela em mim e a encarei, vendo o rosto sereno, a pele bronzeada e pouco marcada, o cabelo prateado preso em um rabo de cavalo. Usando as mãos, ela traçou o formato do meu rosto no ar, sem tocar em mim, e de repente senti uma onda de...

Poder.

Oh, Deus... Inspirei lentamente, fechando os olhos, sentindo o poder crescer bem dentro de mim, como uma luz. Senti-o rodopiar ao redor de nós, senti-o descobrir outro poder — o de River. Era como... como dois antigos córregos de repente se encontrando. Não sei descrever a sensação. Mas me banhar na luz era algo bem próximo. Sentir-me banhada de alegria e vida.

Alarmes dispararam na minha cabeça. Nas poucas vezes que eu tinha feito aquilo, era assim que eu me sentia logo antes da inevitável morte da esperança, do repentino e horrível desmoronamento da felicidade, como se mil insetos pretos e escamosos tivessem saído num enxame de um esgoto e obscurecido completamente o sol. Então viria a dor, o vômito, o desespero.

River estava cantando de novo, de olhos fechados agora, então traçou outros símbolos na minha testa, nos meus olhos, nas minhas bochechas. Ela passou as mãos pelos meus ombros e tocou meus joelhos. Gradualmente, a tensão me abandonou — eu estava preparada para a dor, mas ainda não a sentia. Eu era uma semente, se abrindo debaixo da terra, se esticando em direção ao calor. E eu era o calor, eu era a luz, e era... glorioso.

Eu me deleitei por um tempo, depois senti a magick cedendo gentilmente. Se eu pudesse agarrá-la com as mãos, teria segurado, desesperada. Mas ela foi decaindo, uma maré baixa voltando a se juntar ao vasto oceano.

Abri meus olhos. Devagar, de maneira sonhadora, River abriu os dela. Ela olhou para mim, e pensei ter visto assombro e talvez medo em seus olhos. Então ela me olhou inteira e deu um sorriso lento e satisfeito.

— Como você se sente? — perguntou.

Fiz uma rápida verificação nos sistemas.

— Hum, nada mal — falei com surpresa. — Cansada. Relaxada. Triste por ter acabado.

— Essa é a parte bela — disse ela, se alongando e respirando fundo. — Não acabou. Está sempre aí. Está dentro de você, e você a guardou. É assim que Tähti funciona, lembra? É bem mais difícil guardar o poder dentro de você. É preciso controle e aprendizado. Muito, muito aprendizado. Sem o feitiço para domar e controlar sua energia, você passaria mal como de costume, estaria de joelhos, vomitando. Não precisa ser assim, e agora você sabe.

Eu não sabia o que pensar. Um rápido júbilo me invadiu — talvez eu não tivesse cometido um erro ridículo, talvez isso tudo valesse a pena, talvez eu pudesse mesmo aprender essas coisas...

Mas isso logo foi sufocado pela minha recusa em acreditar que alguma coisa tão boa pudesse acontecer a mim.

River suspirou.

— Vou fazer com que você acredite — disse ela, ficando de pé.

— Meu rosto não é tão expressivo — falei, ficando de pé. Eu me sentia como se tivesse feito ioga e depois corrido uma maratona.

— É sim — garantiu-me ela e abriu nossos círculos.

Ajudei River a pegar as pedras, depois olhei para me certificar de não ter esquecido nada. De repente um rosto estava na minha frente, um rosto assustado. Ofeguei e deixei as pedras caírem.

River se virou e pegou meu braço.

— O que foi?

Incapaz de dizer qualquer coisa, apontei para o rosto estranho, para a aparição que flutuava no céu escuro. Meu queixo caiu, mas nenhum som saiu. Por instinto, me abaixei no chão para me esconder.

River imediatamente se abaixou ao meu lado, a mão no meu ombro. A expressão dela estava ao mesmo tempo preocupada e estranhamente divertida.

— Tem alguém na janela — sussurrei. — Parece um fantasma.

Ela concordou solenemente e afastou o cabelo do meu rosto.

— É, parece um fantasma.

Olhei para ela.

Havia outro pequeno pedaço de espelho no armário, e River o pegou. Observando com cuidado, ela o ergueu na minha frente.

O fantasma. O fantasma era eu.

Tentei engolir. Caí sentada no chão de madeira, incapaz de afastar os olhos do espelho. River mais uma vez afastou meu cabelo do rosto. O cabelo que agora estava louro-esbranquiçado, sem qualquer vestígio de preto. Minha franja tinha crescido o bastante para ficar presa atrás das orelhas, e as camadas antes espetadas estavam caídas porque há algum tempo eu não usava gel para dar volume e deixar o cabelo arrepiado.

Meus olhos eram escuros, da cor do céu do norte no inverno. Minhas bochechas estavam mais redondas e rosadas. Não havia delineador preto nem batom marrom mudando minha aparência.

Eu parecia uma adolescente. Uma adolescente saudável e normal.

— Não sou assim — sussurrei. — Nunca fui assim.

— Foi, foi sim — disse River baixinho. Ela se ajoelhou ao meu lado, nossos joelhos se tocando. Ela manteve a mão no meu ombro.

Engoli em seco de novo, sentindo como se estivesse tentando engolir uma das pedras que deixei cair.

Ah, sim. Sim, eu fui. Há muito tempo.

ᛒ ᛒ ᛒ ᛒ ᛒ ᛒ ᛒ ᛒ ᛒ ᛒ ᛒ ᛒ ᛒ ᛒ

— *Sunna, você vai se casar* com Àsmundur Olafson — falou minha mãe adotiva de maneira trivial enquanto sovava massa em uma grande tigela de madeira.

Fui pega tão de surpresa que derramei água da concha em cima da mesa.

— O quê?

— Seu *pabbi* fez um acordo com Olaf Pallson — prosseguiu ela. — Você vai se casar no próximo *laugardagur*, no próximo sábado.

Fiquei olhando para ela, mas o olhar dela não se encontrou com o meu.

Enxuguei o líquido derramado com um pano, depois terminei de encher canecas com a água. Olaf Pallson criava ovelhas, duas fazendas depois da nossa. Eu me lembrava vagamente de tê-lo visto uma vez ou outra, em dias de mercado. Ele era grande e louro, mas eu não conseguia visualizar seu rosto.

Como fiquei sem falar nada, ela parou de sovar e olhou para mim.

— Sunna, você tem 16 anos. A maioria das moças já se casou com essa idade, e algumas já são mães. Àsmundur é um bom rapaz e vai herdar a fazenda do pai. É o filho mais velho.

— Não quero me casar — falei, sabendo que não havia escolha.

— Sunna. — Ela limpou as mãos no avental. Tinha 35 anos, já estava na meia-idade. — Sunna, temos seis outras bocas para alimentar.

Concordei com a cabeça, depois levei o balde vazio até o poço do lado de fora. Tinha sido difícil para eles me receber, mas eu tinha me mostrado útil cuidando dos pequenos e ajudando *Momer* com o trabalho de casa. Os últimos seis anos ali tinham sido... de trégua.

O *laugardagur* seguinte foi claro e iluminado, depois de três dias de fortes chuvas de primavera. Ainda estava frio, mas os dias estavam lentamente ficando mais longos, e dois meses depois veríamos o calor do começo do verão.

Meus pais adotivos me levaram até a igreja. As estradas estavam esburacadas e enlameadas. Olhei para uma poça e pensei: "Essa sou eu, no dia do meu casamento." Meu cabelo comprido estava trançado e preso no alto da minha cabeça. Minhas roupas estavam limpas. *Momer* tinha feito para mim uma grinalda de louro.

Olhei para a frente e vi Àsmundur e seu pai nos esperando na igreja. Então ele é assim, pensei, analisando o rosto largo de fazendeiro.

Isso foi em 1567.

Eu tinha essa aparência.

Meu jovem marido morreu em menos de dois anos, de varíola.

Piscando, fiquei de pé.

— Vamos tomar um chá — disse River, apagando a lamparina. — Podemos arrumar isso amanhã.

Com a luz apagada, não havia eu fantasma refletida no vidro da janela. Andamos pelo corredor no escuro, descemos a escada estreita. Eu ficava passando a mão no cabelo. Parecia mais macio sem a tinta agressiva. Eu me sentia bizarra. Sabia que toda vez que me visse no espelho, faria uma careta. Eu não tinha essa aparência havia muito, muito tempo.

Do lado de fora, River olhou para o céu e disse:

— Está mais tarde do que eu pensava.

Olhei para as estrelas, meio escondidas pelas nuvens. As constelações se moviam acima de nós em um arco, ao longo da noite. Ao olhar para cima, vi que não era ainda o meio da noite, mas já tinha passado da primeira hora noturna. Por volta das dez. As nuvens tornavam mais difícil saber.

— São umas dez horas? — perguntei.

— Sim. — River pareceu satisfeita. — Você está absorvendo conhecimento contra sua vontade.

Concordei. Eu me sentia como se eu não fosse eu, como se não soubesse o que fazer. Como se o feitiço de revelação tivesse apagado os anos recentes em vez de apenas a aparência deles. Tudo parecia novo e diferente. Eu só queria ir para o meu quarto e me olhar no espelho.

A escuridão nos envolvia e fiquei perto de River, os olhos presos na luz da casa à nossa frente. Alguma coisa sem peso e fria pousou no meu nariz; quando olhei para cima, vi pequenos e finos flocos de neve caindo do céu.

Estava frio e escuro, e nevava. Assim como na minha infância, como em tantos dos meus primeiros anos. Era por isso que eu preferia lugares quentes. Até mesmo Londres não ficava fria daquele jeito. Entre ter a aparência que eu tinha naquela época e de repente sentir que o tempo estava parecido, fui inundada e sobrecarregada de pensamentos sombrios e um temor inominável.

Nos aproximamos dos degraus da cozinha, iluminados por um quadrado de luz vindo da janela. Eu estava andando rápido em direção à porta, querendo estar lá dentro, mas River me segurou pelo braço e me interrompeu. Olhei para ela.

— Naquela época você estava aqui — disse ela suavemente, mostrando um lugar no ar com uma das mãos, na lateral. — Agora você está *aqui.* — Ela esticou o outro braço, a mão afastada da outra. — O tempo anda *para frente*. Você não está mais lá. Entende?

— Aham — respondi, mas não entendia.

Ela balançou a cabeça.

— Você começou aqui, em 1551. — Mais uma vez ela marcou um ponto no ar. Pequenos flocos de neve caíram no cabelo dela e desapareceram entre as mechas prateadas. — Agora você está aqui. *Aqui.* — Ela baixou a outra mão para dar ênfase. Depois a esticou e apertou vários dedos contra meu peito. — Você. Está. Aqui. Você está *agora.* Você está nesse momento.

Acho que eu ainda devia parecer perdida, porque ela suspirou e abriu a porta da cozinha. O calor e a luz e os cheiros de sobra de comida imediatamente chegaram a nós. A cozinha estava vazia, limpa, mas ainda acesa. Eu estava com fome, o que era estranho. Não me sentia enjoada.

— Assado de pera, eu acho — disse River, abrindo a geladeira industrial. — E chá.

CAPÍTULO 21

Quando você passou a maior parte da sua vida sendo um camaleão, mudando tudo em si mesma várias vezes, é sempre chocante ver o você original no espelho. Ao longo dos anos, usei todas as cores de cabelo, de branco a preto, incluindo azul, verde e roxo, e todos os comprimentos, desde curtinho até tão longo que passava da cintura. Eu já fui magra, gorduchinha, grande e grávida, faminta e esquelética. Já tinha tido a pele branca dos moradores do norte, onde passávamos meses sem ver o sol, e já tinha sido escura como uma noz, bronzeada pelo sol equatorial que penetrava minha pele e chegava aos meus ossos.

Agora eu parecia comigo quando deixei de ser criança. Era estranho, perturbador, e eu me sentia horrivelmente exposta e vulnerável. De manhã, coloquei várias camadas de suéteres, enrolei um cachecol macio ao redor do pescoço e amarrei um lenço no cabelo, o que, ironicamente, só me deixou ainda mais parecida com como eu era. Roupas de camponesa. Por fim, desci as escadas com relutância. Eu estava escalada para a tarefa de botar a mesa do café.

Na cozinha, murmurei um oi rápido para Daisuke e Charles, que estavam fazendo comida. Reparei que, como sempre, a cozinha estava limpa e arrumada, embora eles estivessem cozinhando para 13 pessoas. Eles eram pessoas pequenas e elegantes que sempre pareciam estar em uma sintonia profundamente calma. Brynne fazia grandes bagunças na cozinha, assim como Lorenz — ambos pessoas exuberantes e muito atraentes. Reyn era organizado. Nell era bagunceira. Jess e eu éramos ambos desorganizados, e tenho certeza de que isso era uma surpresa para todo mundo.

Peguei rapidamente a bandeja com os utensílios de mesa e escapei para a grande sala de jantar, que ainda estava imersa na escuridão anterior ao nascer do sol. Por dentro eu me sentia tensa, ansiosa, nervosa de uma maneira que não ficava... havia semanas. Assim que fosse para o trabalho naquela manhã, eu planejava desaparecer no banheiro dos funcionários com uma caixa de tintura de cabelo. Avermelhado dessa vez, pensei.

A porta da cozinha se abriu e Solis entrou, carregando uma braçada de galhos cortados. Fiz um gesto de cabeça para ele, sem olhá-lo nos olhos. Ele colocou um vaso alto no meio da mesa e arrumou os galhos longos lá dentro, fazendo um arranjo de uns 90 centímetros.

— Florescimento forçado — disse ele, acariciando o tronco dos galhos com dedos gentis. — Isso ocorre não por meio de magick, mas simplesmente por trazê-los para dentro. É errado forçar uma coisa a acontecer contra sua natureza?

Ele quase parecia estar falando sozinho, não estava nem olhando para mim, então eu esperava que não fosse realmente uma pergunta. Há um limite para a quantidade de filosofia existencial que consigo aguentar antes da minha primeira xícara de café.

Eu me movia em silêncio ao redor da mesa, arrumando a bela e pesada louça de River do começo do século XVIII no lugar certo.

— O que você acha, Nastasya? — perguntou ele, me imprensando como um colecionador de insetos imprensa uma mariposa a uma placa forrada de veludo. — Você acha que é errado forçar uma coisa a ir contra sua natureza? Será que às vezes não tem nada de mais, como no caso destes galhos? E falando nisso, que planta eles são?

Fiquei em silêncio e olhei para o arranjo. Uma coisa de cada vez, para eu ganhar algum tempo. Eles eram de uma cor clara, não parecendo muito cor de madeira. Pareciam mais um arbusto. Era alguma planta que florescia cedo, pois ainda não era inverno e ela já podia ser forçada.

Dei um chute.

— Forsítia?

Ele sorriu, e me senti estupidamente feliz, como uma foca adestrada.

— Agora, a outra parte da minha pergunta. É errado forçar uma coisa a ir contra sua natureza?

Com uma sensação terrível, percebi que um Momento Importante de Aprendizado tinha avançado sobre mim quando minha guarda estava baixa. A pergunta tinha sido feita casualmente; a resposta não podia ser dada dessa mesma forma. As respostas rastejavam pela minha mente ainda privada de cafeína.

— Como adestrar cachorros? — falei.

Ele sorriu com paciência. Há poucas coisas piores do que um sorriso paciente.

— A natureza inerente dos cachorros é trabalhar. Eles têm sido domesticados há tantos milhares de anos que se tornou a própria natureza deles aceitar e até mesmo precisar de adestramento. O adestramento funciona *com* a natureza deles, não contra. Estou falando de forçar esses botões a florescer antecipadamente, para nosso prazer. Esse é um dos exemplos. Ou fazer uma represa em um rio. Ou manter uma pessoa numa solitária. Os humanos são, por natureza, criaturas sociais. Não foram feitos para ficarem sozinhos.

Daisuke entrou silenciosamente e colocou uma cesta de biscoitos na mesa. Ele olhou para meu cabelo, me deu um sorriso de leve e voltou a entrar na cozinha.

Eu não conseguia me concentrar. Estava aborrecida e pouco à vontade com essa aparência, e só queria fugir até que pudesse mudar de novo. Nem estava usando maquiagem. Eu provavelmente parecia um copo de leite.

Soltei a respiração.

— Não sei. Talvez.

Esperei que ele me mandasse meditar sobre o assunto ou procurar a ajuda de alguém para encontrar a resposta, mas ele não falou nada.

Em vez disso, ele passou os dedos de leve pelos galhos novamente e disse:

— Também não sei. — Ele se virou para mim. — Sua natureza — disse ele, baixinho — é ter essa aparência. Essa é quem você é, e é assim que *você* é. Por favor, tente aceitar isso. Lembre-se do que Hector Eisenberg disse: "O rosto de uma mulher, nu e sem adornos, é tão bonito quanto a Lua, e também tão misterioso quanto ela."

Fiquei apenas olhando para ele, sentindo como se insetos rastejassem sobre a minha pele. As pessoas começaram a chegar aos poucos e a se sentar, e Charles e Daisuke trouxeram mais pratos de comida.

— Por favor, não mude de novo — disse Solis, tão baixinho que só eu o podia ouvir. — Continue a se tornar você mesma. — Ele se afastou e pegou um prato, entrando na fila do café da manhã.

— Meu rosto não é *tão* expressivo — murmurei, e os cantos da boca de Solis ergueram-se. Eu queria correr para o meu quarto até que chegasse a hora de ir para a cidade, mas me forcei a entrar na fila atrás de Lorenz. Os olhos escuros dele mal se abriam. Provavelmente ficara acordado até tarde na noite anterior.

— *'Giorno, bella* — murmurou ele, e o cheiro de patchouli da sua loção pós-barba chegou até mim.

Atrás de mim, Charles pegou um prato também.

— Bem — disse ele, o sotaque irlandês ficando evidente naquela única palavra. Com o cabelo ruivo e as sardas, ele parecia uma propaganda de viagem para a Green Isle. — Então você descoloriu?

— Não — falei, na mesma hora em que um barulho de coisas caindo no chão fez com que todos nós déssemos um pulo.

Viramos a cabeça e vimos Reyn parado na entrada, com uma expressão de choque. Ele estava carregando uma pilha de lenha para a lareira, que agora estava espalhada no chão.

Ele estava olhando para mim, horrorizado, o rosto branco, os olhos dourados arregalados. Ele balançava a cabeça e dizia:

— Não. *Não.*

Então Reyn percebeu que estávamos todos olhando para ele. Ele olhou para a lenha, olhou para mim de novo, depois se virou sem dizer uma palavra e saiu pela porta da cozinha. Um minuto depois, ouvimos a porta dos fundos bater.

— O que você fez a ele? — perguntou Nell com severidade, jogando o guardanapo na mesa para ir atrás de Reyn. River a impediu, segurando-a pelo braço.

— Eu vou — falou River com gentileza.

— Não — respondeu Nell mal-humorada, sacudindo o braço. — Somos muito próximos. Sei o que fazer.

River balançou a cabeça lentamente.

— Por favor, sente-se, Nell. Eu vou atrás de Reyn.

Nell abriu a boca para discutir, depois se controlou, viu como River estava olhando para ela.

— Eu posso ir — tentou ela de novo, com muito menos convicção.

— Termine seu café da manhã — instruiu River, depois se virou e seguiu Reyn.

Nell se contentou em me olhar com raiva, balançando a cabeça com asco. Ela se sentou à mesa murmurando baixinho e pegou de novo o guardanapo.

As pessoas se viraram para olhar para mim. Dei de ombros, sem ter ideia do que tinha acabado de acontecer. Rachel pediu a Anne que passasse um prato, e aos poucos as pessoas começaram a agir normalmente. Jess e Brynne logo juntaram a lenha e a arrumaram no cesto ao lado da lareira. Senti os olhos de Asher em mim, e os de Solis, mas peguei um pouco de comida mecanicamente e me sentei na ponta de um banco ao lado de Jess, que resmungou um bom-dia. Murmurei alguma coisa em resposta, meu cérebro trabalhando com rapidez.

Meu cabelo louro esbranquiçado era comum no norte, principalmente na minha família e no nosso vilarejo. Será que Reyn tinha reconhecido isso, entendido o significado?

Ponderei sobre isso por um minuto sofrido, depois me dei conta de que, dã, ele vinha observando as raízes do meu cabelo crescerem nas últimas cinco semanas. É claro que eu não estava pintando uma faixa crescente de cabelos brancos bem na raiz.

Então o que tinha sido?

Acabei tendo que ir trabalhar antes de descobrir. Reyn e River não voltaram para o café da manhã, e fui dirigindo para a cidade em meu carro velho.

Concentre-se no trabalho. Permaneça no presente, viva no agora. Preocupe-se com Reyn depois.

O Velho MacIntyre lançou um olhar sério para meu cabelo, mas não disse nada.

— Um novo carregamento de... produtos femininos chegou — rugiu ele. — Coloque-os no seu *corredor especial*. — Ele me olhou de cara feia, depois se virou e saiu batendo os pés.

Ri sozinha, com ironia. Uma das mudanças que Meriwether e eu tínhamos feito foi agrupar os "produtos femininos" em um lugar. Enquanto fazíamos isso, descobrimos que um jeito garantido de fazer o Velho Mac nos deixar em paz era erguer uma caixa de absorventes e perguntar o preço.

Carreguei os cestos de plástico até nosso *corredor especial*, já ansiosa para contar a história para Meriwether.

Perto da hora do almoço, senti alguém parado ao meu lado e olhei para a frente.

Olhei para Dray com a testa franzida de deboche.

— Por que você não está na escola?

Ela fez uma careta.

— Já me formei.

Fiquei de pé, me alonguei e joguei uma caixa vazia na lixeira.

— Não se formou, sua mentirosa. Você não pode ter mais do que 16 anos.

— Dezessete. E por que você se importa? Você também não está na escola, e você tem quantos anos, 17 também? Dezoito? — A testa dessa vez estava franzida de verdade, então olhei para baixo e vi que ela estava segurando um teste de gravidez.

Ela viu meu olhar e ergueu o queixo.

— Qual desses é mais barato?

Tentando soar respeitosa conferi todos os preços.

— Este — falei. Depois tive uma ideia. — O banheiro é ali. — Apontei. — Vá lá fazer o teste.

Ela se afastou, pronta para dizer não, mas então hesitou.

— Vá — falei. — Faça agora, enquanto estou aqui, em vez de fazer em casa sozinha.

Por uma fração de segundo, vi uma rachadura na fachada de garota durona, vi a adolescente assustada que havia por baixo. O medo venceu, e ela pegou o teste e foi para o banheiro público que tínhamos que ter, mas que ninguém usava. Adivinhem quem tinha que deixá-lo sempre limpo? Pois é.

Por fim, Dray voltou.

— Eles são confiáveis?

Concordei.

— Lamento dizer que sim.

Ela expirou aliviada e puxou o palito. Tinha dado negativo.

— Quanto te devo?

— Oito dólares e setenta e nove centavos, mais o imposto — falei, começando a ir para a frente. — Ei! Tive uma ideia! Por que você não compra umas camisinhas? Então não precisaremos passar por isso de novo. Não que não tenha sido *divertido*.

Ela apertou os olhos.

— Não, obrigada.

Que idiota.

— Tem de várias cores — falei de forma persuasiva. Ela balançou a cabeça.

No balcão da frente, peguei a caixa aberta e passei na registradora, depois joguei-a no lixo.

— Não tem uma clínica para mulheres naquela estrada que cruza a autoestrada 27? Passei por lá.

Dray deu de ombros. Ela estava muito aliviada, mas não queria demonstrar.

— Não sei.

A caixa registradora abriu. Peguei a nota de dez dela e comecei a juntar o troco.

— Bom, tem sim — falei. — É uma clínica para mulheres. Eles podem te receitar uma pílula, mais barato, aposto. Ou examinar você, verificar se não tem nada de errado, porque tenho certeza de que você tem caras da melhor qualidade como *companhia*. — Revirei os olhos.

Eu podia vê-la processando a informação.

— Dá pra ir a pé — continuei com um tom de voz entediado, olhando para minhas unhas. — Se vão dar coisas mais barato, é melhor ir pegar.

Dray deu de ombros de novo, mas a ideia finalmente tinha se alojado no cérebro dela. Ela empurrou a porta, depois se inclinou para dentro e falou:

— Cabelo legal, aliás. Sinistro! — Ela arregalou os olhos para ter certeza de que eu iria perceber o sarcasmo, e mostrei a língua para ela. Ela saiu da loja sorrindo e passou pela vitrine.

E aí está: minha boa ação do dia. Nastasya Doe: salvadora de garotas adolescentes.

Era tarde quando voltei pra casa, já estava escuro. Eu estava acordando ao amanhecer e chegando em casa depois do pôr do sol, vendo o dia só pela vitrine da MacIntyres. Era uma droga. Eu tinha uns minutos antes do jantar e, milagrosamente, não estava designada para nenhuma tarefa, então subi a escada só com meias nos pés.

Desci pelo longo corredor, passando por uma janela escura depois da outra, voltando para meu quarto com a mesma confiança e inconsciência com que nossas vacas seguiam na hora de tirarmos o leite delas.

Automaticamente me virei na minha porta e estiquei a mão para a maçaneta. Depois, parei. Por quê? Olhei para um lado e para o outro do corredor. Não tinha ninguém por perto. Alguma coisa estava estranha, incomum. Minha porta estava fechada — não tinha um balde de água em cima dela, por exemplo. Tudo parecia normal, a razão me falou que tudo devia estar bem... mas ainda assim algo parecia estranho, ameaçador, e fiquei relutante em entrar.

Fui chamar River.

CAPÍTULO 22

— Humm. — River olhou para o umbral da minha porta.

Lá embaixo, o jantar estava quase pronto. Meu estômago estava roncando. Eu me sentia uma covarde chorona.

— Não é nada, tenho certeza. Eu estava imaginando coisas.

— Não — disse River. — Não estava.

— Não vejo nada.

Ela olhou para mim.

— Mas você sentiu alguma coisa. Alguma coisa que fez você não entrar.

Parecia besteira. Eu não sabia se agora estava com medo de tantas coisas (Incy, Reyn, o escuro, eu mesma, minha história) que estava vendo perigo em todo lugar.

River enfiou a mão no bolso e pegou uma pequena e bela caixa de prata, entalhada na tampa havia uma cena de caça. Pensei que ela devia colecionar prata havia séculos. Dentro da caixa vi um pó fino, cinza-esverdeado. Uma pequena colher de prata estava guardada na parte de dentro.

— Cocaína estragada? — palpitei.

Ela balançou a cabeça, pegando a colherzinha e juntando um pouco do pó. Murmurou algumas palavras, depois ergueu a colher e soprou com força. O pó voou pelo ar em direção à porta, e dei um passo para trás rapidamente, quase sem ar. Havia símbolos ao redor de todo o umbral da porta. Aquilo tinha iluminado os símbolos, e agora eles brilhavam emanando uma leve luz prateada. Alguns eram runas, mas eu não conhecia a maior parte deles.

— O que é isso tudo? — perguntei.

River os estava examinando.

— Sigils. Feitiços. — Ela se agachou, seguindo os símbolos com o dedo.

— Para quê?

— Não são muito poderosos — disse ela, ficando de pé. — E não são mortais. Foram feitos para trazer má sorte a você. Para que você tropece e quebre o tornozelo, ou perca suas chaves, ou queime alguma coisa na cozinha. Para que sofra um pequeno acidente de carro. — Ela inclinou a cabeça para o lado, pensando. — Hum.

— Então foi isso que eu senti? Esses... feitiços? E eles teriam funcionado se eu tivesse entrado?

Quem tinha feito aquilo? River disse que fizera feitiços na casa para que Incy não pudesse me encontrar. Eu ainda achava difícil acreditar que ele soubesse esse tipo de magick. Então Reyn? Quem mais? Nell? Ela tinha ficado irritada de manhã, quando Reyn surtou.

River concordou.

— Teriam efeito na primeira pessoa que passasse por essa porta. É difícil acreditar que você os sentiu. São bem fracos. — Ela fez uma pausa, parecendo pensativa. — Estou pensando... Acho que Asher podia ser útil aqui.

Como se combinado, ouvimos passos na escada e momentos depois ele apareceu.

— Está precisando de mim? — perguntou ele.

River rapidamente explicou a situação. Asher franziu a testa quando viu os sigils, parecendo surpreso, e depois pareceu ainda mais surpreso quando River contou que eu os tinha sentido.

Ele ficou ali parado por um minuto, as sobrancelhas castanhas franzidas entregando que estava em um momento de reflexão. Ele coçou a barba curta. Por fim, olhou para a frente.

— Tem alguma coisa lá dentro. Foi isso que ela sentiu.

— Alguma coisa lá dentro? — repeti. — Tipo, um tigre? O que tem lá dentro? É meu quarto!

— Certo, então vamos anulá-los. — River parecia firme e objetiva.

— O que tem lá dentro? — Eu quase gritei. Meu amuleto estava lá dentro.

— Mais feitiços — disse Asher. — Mais sombrios. Mais fortes.

Não sou nada burra. Sou bem inteligente e tenho um conhecimento de vida das ruas que me é muito útil. Mas não sou gênio. Mesmo assim, fico com vergonha de admitir que foi *só naquele momento* que me dei conta de verdade que alguém tinha feito aquilo contra mim, deliberadamente. Não só os feitiços da porta. Alguma coisa pior lá dentro. Alguém dali queria *me* machucar. Senti o frisson de medo que tinha me assombrado de tempos em tempos desde que saí de Londres. Será que alguém de fora tinha entrado lá despercebido? Eu não via como. Então só restava alguém de lá, da casa. Talvez Nell? Eu parecia estar atrapalhando o caminho entre ela e Reyn. Alguma outra pessoa? Que ótimo.

River e Asher verificaram as portas próximas ao quarto. Estavam normais.

— Vamos fazer uma varredura mais abrangente mais tarde — disse River. — Mas agora vamos eliminar isso.

Anne chegou para nos chamar para o jantar, então os olhos dela saltaram das órbitas quando Asher contou a ela o que estavam fazendo. Anne olhou para eles e para mim, chocada.

Tudo que ela disse foi:

— Humm.

Então voltou para o andar de baixo.

River e Asher fizeram um feitiço para anular os demais que tivessem sido colocados na porta e dentro do meu quarto. Ficaram parados, um de frente para o outro, com as testas encostadas, olhos fechados, murmurando palavras. Às vezes juntos, às vezes só um deles. Demorou alguns minutos. Ocorreu-me que eles provavelmente vinham fazendo magick em parceria havia anos, até décadas. Eu não sabia há quanto tempo eles estavam juntos. River provavelmente era mais velha do que Asher, mas eu não sabia quantos anos. River era a imortal mais velha que eu já tinha conhecido e de quem eu tinha ouvido falar. Será que ela era a única? Não, é claro que não — ela dissera que seu irmão mais velho era o rei da casa deles. E tinha que haver outros.

O canto afinado de River e Asher cessou, e eles lentamente abriram os olhos e se afastaram.

— Isso deve bastar — disse Asher. — Era coisa feia.

— Como o quê? — perguntei quando River esticou a mão para abrir a porta.

Asher deu de ombros, depois entrou no meu quarto atrás de River. Confesso que hesitei, esperando para ver se uma armadilha de urso ia se fechar em suas canelas, ou se aranhas cairiam sobre eles, ou se eles iam irromper em chamas. Enfiei a cabeça pelo vão da porta.

— Está tudo bem — disse Asher. — Você pode entrar.

— Tem certeza?

Quando eu tinha virado uma covarde? Quando comecei a me importar com o que acontece comigo, uma vozinha respondeu na minha cabeça. Mandei-a se calar, como sempre.

Dentro do meu quarto, River soprou mais pó na porta. Também estava coberta com feitiços que desapareciam rapidamente. Asher passou as mãos por baixo do meu colchão, virou meu travesseiro, até ficou de quatro para olhar debaixo da minha cama. Quando tinha sido a última vez que varri ali?

Ah. Nunca. Ops.

— Ah — disse ele, enfiando a mão embaixo da minha cama. Ele tirou uma pequena bolsa de couro na hora em que River e eu nos aproximamos.

— Alguma assinatura? — perguntou uma voz vinda da porta. Solis estava lá parado, os olhos cor de mel atentos no rosto jovem.

River franziu a testa.

— Não sei.

Solis então entrou.

— Você não sabe?

— Assinatura de que tipo? — perguntei, mas todo mundo estava me ignorando.

Asher abriu a bolsa de couro e virou o conteúdo com cuidado sobre a cama. Era uma confusão de alfinetes e agulhas, um pequeno frasco de vidro cheio de líquido marrom-avermelhado e uma pedra escura e brilhante que parecia metal. Hematita, lembrei, me parabenizando.

— Isso é uma brincadeira? — perguntei, olhando por cima do ombro de Solis.

— Não — disse Asher. — Não é brincadeira.

— O que está *acontecendo?* — falei, aumentando um pouco o tom de voz.

Solis olhou para mim, depois voltou para fechar a porta do meu quarto, abrindo a mão na direção do ambiente até murmurar algumas palavras que não reconheci. Então os três, como se fosse numa coreografia, olharam para mim.

— O que foi? — falei. — Não fiz isso.

— Sabemos disso — disse River. — Conte pra gente, você conhecia alguém daqui antes de vir pra cá? Além de mim, quero dizer. Alguém mais é familiar para você?

— Não. — Sim, eu tinha tido a sensação de que Reyn me parecia familiar, e também tinha tido aquela visão dele como guerreiro nórdico. Mas eu não tinha mesmo o conhecido antes de ir para lá, estava certa disso. Passei em revista os outros rostos novamente, tentando visualizá-los de outras formas, e não consegui me lembrar de ter visto mais ninguém antes. — Não, acho que não. Por quê?

River olhou nos meus olhos com seriedade.

— Alguém aqui quer você morta.

Molhei o pão na sobra de caldo de carne que havia no meu prato. Os quatro professores e eu estávamos sentados à mesa da sala de jantar, fazendo a refeição depois de todos os outros. Na cozinha, podíamos ouvir Jess, Nell e Lorenz fazendo a limpeza e arrumação. Lorenz estava cantando uma ária de *Tosca*. Ele tinha uma bela voz.

— O que aconteceu com Reyn hoje de manhã?

Ele também não fora jantar, e me perguntei se ele tinha alguma ligação com meu quarto enfeitiçado. Apesar de tudo, eu achava que não, mas alguma coisa em mim o tinha assustado de manhã.

— Você de repente pareceu familiar a ele — disse River com franqueza. — Foi alguma coisa na cor do seu cabelo, na sua aparência ali parada. Ele teve um flashback sofrido. — Ela sorriu com ironia. — Como você também tem. Tem certeza de que não o conhece?

— Não, acho mesmo que não — repeti. — Estou mais ou menos com o mesmo grupo há muito tempo. Acho que não encontrei ninguém daqui antes. Houve...

— O quê? — perguntou River.

Hesitei.

— Bem... durante aquele círculo, eu tive não uma visão, mas uma lembrança. Eu me lembrei de uma coisa que tinha acontecido comigo havia muito tempo. Muito tempo mesmo, antes de 1600. Na lembrança, vi alguém que era bem parecido com Reyn. Como o homem que... quase me machucou. Um invasor. Um dos invasores que apareciam no inverno naquela época. — Argh. Eu nunca tinha contado aquele acontecimento a ninguém. Eu o enterrava havia quatrocentos anos, junto com algumas outras lembranças terríveis que estavam surgindo na superfície da minha consciência.

Os olhos de River olharam dentro dos meus, então baixei a cabeça e me ocupei em molhar meu pão no caldo de novo.

— Mas Reyn só tem 267 anos — falei. — Então não era ele. Só alguém muito parecido com ele. Ou era minha mente me pregando peças, inserindo o rosto de Reyn nessa lembrança. Foi... estranho.

Os professores ficaram em silêncio por um tempo, e tive a impressão de que estavam se entreolhando por cima da minha cabeça.

— Alguém já expressou alguma coisa negativa em relação a você? Você irritou alguém? — A expressão no rosto jovem de Solis parecia preocupada.

— Tão abertamente assim, acho que não — falei. — Quero dizer, não a esse ponto. Acho que Nell certamente não gosta de mim, mas é mais coisa de adolescente, sabe? — Outro pensamento me ocorreu. — Mas Reyn me falou pra ir embora no dia em que cheguei.

— Ele falou pra você ir embora? — As sobrancelhas escuras de River se curvaram graciosamente.

Desejei ter mantido a boca fechada. Agora eu me sentia covarde, chorona e *dedo-duro*. Ia ficando cada vez melhor.

— Era meu primeiro dia. Ninguém achou que eu fosse ficar. Eu não tinha uma aura de sucesso brilhando em torno de mim, sabe?

River deu um sorrisinho.

"E o julgamento prossegue", me senti compelida a dizer. Eu não queria que eles se desapontassem demais ou se surpreendessem demais quando eu acabasse fracassando e sendo completamente mal-sucedida.

— De qualquer modo, Reyn vive em função de escolher o bem, sempre, e de açoitar a alma e tal. Ele não iria querer atrasar seu progresso cármico fazendo uma coisa assim. Certo? — Olhei para River, depois para os outros. Todos concordaram lentamente, pensativos. — Hum, o que vocês quiseram dizer quando falaram em *assinatura*?

— Magick é uma coisa muito pessoal e íntima — disse Anne. — Cada pessoa faz magick do seu modo. Como discutimos, os feitiços que você usa, sigils e runas, elementos que você escolhe para trabalhar, se você usa feitiços da Lua ou do Sol ou do vento ou da água... As pessoas desenvolvem padrões que gostam de usar, do que dá certo com elas. Depois de fazer magick com alguém algumas vezes, costuma ser possível identificar o tipo de feitiço da pessoa. Ela fica marcada com a personalidade, com a vibração de quem a usa.

— Algumas pessoas até mesclam assinaturas em seus feitiços -- disse Asher. — Elas têm orgulho do que fazem, ou então querem enviar um aviso. Então seus nomes são embutidos como parte do feitiço.

— E ninguém deixou nome nesses? Seria burrice deixar — falei, me dando conta.

— Ninguém deixou uma assinatura óbvia — disse Solis. — Mas os feitiços pareceram deliberadamente... disfarçados. Criados por uma pessoa, mas elaborados como se tivessem sido feitos por outra. E então a coisa toda ficou obscurecida, parecia falsa.

Fiquei olhando para ele.

— É possível mesmo fazer isso? — Oh, Deus, isso era tão mais complicado do que eu podia imaginar. Eu jamais conseguiria entender.

— É — disse River.

— Mas eram feitiços para me... matar?

— Eram, basicamente — disse River. — O que é uma bobagem, considerando a característica imortal. Não era algo direto, como assassinato. Mais do tipo, pegue pneumonia e morra. Tenha um acidente fatal. Seja assassinada durante um assalto. Não alguma coisa premeditada, de alguém ir direto matar você. Em uma pessoa normal, eles seriam realmente mortais. Para você, para nós... eram feitiços para atrair muita treva para você. Não teriam te matado, você sabe como é difícil, mas você teria atraído uma escuridão terrível. Alguma coisa que poderia imobilizar você de medo, por exemplo, ou uma depressão insuperável. Não vejo nada desse tipo desde... bem, há muito, muito tempo.

— E o talismã debaixo da sua cama — disse Asher. — Era coisa do mal.

— O kit de costura?

Asher tentou sorrir, mas não conseguiu.

— Afetaria você intensamente, a cada momento que você se deitasse.

Meu estômago estava embrulhado de novo. Eu me lembrei de como tinha sido a sensação de ir abrir a porta e hesitar. Tinha sido como uma sombra fria e escura me esperando no quarto. Uma sombra que ia me capturar, me envolver, de forma que ninguém mais pudesse voltar a me ver. *Poderia* ter sido Reyn? Não. Apesar de tudo, eu não conseguia imaginá-lo fazendo isso. Mas então, quem? Nell? Sim, ela era uma filha da mãe, mas será que ela me odiava tanto assim? Seria ela tão boa em magick? Um dos outros? Minha cabeça começou a doer.

— Talvez eu não devesse estar aqui — falei baixinho. — Quero dizer, nós todos sabemos que não. Isso é só uma prova.

— Ao contrário — disse River. — Para mim, isso significa que você devia estar aqui mais do que nunca.

Solis, Asher e Anne concordaram, embora eu tenha visto Solis lançar um olhar para River.

Anne também aprovou.

— Eu concordo. É disso que estávamos falando — disse ela para os outros professores. — Ela tem um poder forte que não é normal, algo antigo e poderoso. Ela precisa aprender a dominá-lo, entendê-lo, usá-lo para o bem. Senão, ficará vulnerável para sempre.

— A pergunta é, mais alguém sabe sobre o poder dela? Ele é ameaçador para alguém? — perguntou Asher.

River balançou a cabeça, olhando para mim, enquanto eu tentava agir de forma casual e não ter uma crise de nervos. Minha pele tinha ficado gelada com as palavras *antigo e poderoso*.

— Além do amigo dela, Innocencio? E acho que Boz, pois ele mencionou isso. Além deles, acho que não. Ela é tão desconhecida, tão inculta. Sim, ela tem poder, mas é incapaz de fazer qualquer coisa com ele. Ela simplesmente não sabe o bastante.

— Estou sentada *bem aqui* — falei.

Sem aviso algum, River esticou a mão e tocou minhas têmporas com o dedo. O que ela estava fazendo? E então eu a senti.

Senti a mente de River. Por um momento, fiquei ali sentada, maravilhada com a sensação, então me dei conta de tudo o que isso podia significar, e fechei minha mente, erguendo todas as paredes necessárias. Ela estava certa, eu não tinha aprendizado, eu não sabia fazer nada, mas mesmo assim enviei sinais desesperados de *proteção* pelo meu cérebro.

Os olhos dela se arregalaram levemente e ela afastou a mão.

Tentei agir como se nada tivesse acontecido.

— Estou com febre? — consegui perguntar.

Ela balançou a cabeça.

Naquela noite, todos os quatro professores colocaram sigils de proteção em mim, traçando-os na minha testa, nos meus braços, nas minhas costas, sobre meu coração. Solis e Anne andaram comigo até meu quarto e fizeram mais feitiços ao redor da minha porta, na minha porta e pelo lado de dentro, sobre a cama

— E o banheiro? — perguntei com deboche. — Eu podia cair da privada, quebrar o pescoço.

Eles não acharam isso engraçado.

— Você sabe fazer algum feitiço de trancar a porta? — perguntou Anne.

Fiquei olhando para ela.

— Isso existe?? Meu Deus! Vocês podiam ter me contado um mês atrás!

Anne e Solis caíram na gargalhada. Então ela me ensinou um feitiço básico que não impediria um búfalo de entrar, mas impediria qualquer um que tentasse entrar sem permissão. Era um feitiço simples, e reconheci a estrutura básica da aula de feitiço-para-leigos de Asher. Mas até um feitiço simples tem que ser limitado a tempo, lugar, pessoa, objetos... Eram esses tipos de detalhes que me faziam querer gritar, era para eles que eu não tinha paciência.

Ainda assim, eu *odiava* não ter tranca na porta. Se isso fosse manter as pessoas fora dali, então eu aprenderia. Anne repassou duas vezes comigo, e finalmente entendi. Então ela saiu do quarto e esperou no corredor. Lenta e arduamente, me sentindo a reprovada da Escola dos Burros, fiz o feitiço, incluindo palavras, gestos, a coisa toda.

— Pronto — gritei por fim, sentindo como se tivesse corrido pela ponte do Brooklyn.

Anne tentou entrar. Vi a maçaneta girar.

— Não consigo — disse ela, parecendo satisfeita. — Quanto mais eu tento, menos consigo. Bom trabalho!

Fiquei incrivelmente satisfeita comigo mesma, até lembrar que estava fazendo aquilo porque alguém dali, alguém próximo, me odiava profundamente.

Aquilo tirou toda a emoção da conquista.

CAPÍTULO 23

Aquele dia pareceu marcar um novo capítulo em minha carreira em River's Edge. Por causa das reações e preocupações dos professores, acabei diminuindo o ritmo e fazendo tudo com mais consciência, tentando prestar atenção a qualquer sentimento malevolente ao meu redor.

Eu observava tanto Nell quanto Reyn durante as refeições ou quando estávamos trabalhando perto uns dos outros. Reyn literalmente tentava não olhar para mim e agia como se eu fosse invisível. Ele não me dava mais carona para a cidade, e nunca éramos designados para trabalhar juntos. Nell parecia ter controlado a hostilidade e voltou a ser agradável e simpática de uma maneira falsa e vazia.

Eu não captava nada, e ninguém encontrou evidências de mais feitiços do mal em nenhum outro lugar. Estávamos todos em alerta, mas começou a parecer que talvez tivesse sido um evento único — como uma flechada de aviso, sem muita intenção de seguir em frente.

Ao menos era isso que eu dizia para mim mesma.

Alguns dias depois, o Velho Mac me falou que a loja ficaria fechada por cinco dias. Pelo que entendi, uma ou duas vezes por ano ele viajava com os amigos para pescar. Imaginei um bando de velhos reclamões, pegando no pé uns dos outros, parados na água gelada, cheios de mau-humor, lançando as iscas. Mas talvez para ele fosse uma terapia, uma válvula de escape.

Com certeza foi para mim. Primeiro, fiquei empolgada cinco dias de folga! —, e então o pânico se instalou: o que eu ia fazer? Naquele momento, cada minuto de cada dia era ocupado, e mesmo quando havia uma prorrogação de duas horas de alguma coisa odiosa e opressora, eu ainda assim me concentrava em tentar prestar atenção em quem e no que havia ao meu redor.

Com cinco dias de folga, me vi ficando entediada e pensando em coisas idiotas a fazer para me distrair. Como provocar os moradores locais, aparecendo em um carro espalhafatoso, começar a fumar, ir embora.

Era nesse ponto que eu começaria a decair, quando todas as minhas conquistas seriam arrancadas de mim com algumas escolhas ruins? Eu sabia que ia acontecer. Eu sempre, *sempre* estragava uma coisa boa.

No fim das contas, dessa vez pelo menos meus medos foram infundados. Eu devia saber que os escravizadores sedentos de poder de River's Edge veriam meus cinco dias de liberdade só como um desafio a ser resolvido.

— O Yule está chegando — falou River com alegria, empilhando colchas e outras roupas de cama nos meus braços. — É uma época maravilhosa para limpar a casa. Então, no solstício, quando a noite mais longa do ano finalmente acabar e der lugar ao dia mais curto, quando nós saberemos que cada dia após esse será um pouco mais longo, um pouco mais iluminado... bem, é uma ótima sensação ter tudo limpo e renovado.

Olhei para ela por cima dos lençóis.

— Você *só pode* estar brincando.

— Não. — Ela deu aquele sorriso irresistível e atemporal que fazia seu rosto se iluminar. — Agora você vai para a lavanderia. E fique feliz por ser inverno e você poder usar a secadora. No verão faremos isso de novo, mas usaremos varais. — Ela fez gestos com as mãos para que eu fosse embora, e tropecei para o lado de fora, no frio, mal conseguindo ver o caminho. Pelo menos eu não ia ter que ferver aquelas porcarias em enormes caldeirões no quintal, pensei mal-humorada. A lavanderia era apenas uma grande sala no canto do prédio da escola, onde uma fila de sete lavadoras industriais e outras tantas grandes secadoras me esperavam.

Lá dentro, soltei as colchas no chão, falando palavrões, e comecei a separar as cores.

* * *

Uma vez, tive uma pneumonia muito grave. Meus pulmões ficaram cheios de líquido, eu ardia em febre e fiquei praticamente delirante. Qualquer pessoa comum teria morrido — muitas morreram naquele inverno. Meus amigos estavam a caminho da Suíça para comemorar as festas de final de ano, e eu estava doente demais para ir, então eles me deixaram em um convento na Alemanha. Deixaram um saco de dinheiro com a madre superiora e disseram que seria o bastante para cuidarem de mim até eu ficar boa ou me enterrar se eu não sobrevivesse. Ainda consigo me lembrar da risada deles.

Pois bem. Fiquei lá por dois longos meses e, acredite, você não sabe o que é uma freira até ter visto freiras alemãs do fim do século XIX. Aquelas mulheres eram eficientes e não perdiam tempo, mas a um nível incompreensível. Se aquelas freiras estivessem no comando, a Alemanha teria ganhado a Segunda Guerra Mundial. Levavam seu trabalho muito a sério.

E aquele convento não perdia em nada para a casa de River durante o festival de faxina pré-Yule. Era ruim assim. As janelas foram lavadas, por dentro e por fora, as paredes foram esfregadas, os quartos e as salas foram aspirados, varridos e lavados. Cada guarda-roupa e armário foi examinado, esvaziado, limpo e arrumado. Uma pilha crescente de coisas foi separada para ser vendida quando o tempo esquentasse. Foi inacreditável. Nada mais me aconteceu — Reyn ficou fora do meu caminho, embora de vez em quando eu o pegasse olhando para mim. Nell passava pelas atividades sempre com um sorriso doce, e a vi trabalhando junto com Reyn várias vezes. Ela parecia feliz como um passarinho. Não tive nenhum outro pesadelo, nem visão, nem revelações aterradoras. A vida parecia um tanto normal, ou tão normal quanto possível, considerando que ela havia mudado em 180 graus em comparação com três meses antes.

Uma noite durante o frenesi da limpeza, eu estava literalmente *de quatro* no chão da cozinha, esfregando o piso. O piso era de *pedra*. Pedras são inerentemente *sujas*. É a porcaria da *natureza* delas. Eu estava *indo contra a natureza delas* ao tentar deixá-las *limpas*.

Ninguém tinha caído nesse argumento. Então ali estava eu.

Uma esfregadora talentosa com anos de experiência em cuidado com piso de pedra podia ter terminado o gigantesco piso da cozinha em duas horas. Eu estava chegando a três, e tinha começado a dizer palavrões quarenta minutos antes. Ainda sou bem fluente em umas cinco línguas, embora de vez em quando use alguma construção gramatical ou expressão idiomática antiquada, e sei falar palavrões de forma expressiva em outras três.

E eu estava fazendo isso.

Eu estava me esforçando para não gostar de soltar meses de sujeira, de ver as cores sutis de cada pedra em particular reaparecer quando eu tirava a água suja com um pano.

— Porcaria de pedra dura imbecil — sussurrei baixinho. — Teria matado alguém botar um piso de linóleo? Não. E usar um esfregão úmido. Mas nãããão. Tenho que esfregar com uma maldita escova de verdade.

Eu estava seguindo essa linha intelectual quando ouvi a porta dos fundos se abrir e fechar. Eu estava mais cautelosa, então me sentei nos calcanhares e ouvi. Há uma salinha entre a porta dos fundos e a cozinha, repleta de armários, nichos e prateleiras para utensílios extras de cozinha que não eram usados com frequência. Ouvi pés batendo a neve, ouvi o som de casacos sendo tirados.

E vozes. Uma masculina e uma feminina. Quem?

Fiquei de pé lenta e silenciosamente e peguei uma das facas de cozinha que ficavam presas na tira magnética na parede. Era uma faca de carne, com 30 centímetros e muito afiada. Não serviria se alguém usasse magick em mim, mas me fazia me sentir melhor. Eu me agachei de novo, enfiei a faca debaixo da prateleira de baixo da ilha da cozinha e escutei.

Fechei meus olhos e expirei lentamente. Minha respiração ficou mais lenta e mais superficial. Minha audição pareceu se expandir para ocupar o espaço.

— Você pode! — ouvi uma mulher dizer. A voz dela estava cheia de emoção.

— Não — disse o homem.

— Você pode! — disse a mulher de novo.

Naquele momento, o conhecimento veio a mim, como se fosse um cheiro trazido pelo ar. Era Nell. E Reyn. Ela queria alguma coisa dele, queria que ele fizesse alguma coisa; ele estava dizendo não com uma frieza impassível. Mas ele estava indeciso, não tinha certeza. Ela podia sentir isso, estava pressionando-o para conseguir o que queria.

Escutei, com a cabeça inclinada como nos filmes. Eles estavam envolvidos um com o outro. O assunto era sobre eles dois, não sobre uma terceira pessoa, tal como essa que vos fala. Pelo que eu podia perceber, ela não estava implorando que ele me matasse.

As vozes ficaram mais baixas, mas eu conseguia sentir o desejo dela, a súplica que estava tentando não ser uma súplica. Ela estava próxima do limite.

Sou uma pessoa muito sensível. E quem de nós não teve uma conversa sofrida e sussurrada com um amor não correspondido que não queríamos que ninguém ouvisse?

Abri meus olhos, mergulhei a escova no balde de água e sabão e tentei dar um alerta sutil e salvador de que alguém estava por perto.

— Swi-iiiing looow — comecei a cantar, e então Nell apareceu na porta. Seu rosto adorável de dama inglesa estava enrubescido; dois pontos de fúria coravam suas bochechas. Ela olhou para mim e viu o que eu estava fazendo. Ela estava adoravelmente vestida com botas altas forradas de pele, uma calça jeans apertada, um suéter grosso cor de marfim e a *pièce de résistance*, uma faixa de cabelo de veludo.

Eu usava um jeans sujo, uma camiseta imunda e encharcada (por conta de um incidente ao encher o balde), nenhuma maquiagem, e estava com o cabelo desgrenhado molhado de suor e preso atrás das orelhas. (E aqui, grito para River: você me fez ficar assim!)

Um sorriso cruel e satisfeito contorceu o rosto dela e se tornou uma careta, e de repente me perguntei novamente se tinha sido ela a enfeitiçar meu quarto. Eu achava que não; não achava que ela fosse forte o suficiente ou que soubesse o bastante. Mas ela mais do que me detestava — isso agora parecia óbvio.

Ela viu a metade do chão que eu já tinha limpado e, com um sorrisinho, passou por ali rapidamente. Deixando uma linha de marcas enlameadas de bota nas pedras limpas. Ela passou pela porta e sumiu deixando uma nuvem de perfume fresco e floral.

Eu me sentei e olhei para as pedras com consternação, e depois com raiva. *Maldição!*, rosnei dentro da minha cabeça. Que *vagabunda*! A primeira coisa que eu faria de manhã seria procurar um feitiço que atraísse aranhas para o quarto dela! Uma tonelada de aranhas!

Reyn apareceu na porta. Olhei para ele com raiva, o maxilar contraído, irritada demais para sequer pensar em ser cautelosa ou parecer estranha.

— Vá em frente — falei com firmeza, apontando para o chão sujo. — Ela já estragou uma hora de trabalho. Vá em frente.

— Tenho certeza de que ela não se deu conta — disse ele, com aquela leve intensidade nas consoantes que dizia que o inglês não era a primeira língua dele. Aquelas eram as primeiras palavras que ele dizia diretamente para mim em mais de uma semana.

— Ah, não, *é claro* que não — falei, esbanjando sarcasmo. — Tenho certeza de que ela não associou metade de um chão limpo a *mim*, esfregando loucamente a outra metade! E tenho certeza de que você *acredita* nisso porque você é um *idiota* estúpido e imbecil! — Minha voz estava subindo de volume, e eu queria jogar a escova na cabeça dele, porque não podia jogar na de Nell. Depois de evitá-lo e de ser evitada por ele, alguma coisa tinha se libertado em mim e as palavras jorraram. — Assim como finge não saber que ela está louca por você! Deve ser difícil ser o presente de Deus para as mulheres! — Fui em frente, minha boca infelizmente trabalhando muito mais rápido do que meu cérebro. — Tão lindo, de forma que todas suspiram por você, *desejam* você, fazem coisas para ficar perto de você... provavelmente até conjuram feitiços de amor!

Os olhos de xerez dourado de Reyn se arregalaram e ele olhou para mim com mais atenção. Vi-o pesando respostas mais controladas, e então, para minha surpresa, vi-o deixando todas elas de lado. Talvez ele também estivesse furioso com Nell e estivesse descontando em mim.

— É, assim como é difícil para *você* ser a fantasia de todos os homens! — respondeu ele. — Cabelo como a neve, olhos como a noite, cheia de palavras duronas e suavidade... — Ele parou abruptamente, parecendo horrorizado. Era mais emoção, mais expressão do que vi sair dele nas mais de seis semanas em que eu estava lá. Eu teria que pensar sobre isso depois. Mas naquele momento, estávamos envolvidos em uma batalha.

— Ah, sim — rosnei. Passei minhas mãos molhadas e cheias de sabão, com as unhas sujas e quebradas, a pele vermelha por causa da água quente e do sabão, pelo meu cabelo sujo. Enquanto Reyn olhava, passei-as pela camiseta molhada e salpicada de sujeira que era grande demais para mim. — Quem não ia querer *isso*? Sou o maior sonho de todos os caras. — Por uma fração de segundo, pude jurar que vi uma repentina luz selvagem nos olhos de Reyn, que vi fome de verdade enquanto ele me olhava. Tive um momento de *oh-oh*, e então a sensação passou, e não tive certeza se tinha visto mesmo aquilo. Enrijeci meu olhar e minha voz. — Oh, *espere*... não, *não* sou. Sou difícil, exigente, desleal, irritante e egoísta! Então saia daqui enquanto ainda pode, seu *idiota*! — Eu estava praticamente gritando, e esperava que ninguém fosse investigar.

A respiração de Reyn estava pesada, e parte de mim se perguntou se ele começaria a jogar coisas em mim, ou se iria atrás de mim, mas ele controlou os nervos. Com a expressão séria, ele andou, de meias, cuidadosamente pelas pedras lavadas, uma das mãos segurando as botas, e passou pela porta sem dar uma palavra e nem um olhar.

Eu estava praticamente tremendo por causa da adrenalina, completamente fora de mim. Eu não tinha ideia do que tinha acabado de acontecer. Eu quase nunca brigava a ponto de gritar com ninguém, eu não me importava tanto com nada que valesse a pena gritar. Mas Reyn tinha me irritado muito, muito mesmo. E talvez eu o tivesse irritado muito, muito mesmo. Havia algo indescritível entre nós, provavelmente alguma coisa ruim. Mas eu não conseguia descobrir o que era.

O que eu *queria* muito mesmo era uma *bebida*, uma grande dose de uísque, talvez com um pouco de gelo. Eu praticamente conseguia sentir o gosto, quase conseguia sentir a queimação ao engolir. Era o que eu fazia quando me aborrecia. Eu me embebedava, ou coisa parecida, e encontrava alguém para me distrair. Para não precisar sentir nada.

Não havia qualquer bebida ali, que eu soubesse. A ideia de sair correndo sozinha no escuro me dava medo. Não havia ninguém ali com quem eu pudesse me distrair — todo mundo já devia estar dormindo, e ninguém queria se distrair comigo, de qualquer forma.

Eu estava presa comigo mesma. Eu, eu mesma e mais eu. E todas estávamos sofrendo, sentindo uma dor intensa, como a de uma ferida aberta.

Tente não pensar sobre isso, falei para mim mesma sem parar, e peguei a escova de novo com a mão trêmula.

Naquela noite, voltei tão tarde para o quarto que meu tradicional chá da noite estava frio, com uma película em cima. Não o bebi, só joguei minha camisa de flanela no chão e caí na cama, cansada demais até para chorar.

Tive sonhos naquela noite, como costumava ter. Sonhos ruins, sonhos que eram meio lembranças. Também sonhei com coisas que não eram lembranças, coisas que pareciam que eu estava observando de cima, de longe.

Vi meu grupo, Boz e Innocencio, Cicely e Katy. Eles estavam em um carro, andando rápido por uma estrada escura e cheia de curvas. Estavam indo rápido demais — correndo contra outro carro, com pessoas normais dentro, talvez adolescentes. Boz estava dirigindo. Incy parecia menos enlouquecido do que antes, embora ainda não parecesse exatamente com quem ele era. Estava tarde; mal dava para se ver a lua. Os dois carros estavam indo tão rápido que derrapavam em cada curva. O carro de Boz estava na frente. Katy estava no banco da frente; Incy e Cicely estavam observando o outro carro pela janela de trás. Os quatro pareciam grotescos para mim — os rostos tão familiares contorcidos pela ousadia calculada. Eles pareciam barulhentos demais, loucos demais, impulsivos demais e irresponsáveis demais. Dois meses antes, eu me encaixava ali perfeitamente.

Aquilo terminaria mal.

Eles estavam ficando cada vez mais impetuosos na direção. Katy e Incy estavam gritando para o outro carro, provocando-os, mostrando o dedo do meio. Havia uma luz estranha que não reconheci nos olhos de Incy. Vi o rosto do outro motorista se enrijecer, vi a mão apertada no volante. O amigo no carona tinha deixado a raiva de lado e sentia um medo sincero — ele estava agarrado à maçaneta da porta e empurrava as pernas como se pisasse em um freio imaginário. Ele falava com o motorista, mas o amigo o ignorava, furioso com Boz.

Eu não queria mais ver.

Aconteceu no cume da estrada. Boz fez uma curva cantando pneus, derrapando tanto que uma das rodas saiu da estrada e ficou pendurada no penhasco por um segundo. Incy e a as garotas gritaram num misto de excitação e susto. Então Boz acelerou o motor e os pneus dianteiros aderiram de novo à estrada e os levaram para frente.

O outro carro não teve tanta sorte. O motorista arriscou tudo para alcançar Boz. Ele conhecia bem a estrada, era certo que já tinha apostado corrida ali antes. Mas ele não fazia isso regularmente em cem carros diferentes ao longo dos últimos cinquenta anos. Ele derrapou na mesma curva, o pneu traseiro saiu da estrada... e o carro pendeu para trás no penhasco. Vi os olhos apavorados, as mãos apertadas como garras, as bocas abertas pelos gritos. Então eles caíram de costas no penhasco, quicando em uma curva mais baixa. Na queda seguinte, o motor bateu em uma pedra e o carro explodiu, o tanque de gasolina furado despejando combustível em chamas para todo lado.

Bem acima, Boz parou. Meus quatro amigos olharam pela beirada do penhasco, observando o acidente. As garotas estavam com as mãos em cima da boca, os olhos brilhando pela adrenalina. Boz e Incy pareciam chocados, mas forçaram risadas nervosas. Eles tinham matado aqueles garotos. Boz e Incy e as meninas tinham matado aqueles garotos — os tinham assassinado. Aquilo fez o motorista de táxi paralítico parecer uma brincadeira de criança. Mesmo nos meus sonhos, senti uma frieza terrível no estômago.

Incy se virou para Boz.

— Temos que achar Nasty — disse ele, as palavras não exatamente audíveis para mim, mas claras mesmo assim. — Você não vê? Ela não devia estar perdendo isso.

A ideia de já ter sido a Nasty que eles achavam que não devia estar perdendo aquilo era repugnante, repulsiva.

— Tudo bem, Incy — disse Cicely. — Já chega! Vamos encontrá-la.

Boz concordou, ainda olhando no penhasco, o rosto solene. Então ele olhou bem em frente, parecendo direto nos meus olhos, como se pudesse me ver naquele momento. — Sim — disse ele. — Está na hora de encontrá-la.

Sentei de repente, ofegando, e acendi a luz. Eu estava sozinha no quarto. Estava em West Lowing. Se aquilo tinha sido outra visão, então ela mostrava que eles ainda não sabiam onde eu estava. Mas reconheci aqueles morros, aquela estrada sinuosa.

Boz e Incy e as garotas estavam na Califórnia. Eles tinham vindo para os Estados Unidos.

CAPÍTULO 24

Eu podia sentir a impaciência mal-velada de Solis.

E isso só piorava as coisas, é claro.

Tentei de novo. Soltei todo o ar. Tentei acalmar minha mente, esvaziá-la de pensamentos. Para atingir uma imobilidade perfeita e centrada — o que era absolutamente alheio para mim como desenvolver asas e voar. Quando me senti pronta, olhei de novo dentro da grande tigela de água. Inspire, expire.

— O que é a água? — A voz de Solis estava tão baixa que eu mal conseguia ouvi-la.

Eu me lembrei das palavras dele e murmurei:

— A água é a vida e a morte, luz e trevas, duro e mole. A água é o passado, o presente e o futuro. É líquido, sólido e gasoso. É gentil como a chuva e de uma força terrível. É puro conhecimento; ela guarda os mais profundos segredos. — Inspirei e expirei, tentando me mover o mínimo possível. — Água, revele minhas verdades para mim.

Esperei. Era a terceira tentativa. Ter visões pela água é supostamente mais fácil do que usando outros métodos, mas ainda assim é uma habilidade. E eu precisava aprendê-la. E sempre fazia tudo errado.

Esperei, observando a superfície parada da água. Até o momento, o que eu tinha visto era: água. Uma tigela molhada. Eu estava de joelhos e meus pés estavam congelando e ficando dormentes. Estava com fome. Percebi que meu cérebro não estava vazio e os pensamentos não estavam controlados. E, é claro, havia tantas coisas que eu não queria ver. Solis ia me matar.

De repente, pisquei. Imagens tremeluzentes estavam se formando na tigela, como se refletidas em um espelho.

— Tem uma imagem na água — sussurrei sem mover muito os lábios.

Solis não disse nada. Fiquei observando, agora concentrada naquele feitiço. A imagem tremeu e se definiu: era eu, parecendo feliz, segurando um bebê que eu não reconhecia. Eu parecia estranhamente normal, uma pessoa comum. A imagem se enevoou e desapareceu, depois mudou. Eu me afastei, a respiração acelerada: era um castelo em chamas. Então vi o flash de uma pessoa morta, uma garota, deitada em um chão frio de pedra, os olhos escuros abertos mas sem ver nada, o cabelo claro encharcado de sangue. Eu podia ver o grande espaço vazio entre a cabeça e o pescoço, a escura poça de sangue se espalhando ao redor dela.

Não, não, meu inconsciente gritou. O tempo voltou mais, e de repente eu estava de novo naquela noite, naquela noite de terror quando minha mãe nos acordou e nos reuniu no escritório do meu pai. Ouvimos os invasores tentando quebrar a porta com um aríete. Sentimos o cheiro de fumaça da parte de trás do castelo, onde tinham botado fogo nos lares dos empregados, nos estábulos. Os animais em pânico pareciam gritar; os homens também gritavam.

Minha mãe estava segurando seu amuleto e cantando. Eu nunca tinha ouvido aquela música. Eu sempre adorava quando ela cantava. Ela cantava no equinócio de primavera, para receber a fertilidade da terra nos meses posteriores. Ela cantava nos solstícios, louvando o equilíbrio da rotação do ano. Cantava para os moradores do nosso vilarejo se eles estivessem feridos ou tendo dificuldade para dar à luz. Mas aquela música era diferente — havia uma veia obscura nela, como um cordão umbilical pulsante, e essa veia engrossou e cresceu. A escuridão estava por todos os lados. Nós cinco a observávamos, os olhos arregalados. Sigmundur e Tinna pareciam solenes, mas não chocados. Os três menores estavam estupefatos.

A porta principal do castelo foi derrubada. Uma fumaça pungente entrou pelas frestas e fez nossos narizes arderem. A voz da minha mãe agora estava assombrosa e terrível, alta e sombria e poderosa. A luz do aposento pareceu diminuir de intensidade, e era difícil respirar, difícil ver qualquer coisa além do rosto da minha mãe, branco, assustador, quase irreconhecível.

Começaram a tentar quebrar a porta do escritório. A porta tinha cinco centímetros de grossura; a tranca era de ferro forjado. A viga atrás dela tinha quase oito centímetros.

Minha mãe parou por um momento e focalizou o olhar no meu irmão mais velho.

— Lembre-se, Sigmundur — disse ela, e a voz nem parecia dela. Eu estava assustada, agarrada a Eydís e chorando, e Háakon estava agarrado a mim e tentando não chorar porque ele era um garoto grande de 7 anos. — Lembre-se do que falei para você, certo?

Meu irmão concordou com tristeza, as duas mãos segurando a espada.

— Me lembrarei, *Móðir* — disse ele.

A sala tremeu com a batida do aríete na porta. Globos delicados de cristal caíram da prateleira de pedra acima da lareira. A única tocha da sala estava tremendo; o fogo na lareira dançava enlouquecido.

Duas coisas aconteceram ao mesmo tempo.

Vi a cena de uma altura menor, a altura de uma criança de 10 anos. Senti o linho da camisola de Eydís se rasgar debaixo do meu toque histérico. Eu era filha de Úlfur, o lobo, e devia ser forte e corajosa. Mas minha espada tinha escapado das mãos dormentes, e tudo o que eu conseguia fazer era observar minha mãe.

O fogo na lareira saltou, depois pulou em direção à sala, fazendo chover fagulhas no tapete em frente à lareira. Alguma coisa do tamanho de um repolho caiu pela chaminé, quicou no fogo e veio rolando pela sala.

Era a cabeça do meu pai, cortada no pescoço, com os olhos e a boca parcialmente abertos, ainda ensanguentada.

O som agudo que encheu meus ouvidos era dos meus próprios gritos.

Ao mesmo tempo, a porta finalmente foi derrubada, a madeira foi despedaçada e os rebites de ferro saltaram. Dois homens entraram, altos, largos, usando malhas de ferro, os rostos pintados com traços primitivos pretos, brancos e azuis. Um deles rugiu e ergueu o machado. Minha mãe gritou palavras cruéis, palavras que me fizeram me encolher, que agrediram meus ouvidos, palavras de trevas, poder e fúria. Ela abriu as mãos em direção ao homem e de repente a sala foi salpicada de pedaços de malha de ferro e sangue.

O outro homem ficou olhando aturdido para o companheiro, que cambaleou um pouco, confuso, olhando para o corpo que era um monte de carne ensanguentada. Minha mãe o tinha esfolado vivo, com magick, e ele não tinha mais pele, nem cabelo, nem roupas. Só olhos redondos e arregalados e uma cabeça de esqueleto musculoso. Ele caiu de cara no chão, e meu irmão Sigmundur deu um grito de guerra e então saltou para a frente, brandindo a espada. Ele cortou a cabeça do homem com um golpe, depois chutou a cabeça para o outro lado da sala.

Eu ia desmaiar. Soltei-me de Eydís e de Háakon e corri para minha mãe, fiquei parada atrás dela, agarrando sua saia. No corredor, outros invasores estavam gritando, quebrando coisas, colocando fogo na nossa casa.

O outro homem gritou, olhando para minha mãe, e ergueu a pesada espada.

Voltei ofegando, engolindo convulsivamente, e meu pé acidentalmente derrubou a tigela. Eu estava de volta, a luz cinzenta de inverno entrando pela janela. Olhei ao redor freneticamente, vi o rosto de Solis, a sala de aula, as árvores desfolhadas do outro lado da janela. Meu estômago se contraiu e revirou. Eu estava ofegante, lutando contra a imagem de túnel que costuma vir antes de um desmaio. A água derramada molhou a perna do meu jeans e esfreguei os olhos com força como se quisesse apagar o que eles tinham visto.

— Nastasya, qual é o problema? — gritou Solis.

Fiquei de quatro e vomitei, esbarrando na tigela. Eu me ouvi gritando como se estivesse longe. Solis colocou a mão fria em mim, mas afastei-a e fiquei desajeitadamente de pé. Eu estava desequilibrada, incapaz de andar em linha reta, enjoada e horrorizada. Consegui cambalear até a porta, abri-a e desci o corredor. Corri para o frio ar da tarde, sem saber onde estava meu casaco, mal sabendo onde eu estava.

Do outro lado do campo, uma cerca viva alta e grossa separava o campo do curral das cabras. Corri até lá, dando a volta, procurando não ser vista. Eu estava sem fôlego mas ainda chorando, o som do coração chegando aos ouvidos como um tambor. Lá, minhas pernas cederam e caí de joelhos no chão frio. Estava tremendo. Jamais ficaria aquecida de novo. Apertei os olhos e tentei não ver as imagens, como fiz tantas vezes antes. Elas estavam gravadas à fogo na minha memória — não só as imagens mas o estalar das chamas nos meus ouvidos, o cheiro acobreado de sangue, o terrível cheiro de tapetes de lã em chamas, os gritos de vozes masculinas, os gritos dos criados. Os olhos cegos do meu pai. Um homem feito de carne sangrenta.

Eu me agachei ao lado da cerca viva, meus dedos arranhando a terra, encharcada de uma dor tão crua e intensa que achei que ia enlouquecer. Minha garganta se fechou subitamente, meu nariz começou a escorrer, meus olhos ardiam, e, de repente, eu estava chorando alto, as lágrimas descendo pelo rosto, chorando agora como não tinha conseguido chorar naquela época. Achei que nunca mais conseguiria parar.

Não sei por quanto tempo fiquei ali. Em um certo momento, caí de lado e me encolhi, soluçando, meu rosto molhado e frio onde o vento batia nas lágrimas. Fiquei de olhos abertos para não ver nada além das folhas e do céu, do falcão que passava voando de vez em quando, das nuvens pesadas chegando do sudoeste. Eu respirava com força e dificuldade, me perguntando como cheguei daquela época até aqui, como tinha sobrevivido, não só fisicamente, mas emocionalmente.

Eu tinha desligado minhas emoções. Não de uma vez, não da noite para o dia, mas lentamente, ao longo de algumas décadas. Quando cheguei aos 50 anos, eu estava protegida por uma concha.

Gradualmente meus soluços diminuíram, viraram arquejos trêmulos.

Depois de um tempo, ouvi vozes, e então duas figuras escuras andaram em minha direção.

— Ela está aqui — gritou alguém, e eles se aproximaram rapidamente.

River se ajoelhou no chão ao meu lado e afastou o cabelo do meu rosto.

— Minha pobre criança — disse ela. — Minha querida. Lamento muito. Por favor, venha agora. Vamos entrar para você se aquecer.

Meu olhar mudou de direção lentamente e pousou no rosto dela. Será que ela podia saber? Ela não podia saber. Ninguém podia saber. Eu era a única pessoa viva que sabia.

— Nastasya. Você está *aqui* agora; você não está lá. Entende? — River olhou dentro dos meus olhos com atenção. Ela pegou um lenço branco e macio no bolso e secou meu rosto.

Solis também se ajoelhou e jogou o casaco por cima de mim. O calor imediato foi um choque. Eles esperaram pacientemente, ajoelhados na grama gelada, River segurando minha mão, que parecia feita de gelo. Eu queria ficar ali deitada para sempre, deixando as folhas me cobrirem, sendo lentamente enterrada pelo tempo. Então, não sei por quê, visualizei Reyn, o Reyn do presente, parado acima de mim, o vento frio bagunçando seu cabelo enquanto ele me olhava com a testa franzida e os braços cruzados.

Devagar, cada respiração saindo dolorosa, me sentei, depois fiquei de pé com as pernas trêmulas. A adrenalina tinha se esvaído do meu sangue, me deixando exausta e vazia. River e Solis me ajudaram a enfiar os braços no casaco, como se eu fosse uma criança. Eu me sentia com mil anos.

— Minha querida — disse River, acariciando meu cabelo. — Posso imaginar.

— Não pode — consegui gemer.

— Nastasya — disse Solis com solidariedade. — Infelizmente, ninguém chega à nossa idade ileso. Cada um de nós aqui tem uma história horrenda, ou duas, ou cinco, ou vinte. Cada um de nós aqui chegou ao fundo do poço de alguma forma, suportou o insuportável, viu coisas que nenhum humano devia ver. E guardamos as lembranças para sempre, durante séculos. Você não está sozinha, e você não é a aefrelyffen mais infeliz do planeta.

As palavras dele gotejavam nos meus ouvidos e entravam no meu cérebro.

— Mas é muito pior para as pessoas que cometeram essas atrocidades — disse River, parecendo quase distante, perdida em seus próprios pensamentos. — Por pior que seja ser a vítima, e acredite, sei como pode ser ruim, a verdade inescapável é que é bem pior ser o criminoso. Ter que viver com isso... — Ela se interrompeu enquanto minha mente rodopiava.

Andamos de volta à casa, o sol desaparecendo atrás de nós rapidamente. Lá dentro, o cheiro era de comida, chão encerado e ramos de sempre-viva que deviam ter sido cortados para as decorações de Yule. Eu queria me deitar na minha cama dura e nunca me levantar.

River e Solis me levaram até o quarto e ficaram parados no corredor enquanto eu abria a porta e entrava.

— Venha comer alguma coisa — disse River com sua adorável voz melódica. — Ou você quer que eu traga uma bandeja?

Olhei para ela sem entender, como se o que ela dizia não fizesse sentido.

— Vou trazer uma bandeja — decidiu ela, e eles foram embora, fechando a porta em silêncio.

Ninguém sabe, falei para mim mesma de novo. Eu nunca tive que contar para ninguém, e ninguém jamais saberá. Eu era a única pessoa viva que tinha visto aquilo, visto minha mãe e meu irmão matarem um homem, visto a cabeça do meu pai rolar pelo chão. Eu era a única pessoa viva que sabia que eu era a última sobrevivente da casa do meu pai, que a magick dele estava enterrada em algum lugar bem fundo em mim. Enquanto ninguém soubesse, ninguém viria atrás de mim, ninguém tentaria tirar meu poder de mim à força. Era meu segredo.

CAPÍTULO 25

De alguma maneira, consegui manter o ritmo diário da minha nova vida. As tarefas me davam propósito e estrutura — eu sabia onde tinha que estar e o que deveria estar fazendo a qualquer momento do dia. Conseguia executar minhas tarefas sem precisar pensar muito: varrendo folhas das varandas, limpando o fogão, recolhendo lenha, semeando centeio no jardim da cozinha. Eu me movia mecanicamente, e as pessoas estavam mais gentis do que o habitual comigo, menos Nell e Reyn, que me evitavam.

— Minha mãe tinha sido vendida três vezes antes do meu pai comprá-la — disse Brynne um dia enquanto estávamos batendo os tapetes do lado de fora. Nós duas estávamos com cachecóis sobre nossas bocas; a poeira fina e leve cobria o ar ao nosso redor. A voz dela estava abafada, mas eu podia ouvir. — Eles tiraram dela outros filhos, que não eram imortais. Alguns ela nunca encontrou, e um ela encontrou só quando estava bem velho e prestes a morrer.

Absorvi a história.

— Mas agora ela está... satisfeita — prosseguiu Brynne, olhando ao longe. — Ainda apaixonada pelo meu pai. Adorando tudo que faz. Amando muito todos nós. Ela realmente gosta de ser imortal.

Todo mundo tinha histórias, tanto horríveis quanto belas Cada uma delas era exposta, examinada, contada e guardada. Eram coisas que tinham acontecido; não estavam acontecendo agora.

Enquanto meu cérebro começava a absorver todos esses conceitos significativos, minha vida diária teve alguns contratempos. Esqueci de tirar as colchas e cobertores molhados das máquinas de lavar e colocar nas secadoras, então eles ficaram mofados. Tive que lavar aquelas porcarias três vezes mais, porque o detergente caro e ecológico que River comprava limpava muito mal. A invenção do alvejante foi um grande passo para a humanidade, sabe? Teria funcionado *imediatamente*. Era um alívio tão grande ficar irritada e xingar por causa disso em vez de me contorcer de infelicidade por causa de outra coisa.

No dia seguinte, eu estava em uma das despensas, enfiada até os joelhos em jarros de vidro, arrumando, tirando o pó e tentando me concentrar em estar no *presente*, pois, como todos nós vimos, viver no passado era um maldito pesadelo. Por uma fresta na porta da despensa, vi Reyn e Nell, ambos lavando o lustre de ferro que ficava pendurado em cima da mesa de jantar. Nell disse alguma coisa, e a lateral da boca de Reyn tremeu em um meio-sorriso, a tensão anterior entre eles parecia esquecida, perdoada. Isso fez meu coração arder.

Comemos nabo por três jantares seguidos.

A maldita galinha bicou minha mão de novo, fazendo sair sangue. Quase a estrangulei.

Solis me pediu gentilmente que tentasse ter visões de novo. Achei que ele seguia a linha de pensamento que mandava a gente "subir de novo naquele cavalo". Sendo eu seguidora da linha de pensamento "claro que não", eu disse que não. Ele me deu tarefas extras.

Depois do incidente do chão sujo com Nell, ela me evitou, mas de uma maneira habilidosa. Duvido que mais alguém tenha notado. Mas ela fazia coisas pequenas: os bolsos do meu casaco apareciam cheios de terra, minhas botas encharcadas, minha comida coberta de sal. Eu não a via fazer nada disso, e algumas das coisas devem ter sido tão difíceis de fazer que ela devia ter usado magick. Mas eu sabia que era ela. Seu sorrisinho superior e o olhar astuto diziam isso. Eu queria esganar tanto ela quanto a galinha. Juntas. Talvez bater nela *com* a galinha.

Meu sono era pesado e sem sonhos, graças ao chá noturno de River.

Uma noite, eu estava dormindo pesado e alguém agarrou meu ombro e me sacudiu com força. Acordei imediatamente, me sentei e abri a boca para gritar. Mas Reyn disse:

— Quieta! Não vá acordar mais ninguém!

Segurei a mão dele com as minhas duas e tentei mordê-la.

— Pare com isso! — disse ele, parecendo irritado e quem sabe, digamos, cheio de sede de sangue pela euforia da batalha.

Olhei dele para a porta e me dei conta de que esqueci completamente de fazer o feitiço de trancá-la. Era a segunda ou terceira vez que eu esquecia. Eu era uma idiota.

Afastei a mão dele e me encolhi, pensando nos feitiços malignos no meu quarto, na minha lembrança do invasor do norte, na sensação de alguém estar atrás de mim, de alguém me odiar — mas então pensei que, se ele quisesse me machucar, teria feito isso enquanto eu ainda estava dormindo, e nem precisaria me acordar.

— O que você quer? — falei, tentando parecer forte e zangada.

— Você foi designada para separar o feno dos cavalos. — A voz dele estava baixa.

Fiquei olhando para ele.

— E daí?

— Você não executou sua tarefa — disse Reyn.

A porta do meu quarto ainda estava aberta. Será que eu conseguiria passar correndo por ele e sair pela porta se eu precisasse? Provavelmente não. Que diabos ele estava fazendo?

— Acho que esqueci — falei. — Solis me atribuiu tarefas extras. Farei de manhã.

— Você devia ter feito isso depois do jantar — insistiu ele.

— Certo, Sr. Monitor de Tarefas. — Eu já estava mesmo zangada, e isso conseguia superar qualquer sensação de medo. — Farei amanhã. Saia.

— Você vai fazer agora — murmurou ele. — Tenho que alimentar e limpar os cavalos ao amanhecer, e o feno tem que estar lá embaixo, esperando. Não vou separar o feno e fazer o seu trabalho e o meu. Levante-se agora e faça.

Ele não podia estar falando sério. Depois de tudo pelo que passei, ele estava me incomodando no meio da noite por causa de uma tarefa? Tinha entrado no meu *quarto* por causa disso? Murmurei alguma coisa que começava com "fo" e terminava com "se".

Os olhos dele flamejaram e ele ficou ali parado, as mãos fechadas em punhos.

— Levante-se agora.

— Qual é o seu problema? — falei. — Saia daqui! Farei amanhã!

Você tem que tirar leite das vacas ao amanhecer. Vai levantar uma hora antes para separar o feno?

Olhei para ele com ódio.

— Para o inferno com o feno! Separe você o maldito feno! Agora saia do meu quarto, babaca! — Ele não olhava para mim e nem falava comigo havia mais de uma semana, e agora estava no meu *quarto*, gritando no meio da noite? Esse cara tinha surtado completamente?

Para minha total perplexidade, ele segurou em um dos meus tornozelos para me puxar da cama. Eu naturalmente o chutei com força com o outro pé, acertando-o bem no meio do peito largo e duro como pedra, e fazendo-o cambalear para trás e cair contra meu pequeno guarda-roupa.

— Que diabos está acontecendo aqui?

Nossas cabeças se viraram e vimos River parada na porta, amarrando o cinto do roupão vermelho de flanela.

A cena de repente pareceu ridícula.

— Ela não separou o feno dos cavalos — disse Reyn, tentando controlar a raiva. — Não quero ter que fazer o trabalho dela amanhã de manhã. Eu estava tentando fazer com que ela fizesse agora.

River olhou para ele atônita, e foi naquele momento que o cérebro de Reyn registrou o que ele estava fazendo. Ele estava tentando literalmente me arrastar da cama para fazer uma tarefa. Era provavelmente a coisa mais estranha e singular que ele já tinha feito em River's Edge. Ele olhou para o chão, parecendo surpreso por estar ali. Só balancei minha cabeça para River, esticando as mãos com as palmas para cima. Eu não tinha explicação.

River olhou para mim.

— Eu tinha que separar o feno dos cavalos — admiti. — Solis me passou como tarefa extra. Eu esqueci. Achei que pudesse fazer amanhã. Mas Reyn teve um derrame e pareceu lógico para ele vir me arrastar para fora da cama. No meio da noite. No meu quarto, que é um ambiente particular.

Um músculo da bochecha de Reyn se retesou e o rosto dele ficou vermelho.

River olhou para ele, uma ruga entre as sobrancelhas, como se houvesse ali um enigma que ela estivesse tentando resolver.

— Você o chutou? — perguntou-me ela.

— Ele estava tentando *me arrastar da cama* —respondi.

— Ela se recusou a se levantar! — disse Reyn.

— Você o chamou de babaca? — Ela parecia mais confusa do que qualquer outra coisa. Reyn estava praticamente tendo uma síncope.

— Bem, ele estava sendo... um babaca — falei simplesmente.

— Humm. — River olhou de mim para Reyn, depois de novo para mim. Então ela concordou, como se tivesse tomado uma decisão. — Vocês dois vão agora separar o feno dos cavalos — disse ela em um tom que não toleraria nenhum protesto.

— Eu? — perguntou Reyn, incrédulo.

— Parece ser muito importante para você — disse River solenemente.

— Agora? — falei.

— Agora — respondeu-me ela.

Abri a boca para argumentar, mas ela só olhou para mim com firmeza até eu fechá-la. Totalmente. Ela nos deu uma última olhada, balançou a cabeça e foi embora pelo corredor.

Olhei para Reyn com raiva e repulsa, todo o medo tendo desaparecido. Ele saiu do meu quarto enquanto eu saía da cama e pegava a calça jeans do dia anterior e alguns suéteres de uma cadeira. É claro que estava fazendo um frio de congelar àquela hora da noite.

Isso não fazia sentido algum.

Falei palavrões no caminho todo até o celeiro, inalando o ar gélido que queimava meu nariz e minha boca, andando rápido como se a noite estivesse cheia de fantasmas que pudessem esticar a mão, me pegar e me puxar para as sombras deles. Dentro do prédio, o ar estava repleto dos cheiros quentes dos cavalos e do feno. Cheiros que nunca esquecemos depois de conhecê-los. A iluminação suave noturna estava ligada, e tive que fazer uma pausa de um segundo no escuro para me controlar.

Ai! Gritei quando uma forma escura caiu pesadamente no chão à minha frente, arranhando meu rosto. Dei um passo para trás, com a mão na bochecha, meu cérebro registrando febrilmente que tinha sido um fardo de feno, de 60 quilos.

Uma silhueta apareceu no palheiro lá em cima.

— Você tentou me matar! — falei, estupefata, sentindo o calor grudento do sangue na minha bochecha. Era isso então? Ele tinha me levado ali para fora para...

— Não tentei! — disse Reyn. — Eu não sabia que você estava aí. — Uma pausa. — Você está ferida?

— Você tentou me matar! — Não seria a coisa mais absurda a acontecer recentemente.

— É claro que não tentei matar você — disse ele com irritação. — Eu não tinha ideia de que você estava aí. Tinha certeza de que você ia enrolar por mais uns 20 minutos. Vou repetir: machuquei você? Sim ou não?

— Sim! — gritei. — Você jogou aquela coisa bem em cima de mim!

— Se estivesse em cima de você, você não estaria aí parada me censurando — comentou ele.

Aquele era o celeiro menor, onde os seis cavalos de River viviam. O cortador de grama e algumas outras ferramentas e suprimentos de jardinagem ficavam em um canto. Os fardos de feno eram colocados no andar de cima por um guincho no lado de fora do prédio, e depois a pessoa responsável por separar o feno jogava os fardos no corredor entre as baias. Normalmente os fardos se desfaziam ao cair, deixando o feno mais solto e mais fácil de ser colocado com uma forquilha nos alimentadores.

Cavalos bufavam baixinho no silêncio escuro quando passei batendo os pés pelas baias deles em direção aos degraus na extremidade do celeiro. Alguns estavam dormindo, então bati menos os pés. Subi com relutância para o mezanino onde Reyn estava esperando, com uma pequena lanterna a pilha pendurada em um prego perto de si.

— Já joguei três fardos lá pra baixo. Você pode jogar o resto.

Ele parecia alto e poderoso à meia-luz, e sua voz ainda soava zangada. Eu não queria chegar perto dele, mas era insuportável ser tão covarde, então andei para a frente como se ele não fosse ninguém. Ele e eu irritamos um ao outro desde o momento em que nos conhecemos, e o fato de que ele era meu ideal de homem perfeito só me irritava ainda mais. E *eu* de repente tinha parecido familiar para *ele*, com meu cabelo claro? Como? Por quê?

Corajosamente, tentando canalizar a Mulher Maravilha, tirei meu casaco e meu suéter e os joguei sobre a pilha de fardos. Eu ainda estava usando a blusa de manga comprida, um suéter e, é claro, um cachecol em volta do pescoço. Desde que ouvi os pensamentos de alguém durante a meditação — sobre alguém beijar o pescoço de alguém —, tive pensamentos perigosos sobre Reyn beijando o meu. Sempre que não estava furiosa ou sentido nojo dele.

O ar ali em cima estava quente e doce quase a ponto de enjoar, graças ao cheiro do feno do tipo mais aromático. A poeira vinda dele fez cócegas no meu nariz e passei minha mão sobre ele.

— Tudo bem — falei brevemente. — Desça e comece a colocar nos alimentadores. — Era divertido dar ordens a ele. Eu queria fazer isso mais vezes.

Ele respirou fundo como se fosse começar a discutir comigo, depois virou a lanterna de modo que ela iluminasse direto meu rosto. Ele franziu a testa e pegou meu queixo na mão para virar minha bochecha para a luz. Eu me afastei com o seu toque, mas ele segurou meu queixo com firmeza.

— Fiz isso com o fardo? — perguntou ele.

— Não. Fui atacada por um fardo fugitivo que estava esperando lá fora — falei com deboche, me afastando dele e me *concentrando* no trabalho que eu tinha que fazer *agora*.

Sem dúvida Reyn tinha erguido os fardos de 60 quilos com o dedo mindinho e os tinha arremessado com facilidade, mas nem todos nós éramos aberrações da natureza cobertas de músculos.

— Eu... peço desculpas — disse ele bruscamente. — Eu realmente não sabia que você estava lá. Não tentaria deliberadamente atingir você com um fardo — hesitou. — Provavelmente — admitiu ele.

Fui pega de surpresa pelo pedido de desculpas dele, e dei de ombros. Minha bochecha estava ardendo, mas não estava pingando sangue.

— Tudo bem. Então tenho que lançar mais três fardos lá pra baixo?

— Você quer ir lavar isso? — disse ele, fazendo parecer que ter que estar preocupado era uma coisa muito irritante.

— Ah, como se você se importasse. Você não me suporta. Nem consegue olhar pra mim. Não. Quero fazer isso e voltar pra cama. — Eu me inclinei, fechei os dedos ao redor do barbante fino que prendia o fardo e tentei empurrá-lo em direção à beirada do mezanino. Consegui fazê-lo deslizar uns 3 centímetros. Menos do que três. O fardo pesava mais do que eu.

Reyn não tinha se movido, e olhei para a frente, odiando-o por me ver fazer esforço.

— O que foi? — Olhei para ele com raiva.

Ele olhou para baixo e fez um gesto breve em direção à própria bochecha, como se quisesse de novo pedir desculpas.

Olhei para ele com mais raiva. O cheiro do feno e dos cavalos, o silêncio do celeiro, tudo aquilo me fazia lembrar demais do passado. Eu odiava estar ali.

— Esqueça. Tenho certeza de que o corte só aumenta o meu charme de menina levada. Agora será que você pode sair do meu caminho, seu grande imbecil? — Eu me inclinei sobre o fardo de novo, pronta para dar um empurrão.

Os olhos dele, escurecidos pela luz fraca até estarem da cor de uísque, se apertaram. Antes que eu entendesse o que estava acontecendo, ele esticou um pé e me empurrou devagar para me tirar o equilíbrio. Caí desajeitadamente sobre meu traseiro, a boca aberta de estupefação.

— Qual diabos é o seu *problema*? — Fiquei olhando para ele de onde eu estava caída, e me ocorreu que talvez eu devesse sentir medo, afinal.

— Eu não... quero você aqui — disse ele, parecendo zangado, perturbado e confuso. Ele se virou para me olhar com raiva. — Por que você teve que vir pra cá?

Eu nem sabia o que dizer. Ele não era o único imortal que precisava de reabilitação. Quis saber, não pela primeira vez, de que ele precisava se reabilitar. Ele se inclinou como se fosse me ajudar a levantar, então me encolhi e estiquei uma mão para afastá-lo. Movendo-se com rapidez e objetividade, ele pegou minha mão e a empurrou para baixo, vindo logo atrás e, enquanto eu inspirava em choque, ele me apertou contra o feno, seu corpo por cima do meu, e me beijou.

Não consegui reagir, não consegui pensar. Eu tinha tido mil fantasias sobre tê-lo à minha mercê, tinha desejado-o desde o primeiro momento em que o vi, mas nunca, nunca tinha esperado realmente estar com ele.

Agora ele estava me beijando, não de uma maneira assustadora, não com hostilidade, mas com uma intenção calorosa e sedutora. Em um palheiro, no celeiro, no meio da noite. Essa cena foi patrocinada por *Mais, Que, Merda, é Essa.*

Ele se afastou, os olhos brilhando encararam meu rosto estupefato. Seu cabelo louro-escuro caía na testa e as maçãs do rosto estavam ruborizadas. Naquele momento, deixando de lado todas as minhas neuroses histéricas, ele estava mais lindo do que eu acreditava que qualquer homem pudesse ser, e eu estava completamente sóbria. Olhei para ele, percebendo o quanto ele estava ofegante, os lábios corados. Devagar, como se me dando tempo para protestar, ele beijou minha bochecha arranhada, fazendo-a arder. Continuei olhando para ele, atônita com a situação, com a percepção humilhante de que apesar *de tudo*, eu realmente o queria, mais do que jamais quis alguém em toda a minha loooonga vida. Pegando uma mecha do meu cabelo na mão fechada, ele segurou minha cabeça e se inclinou de novo.

— Me beije — disse ele, olhando para minha boca. — Me beije.

Meus nervos começaram a despertar, subindo dos meus pés até meu peito, meus braços e meu rosto. Ele baixou a cabeça de novo, a boca firme sobre a minha, e devagar, enquanto o absurdo de tudo aquilo penetrava meu cérebro, comecei a retribuir o beijo.

Fazia meses que eu não beijava ninguém — e eu mal me lembrava daquele cara do galpão em Londres. Não conseguia me lembrar da última vez que estive completamente desperta e sóbria, beijando alguém *de propósito*. Eu realmente não conseguia me lembrar. Anos? Décadas? Era... delicioso. Eu não conseguia acreditar que era Reyn. *Reyn*, com tudo entre nós. Minha respiração se acelerou.

Reyn enfiou a perna entre meus joelhos, e senti ele todo pressionado contra meu corpo, um peso quente que dava uma sensação completamente nova e singular. A outra mão dele foi até minha cintura e deslizou pela lateral por baixo do meu suéter, como se medindo o tamanho da minha caixa torácica. Ele se afastou um segundo, olhou nos meus olhos e depois nossos lábios se encontraram de comum acordo, meus braços ao redor do pescoço dele, uma perna enroscada na dele.

A sensação... era incrivelmente, incrivelmente boa. O peso dele, o cheiro da pele dele, a sensação do cabelo dele nos meus dedos, os lábios deles nos meus, nossa respiração sincronizada... era a sensação mais espantosamente deliciosa que eu experimentava em nem sei quanto tempo. Senti uma pontada intensa de — felicidade? — explodir no meu peito e me apertei mais contra ele, percebendo como nossos corpos se encaixavam. Meus dedos alcançaram o ponto onde começavam os botões da camisa dele, na pele macia e bronzeada do peito. A pele dele parecia estar em chamas.

Ah, se você fosse meu...

Fechei bem os olhos e parei de pensar, simplesmente deixei as coisas acontecerem e me senti eletrizada e eufórica e quase... sim. Eu estava feliz.

Ele tirou os lábios dos meus e os moveu para beijar meu pescoço, debaixo do meu queixo.

— Você é linda — murmurou ele enquanto minha cabeça girava. — Você é linda.

Olhei nos seus olhos dourados, tinham cor de xerez.

— Você não gosta de mim.

— Gosto demais de você — disse ele com a voz rouca. — Quero você demais. Tentei ficar longe.

Ele beijou meus lábios de novo enquanto essas palavras rodopiavam em meu cérebro perplexo. Aqueles momentos estavam apagando todas as lembranças que já tive de qualquer outra pessoa, quatrocentos anos de rostos e beijos. Tudo dava uma sensação de novidade e importância impressionantes, como se eu fosse mesmo uma adolescente de novo. Ele era tudo o que eu queria, tudo o que eu sempre quis, tudo o que eu sempre poderia querer. Minha ideia do melhor homem possível, o único homem com quem eu queria estar. E, enquanto eu observava, o som de nossa respiração acelerada no silêncio do celeiro, minha boca meio encurvada num sorriso, vi o reconhecimento frio cruzar o rosto dele, o vi entrar nos seus olhos e extinguir a chama que havia lá.

Não, não...

Ele piscou, como se acordando de um sonho, e um medo cruel pressionou meu peito e se enroscou no meu estômago. Ele olhou para as mechas do meu cabelo, ainda enroscadas nos dedos dele, e olhou nos meus olhos como se me visse pela primeira vez. Meus braços se contraíram ao redor dele ao mesmo tempo que seus olhos se arregalaram e ele se afastou de mim. *Não, não, não — volte, volte...*

— Seus olhos. Seu cabelo. Você *cresceu.*

Parecendo chocado, ele ficou de pé rápido, batendo a cabeça com força no teto baixo e inclinado do mezanino. Ele cuspiu uma palavra que não reconheci, mas que era sem dúvida alguma tradução da palavra "merda!"

— Sim, é claro — falei. Engoli em seco, meus braços doloridos e vazios, o corpo já frio onde ele tinha deixado de me tocar.

— Você... Você é... — disse ele, quase que para si mesmo.

Ele parecia horrorizado, perplexo, enquanto me olhava com a mão sobre a boca cruel e linda. E naquele momento, com a pequena lanterna mostrando os contornos dele, com os cheiros do celeiro e dos cavalos, na noite escura e fria, tive uma revelação terrível.

Fiquei paralisada, uma lembrança percorrendo meu cérebro, depois outra. Ah, meu Deus, ah, minha nossa, ah, não...

Ele parecia assombrado, desesperado.

— Você é da Casa de Úlfur. — A voz dele saiu num sussurro, meu coração deu um salto no meu peito e minha respiração ficou presa na garganta.

— Esse cabelo, esses olhos... o seu poder. Você é uma sobrevivente da Casa de Úlfur. A única sobrevivente.

Minha garganta se fechou. Meus olhos estavam presos aos dele e o sangue parecia abandonar meu rosto. Eu não conseguia respirar. Tudo ao meu redor desapareceu, exceto o rosto dele, perfilado pela lanterna.

— E... você é o invasor do inverno. — Minha voz saiu rouca e baixa, quase inaudível. — O Açougueiro do Inverno.

Reyn cambaleou para trás, esticando uma das mãos para se apoiar antes que caísse pela extremidade do palheiro. Ele estava verde e enjoado, mesmo sob a luz pálida, e ouvi-o respirando com dificuldade.

Eu o tinha *beijado*. Eu *o* tinha beijado.

— Você não tem 267 anos — falei lentamente. — É mais velho do que eu. Tem uns 500 anos? Seiscentos? Você vinha do norte, de tempos em tempos, durante o inverno, e invadia. Você matava vilarejos inteiros. Estuprou meus vizinhos. Você quase me estuprou. Quase matou meu *filho*. Você roubava cavalos e vacas e qualquer coisa de valor. Deixou as pessoas sem nada, pessoas que morreram de fome. Os que você não matou imediatamente.

Tudo em mim estava berrando, gritando, tendo um ataque histérico, mas minha voz saiu mesmo assim, e alguma parte da minha cabeça não parava de juntar as peças, fragmentos de lembranças, trechos de boatos, imagens, sons e cheiros. O celeiro pareceu se encher com a escuridão das minhas lembranças. Eu me sentei, chegando mais para trás, para perto dos fardos de feno.

— Você não é holandês. — Dei uma risada curta. — Você é islandês e viking e mongol. Sofri nas suas mãos pelo menos quatro vezes, em Noregr, Svipjoi e na Islândia. Finalmente escapei de você, quando me mudei para Hesse em 1627. Mesmo lá eu ouvi as histórias de horror sobre o que vocês faziam no norte.

Reyn parecia não estar me vendo e nem as coisas ao nosso redor.

E então me senti muito poderosa e com uma certeza fria, e fiquei de pé, encarando-o.

— Nesse momento, estou imaginando você com seu rosto pintado. Branco, preto e azul.

Ele fez um barulho de engasgo, parecia doente.

— Era você, não era? Que matou minha família inteira? Você, quem destruiu o vilarejo do meu pai? Foi sua horda que destruiu a casa em Tarko-Sale, você que então foi para o oeste, para a Islândia.

Ele ergueu a cabeça, os olhos selvagens.

— Sua mãe esfolou meu irmão vivo. Seu irmão cortou a cabeça dele. Eu estava no corredor. Vi tudo.

— Então quem foi que matou todo mundo? Que cortou a *cabeça* do meu irmãozinho? — Minha voz ia aumentando de volume junto com minha revolta.

Meu pai. — A frase saiu num sussurro.

— Onde está seu pai agora? — Eu sentia como se pudesse abrir a mão e jogar uma bola de fogo nele. Eu me sentia como uma bruxa assustadora e poderosa, pronta para fazer justiça.

— Morto. Ele tentou usar o tarak-sin da sua mãe, o amuleto. Ele não era forte o bastante. O feitiço deu errado e ele foi consumido por uma tempestade de fogo e relâmpagos. Não sobrou nada além de cinzas. Ele, meus dois irmãos mais velhos, sete dos homens dele. Viraram... cinzas.

— E você? Por que você não virou cinza?

Reyn balançou a cabeça.

— Não sei. O fogo fez isso.

Ele abriu a camisa de flanela e baixou a gola da camiseta. Lá, na pele macia e dourada do peito, havia uma queimadura. Idêntica à minha.

CAPÍTULO 26

Uma tempestade irrompeu dentro de mim. Se não fosse tão ignorante em matéria de magick, eu *o* teria esfolado vivo com uma palavra, arrancaria sua pele para deixá-lo tão nu e exposto quanto minhas emoções. Considerando minha realidade, eu tinha que contar com pegá-lo de surpresa, me lançando contra ele. Meu corpo bateu no dele, com força, e nós dois caímos pela beirada do palheiro, por 3 metros e meio, aterrissando pesadamente em cima dos fardos de feno espalhados no chão.

Eu estava batendo nele, gritando e xingando em islandês antigo, tentando arranhá-lo, socá-lo, bater na cabeça dele. Depois de alguns momentos tentando recuperar o fôlego, Reyn facilmente prendeu meus punhos com as mãos como se fossem aros de ferro, depois ele nos virou, seu peso me prendendo ao chão.

Ele começou a murmurar coisas em islandês, e as palavras que chegavam aos meus ouvidos eram “Sefa, acalme-se, pare, não se machuque, shhh”, palavras que se usa com um cavalo ou com uma criança. Eu estava chutando, tentando acertá-lo com o joelho, me contorcendo com todas as minhas forças, e é claro que ele parecia uma pedra, sem se mexer, me segurando como uma camisa de força.

— Reyn! — A voz de Solis estava alta e muito perto.

— Nastasya! — disse River, se inclinando para entrar no meu campo de visão.

Reyn e eu ficamos parados. Olhei no rosto dele e vi uma vida imortal inteira de dor e culpa e arrependimento e raiva. Imagino que ele tenha visto a mesma coisa no meu.

— Parem, vocês dois! — disse Solis. — Reyn, fique de pé. — Ele colocou uma das mãos no ombro de Reyn.

Reyn se levantou cautelosamente, soltando minhas mãos no último minuto e rapidamente saindo do alcance do meu pé.

River estava olhando para mim. Ocorreu-me que o mundo dela devia ser bem mais tranquilo antes de eu chegar lá.

Ela se ajoelhou quando me sentei e tirou feno do meu cabelo. Minhas emoções eram grandes demais para serem entendidas, inacreditáveis demais para serem encaradas. Quatrocentos e quarenta e nove anos de fuga tinham acabado de explodir na minha cabeça.

— Sei quem ela é — disse Reyn. O peito dele estava subindo e descendo, a queimadura já coberta.

— Sei quem *ele* é! — falei, ficando de pé.

— Pois bem — disse River, olhando de um para o outro. — Agora vocês sabem.

Minha cabeça girou e olhei para o rosto calmo dela.

— Você sabe quem ele *é*? — apontei um dedo acusador para ela.

— Sei — disse River. — E também sabemos quem você é.

Eu não conseguia nem assimilar aquilo.

— Sabíamos que era uma questão de tempo até que vocês dois descobrissem — disse Solis, não parecendo preocupado.

— Ele tem que ir embora! — Eu soube que isso era uma estupidez assim que pronunciei as palavras. Eu tinha sido a última a chegar; seria a primeira a ir embora.

— Não — disse River, tirando pedaços de feno do meu cabelo.

Meu coração se partiu.

— Tudo bem. Então eu vou embora! Agora mesmo. — Comecei a chorar por dentro. Eu não queria mesmo ir embora. Ficaria perdida se fosse.

— Não — disse River com mais gentileza, limpando meu suéter. — Você ficaria perdida se fosse.

— Meu rosto não é tão expressivo — respondi automaticamente.

— Vocês dois devem ficar — disse River. — Não há sentido em ir embora. Vocês terão que lidar com isso mais cedo ou mais tarde. Fiquem e lidem com isso agora, com nossa ajuda.

Olhei para ela boquiaberta.

— Ele matou *milhares* de pessoas!

— Não milhares! E não o faço há centenas de anos! — disse Reyn. — Deixei aquilo tudo para trás.

Balancei minha cabeça. Como alguém "deixava aquilo tudo para trás"? Era quem ele era. *O que* ele era.

E você o beijou, meu subconsciente odioso me lembrou. E você adorou.

— Aquilo passou — disse River com seriedade, erguendo a mão de um lado do corpo. — O agora é aqui. — Ela ergueu a outra mão do outro lado do corpo. — Ele não está mais naquela época. Você não está mais naquela época. Você está *aqui*, agora. Essa é quem você é *agora*. — Ela colocou uma das mãos com gentileza no meu peito. Senti o calor passando pelo meu suéter.

Ela fez um gesto em direção a Reyn.

— Esse é quem *ele* é *agora*.

— Um babaca! — falei, impulsiva.

— Mas não um invasor do norte — disse River, solene. — Não o Açougueiro do Inverno.

Eu não soube como responder. Olhei para os três, e me dei conta, impressionada, de que eles pareciam mais familiares, mais *completos* para mim do que qualquer um dos meus amigos. Eu não sabia o que fazer. Balancei a cabeça de novo, exausta de repente, a adrenalina se esvaindo das minhas veias, me deixando trêmula e vazia.

— Não consigo lidar com isso. É demais. Ele devia estar morto. Não posso ficar. Vou pra cama — falei sem emoção, e passei por eles indo em direção à porta do celeiro. — *Nunca* vou perdoar você — falei para o invasor do norte ao olhar para trás.

Ele não disse nada; nenhum deles disse. Andei pela grama congelada, pela escuridão e até a casa, sozinha. Do lado de dentro, deixei minhas botas ao lado da porta e subi a escada. Entrei no meu quarto e fiz o feitiço para trancar a porta duas vezes, impedindo assim que qualquer pessoa entrasse. Depois deitei na cama ainda de roupas e fiquei lá deitada, com os olhos secos.

* * *

— Nastasya? Hora de acordar.

Pisquei com olhos pesados. Alguém estava batendo na minha porta.

— Nastasya? — Era Asher.

— O quê? — falei. Meu relógio marcava 6h15. Ainda estava completamente escuro lá fora.

— Está na hora de acordar — repetiu Asher. — Se você se apressar, vai ter tempo de tomar café depois de tirar leite das vacas e antes de ir pro trabalho.

Ele não podia estar falando sério. Meu queixo caiu. Percebi que ele não podia ver isso, então me levantei, andei até a porta e a abri. Asher estava parado do lado de fora, parecendo belo como uma flor. Deixei meu queixo cair de novo.

Ele sorriu, depois deu um tapinha no meu ombro.

— Soube que você teve uma noite difícil. Bem, as vacas estão esperando. Acho que Anne está fazendo pãezinhos de canela pro café da manhã.

Fiquei só olhando para ele. Meu *universo inteiro* tinha sido destruído na noite anterior. *Centenas* de anos de dor e morte tinham sido lançados aos pés de Reyn. E eu tinha que ir tirar leite de vacas?

Asher esperou, com olhos calmos. Eu me lembrei do que tinha ouvido sobre ele, que a família dele era da Polônia. Que estavam lá durante a Segunda Guerra Mundial.

— Se eu vir Reyn, vou matá-lo — falei.

— Acho que Reyn acordou cedo. Está lavrando o campo de repolhos. — Asher coçou a barba.

Pisquei. Meu mundo era surreal. Mas essa *era* a realidade. Por mais dolorosa, por mais horrível que fosse, essa era a *realidade*. Coloquei meus sapatos.

Surpreendentemente, fui para o trabalho naquele dia — o grande festival de pescaria tinha acabado. Fui para a MacIntyre's, feliz por ter um lugar para ir, uma coisa para fazer. O Velho Mac e eu resmungamos um para o outro e depois começamos nossa rotina. Eu me concentrei no *agora*. Colocar os produtos nas prateleiras não era exatamente como trabalhar em uma fábrica de munição, onde eu tinha que apertar parafusos a cada 12 segundos. Mas me forcei a prestar atenção, a reparar no que estava fazendo, a manter minha mente firmemente presa a cada segundo que eu passava ali enquanto esvaziava caixas de curativos Ace e bolsas de gelo. Agora que eu sabia onde estava tudo (e que as prateleiras estavam arrumadas de acordo com uma lógica), eu demorava bem menos tempo para repor a mercadoria.

Comecei a olhar ao redor na loja, me apegando com força ao que estava vivenciando naquele momento. Estava bem melhor: mais limpa, mais clara e, como falei, mais bem-arrumada. Mas vamos ser realistas, ainda era um lugar horrível. As paredes estavam manchadas de água e cheias de buracos antigos de pregos, a iluminação era velha, o chão de linóleo era tão velho que cada corredor tinha uma faixa gasta no meio.

— O que você está fazendo? — rosnou o velho Mac para mim, me fazendo dar um pulo. — Não pago você para ficar parada sonhando acordada! — Ele estava a 3 metros de distância, as sobrancelhas peludas e pretas formando um V irritado sobre os olhos hostis.

— Você precisa encomendar alguns remédios homeopáticos. — Foi minha resposta. Depois da noite anterior, o Velho Mac precisaria de bem mais do que isso se quisesse me intimidar. — E também luvas e outras coisinhas. Um pequeno mostruário com luvas variadas. Além do mais, você tem espaço naquele canto para alguns sacos de sal, do tipo que as pessoas colocam nas calçadas sobre a neve para não levarem um tombo e morrerem.

Ele ficou me olhando como se eu estivesse falando em outra língua.

Peguei um dos milhares de catálogos de suprimentos de farmácia que chegavam toda semana.

— Olhe quanta coisa! É isso que as pessoas compram hoje em dia, até mesmo nesse buraco do quinto dos infernos. Três pessoas me perguntaram sobre remédios homeopáticos contra resfriado hoje de manhã. E vai começar a nevar direto qualquer dia desses. As pessoas precisam entrar pra comprar protetor labial, por exemplo, e ver os sacos de sal ali e pensar: Excelente! Preciso de um desses no carro.

Ele estava com a boca um pouco aberta, como se não soubesse falar com uma pessoa que não estivesse com medo.

— E por que você se importa? — rosnou ele por fim. — Você só está de passagem! A loja não é sua! Meu bisavô abriu essa loja! Meu avô cuidava dela, depois meu pai, agora eu! E meu filho... — De repente o rosto dele pareceu arrasado, horrorizado. Como se tivesse acabado de se lembrar que só tinha uma filha. Ele engoliu e disse: — Se eu tivesse um filho, ele cuidaria dela depois de mim. — Mas a energia dele tinha se extinguido, e ele parecia assombrado e velho de repente.

Eu acabei entendendo.

— Você tinha um filho?

O Velho Mac confirmou, com aparência de enterro.

— E ele morreu com sua esposa?

Um olhar assombrado cobriu o rosto dele, e ele confirmou de novo.

— Lamento. É difícil perder alguém. — Eu tinha perdido tanta gente. Fiz uma pausa, me perguntando se devia ir em frente. Sim. Ele tinha que deixar o passado para trás e viver o presente. Usei uma voz firme. — Mas escute, coroa, você ainda tem Meriwether.

A cabeça do Velho Mac se ergueu de repente e o fogo habitual voltou aos olhos dele.

— E apesar do fato de você tratá-la como lixo, ela é inteligente! Ela gosta desse lugar, só Deus sabe por quê. E depois que você bater as botas, ela vai transformar isso aqui no que devia ser, vai ganhar um monte de dinheiro e vai rir no seu túmulo!

Tudo bem, talvez eu tivesse ido longe demais. O Velho Mac parecia atônito, e fingi examinar a lista de ingredientes de um remédio infantil para resfriados.

— Ela odeia esse lugar. — A voz dele estava irritada e azeda.

— Ela odeia ser tratada como lixo — respondi. — Ela lembra como era quando aqui vivia cheio. Foi ideia dela começar a fazer melhorias.

— Jamais vai ficar lotado de novo. — O Velho Mac jogou o catálogo de volta em cima do balcão.

— Sei, sei, a fábrica fechou, blá-blá-blá — falei com meu jeito habitual, preocupado e sensível. — Ainda há pessoas aqui, e elas ainda precisam das porcarias que você vende. O Walgreens mais próximo fica na estrada. *Ou então*, as pessoas podiam vir fazer compras aqui, apoiar a economia local e economizar gasolina! — Era um novo ângulo de marketing tão brilhante que eu nem conseguia acreditar.

Empolgada, me virei para o Velho Mac, pronta para trocar ideias.

Ele apertou os olhos.

— Esqueça! Volte ao trabalho! Eu devia descontar os últimos dez minutos de você!

— Sabe que estou ceeeerta — cantarolei baixinho.

Ele resmungou.

Nosso relacionamento estava mesmo florescendo. E minha vida estava seguindo em frente, apesar de tudo. Eu ainda estava ali, ainda estava vivendo minha vida, depois de tudo o que tinha percebido na noite anterior.

Por alguma razão, Meriwether não chegou às quatro, mas o Velho Mac não pareceu surpreso nem preocupado. Bati meu ponto de saída como sempre, já com medo de voltar e ter a chance de dar de cara com Reyn em casa. Quando estava indo para o carro, vi Dray à toa do outro lado da rua, em frente a uma construção vazia que tinha sido um Dunkin' Donuts no passado. Ela me viu, mas não reagiu. Entrei no meu velho carro, dei a partida, depois fiz a volta e parei em frente a ela. Baixei a janela do lado do passageiro.

— Quer tomar um café? Meu dia foi uma droga — falei, sem nem olhar para ela. — Na verdade, os últimos dias todos foram péssimos.

Dray hesitou, depois foi até o carro e abriu a porta. Tentei não fazer cara de triunfo. Ela entrou e bateu a porta, e me dirigi a uma lanchonete ali perto chamada Auntie Lou's. Eu nunca tinha ido lá, mal tinha superado minha experiência no Sylvia's, e, quando entrei, foi como se eu tivesse voltado cinquenta anos no tempo. Como a MacIntyre's, a lanchonete parecia congelada no passado, embora fosse limpa e nada parecesse estar quebrado.

Olhei para Dray.

— Que lugar é esse? A fantástica cidade que o tempo esqueceu? Vocês já ouviram falar das maravilhas da modernização?

A boca pintada com um batom escuro se ergueu de um lado e nos sentamos a uma mesa, o assento de vinil escorregadio debaixo do veludo da minha calça.

— É por aí. Mas sem a parte do fantástica.

A garçonete veio até nós, uma loura oxigenada que parecia ter a idade de Dray e que pareceu reconhecê-la. Dray lançou um olhar avaliador para a loura, o que pareceu deixar a garota sem graça.

— Milkshake de chocolate — disse Dray.

— Como é o café daqui? — perguntei. — Em uma escala de um a dez. Seja honesta.

A garçonete pareceu surpresa, depois corou. Ela olhou para o cozinheiro, que estava esperando, e baixou a voz.

— Não peça — aconselhou ela. — Fiz besteira e botei pó demais. Está parecendo uma lama. Três pessoas devolveram.

— Ooh, parece o café ideal pra mim — falei. — Pode trazer.

— É mesmo?

— É. Preciso desesperadamente de cafeína.

A garçonete — cuja plaqueta dizia se chamar Kimmie (não estou inventando) — deu um breve sorriso e pareceu muito bonita por um momento.

— Volto já.

— Você espalha alegria aonde vai — disse Dray.

— Isso aí — concordei sem alegria nenhuma. — Sou um maldito elfo de Natal.

Dray se sentou de lado, com as costas contra a parede, os pés em cima do banco. Ela pareceu mais distante do que o habitual, pálida e doentia por baixo da maquiagem pesada.

— Por que você ainda está nesta cidade? — perguntou ela.

Suspirei. Era uma boa pergunta. Concentre-se no agora.

— Estou tentando... cumprir um programa. — Ou pelo menos eu estava. Agora eu só estava em estado de choque e não sabia para onde mais ir.

— Tipo um programa de 12 passos?

— É. Só que pior. Meu emprego faz parte.

— Ah. Achei que você só tinha um desejo ardente de atender às necessidades farmacêuticas das pessoas — disse Dray.

Kimmie colocou o milkshake de Dray na mesa, que parecia delicioso, e minha xícara de café, que também parecia delicioso, de um jeito viscoso e escuro.

— Você não precisa beber se não quiser — sussurrou Kimmie.

— Tudo bem — sussurrei em resposta. Depois que ela foi embora, perguntei: — Ela é da sua escola?

— Só tem uma escola de ensino médio aqui — disse Dray, bebendo um pouco do milkshake. — Não estudo mais lá.

— Então o que você faz? — Quando tudo em mim estava gritando para eu me encolher em posição fetal e colocar um cobertor em cima de mim, eu estava me forçando a estar ali, me forçando a interagir com ela. E parecia... bom. Eu estava feliz por estar ali.

Dray deu de ombros, fechando a cara. Ela se sentou ereta, segurando o copo com as duas mãos como uma criancinha.

— Você trabalha? — perguntei.

Ela deu de ombros de novo, parecendo entediada.

Pensei: "O que River faria?"

No silêncio, o *agora* recuou e Reyn explodiu na minha mente. Eu o tinha *beijado*. Ele tinha me beijado. Tínhamos nos agarrado loucamente no palheiro. Eu teria ido bem mais longe. Se não fosse o lance todo do Açougueiro do Inverno.

Meus pais. Ah, Deus.

— Por que você descoloriu o cabelo? — Dray interrompeu meus pensamentos.

Eu demorei um momento para voltar ao presente.

— Não descolori. Essa é minha cor natural. Estou pensando em pintar de vermelho.

— Não devia — disse ela, os olhos no meu cabelo sem corte, na altura do ombro. — É uma cor legal. Nem me lembro de que cor é meu cabelo.

— Sei como é.

Ficamos em silêncio por vários minutos. Eu precisaria ir embora logo mais. Eu normalmente ia direto para casa depois do trabalho, mas outra pessoa costumava me levar. Eu amava ter a liberdade e a independência de dirigir meu carro e gastar minha gasolina.

— De qualquer modo — disse Dray, quebrando o silêncio —, não há trabalho aqui. Este lugar está morto.

Eu ri.

— Você está certa. — Dei um gole no café forte, depois coloquei mais dois envelopes de açúcar.

Um brilho de surpresa acendeu os olhos dela, como se ela esperasse que eu defendesse sua cidade.

— As pessoas daqui... não gostam de mim — disse ela. —Acham que vou fazer besteira como... meus parentes.

— As pessoas daqui não gostam de você?

Dray confirmou com um tom desafiador.

Fiquei olhando para ela.

— Você se importa com o que alguns caipiras de uma cidadezinha no meio do nada *pensam* sobre você?

Ela piscou.

— Dray. Isso aqui é só uma cidadezinha. Não é o único lugar do mundo para se viver, nem o único lugar dos Estados Unidos. Ou mesmo em Massachusetts. As pessoas daqui são apenas algumas pessoas, que estão na Terra por um curto tempo. Não são *ninguém*. Por que você se importa com o que pensam de você?

— *Todo* mundo — disse Dray. — Todo mundo na escola. Todo mundo na cidade.

— Todo mundo *só* nessa cidade — falei. — Não todo mundo em *todo lugar*. Vá para a Califórnia, ou para o Mississippi, ou para a França. Ninguém nesses lugares ouviu falar de você e, o mais importante, ninguém ouviu falar dos perdedores que governam esta cidade *aqui*.

Ela ficou literalmente de boca aberta. Será que isso nunca tinha ocorrido a ela de verdade? Será que ela pensava que estava presa ali para sempre?

— Apenas ir... para outro lugar? — Eu praticamente podia ouvir o cérebro dela começando a funcionar.

— Vá para *qualquer lugar*.

O rosto dela se fechou.

— Como? É preciso ter dinheiro.

Eu pensei.

— Tem dois jeitos. Ou você pega o emprego que conseguir arrumar, como, por exemplo, trabalhar no Home Depot. Limpe o chão. Trabalhe em uma funerária. Qualquer coisa. E guarde o bastante para uma passagem só de ida para algum lugar e o bastante para uma semana de comida. Depois entre no ônibus. Ou...

Ela esperou.

— Você pode ir e ser tudo o que puder ser. Pode ser qualquer pessoa que queira. Se conseguir entrar no serviço militar, vai ter dinheiro, estudo, viagem e algumas habilidades úteis com um rifle.

Dray deu uma risada.

— Fiz 17 anos no mês passado.

— Então ou você tem um ano para trabalhar e economizar, ou você pode dar um jeito de os seus pais assinarem uma permissão para você entrar no exército — falei, depois olhei para o céu lá fora. — Você tem opções, Dray. Você sempre tem opções. Nunca é tão ruim que você não possa simplesmente ir embora da cidade. Pense nisso. E agora tenho que ir. Aquele travesseiro na minha cama não vai enganá-los por muito tempo.

Dray terminou o milkshake. Ela ainda parecia pensativa quando coloquei meu casaco de Homem da Michelin.

— Quer que eu deixe você em algum lugar? — ofereci.

— Não. — Ela balançou a cabeça. — Posso ir andando. Obrigada pelo milkshake.

— Tudo bem. Vejo você por aí.

Dray saiu andando pela rua, parecendo menos infeliz do que antes. Entrei no meu carro, e então ela se virou.

— Como foi que você ficou tão inteligente? — perguntou ela, o tom tornando a pergunta uma possível piada, se necessário.

Porque cometi milhares de erros mais imbecis do que você, pensei. *Passei por coisas muito piores.*

Dei de ombros.

— Já passei por algumas coisas.

Ela acenou com a cabeça, depois se virou e puxou a jaqueta contra o corpo.

Ela estava ficando importante para mim. Meriwether e até o Velho Mac estavam ficando importantes para mim, depois de décadas não tendo nada tão importante.

Era incomum.

Era assustador.

Eu sabia bem demais o quanto doeria quando eu os perdesse.

Eu realmente não estava gostando.

CAPÍTULO 27

Em casa, River, Asher, Solis e Anne me trataram com normalidade incrível. Foi estranho. Eu tinha que executar tarefas. Meu nome estava no quadro. Pelo que percebi, todos os quatro professores sabiam da história sórdida completa, mas nenhum dos alunos parecia me tratar ou olhar para mim de maneira diferente.

Vi Reyn pela primeira vez no jantar.

Ele entrou pela porta da cozinha, segurando uma sopeira pesada. Meus sentidos estavam perfeitamente direcionados a ele e o examinei com atenção, tentando vê-lo com cabelo comprido sujo de sangue e o rosto pintado. Ele me viu e contraiu o maxilar. Minha imaginação o visualizou parado, impressionado e apavorado, depois de uma torre de relâmpagos consumir a família e os soldados dele.

Tanto ele quanto eu estávamos sérios, e não voltamos a nos olhar. O interessante foi que, quando levantei o olhar para pegar pão, vi os olhos de Nell presos aos meus como lasers azuis. Eu a ignorei. Reyn estava sentado em um lugar onde eu não podia vê-lo com facilidade, e não falei uma palavra durante o jantar.

Depois da refeição, Anne ficou de pé e disse:

— Gostaria de trabalhar com alguns de vocês explorando pedras preciosas e cristais. Rachel?

— Ah, eu adoraria — disse Rachel.

— Charles? — perguntou Anne.

— Excelente, obrigado — disse Charles, levando o prato para o carrinho de louça.

— Reyn? — disse Anne. — E Nastasya.

Silêncio.

Nós dois esperamos que o outro desse para trás. E esperamos. E esperaaaaaamos...

— Ótimo — disse Anne. — Vejo vocês todos na sala verde em dez minutos.

— Posso me juntar a vocês? — Nell parecia ansiosa demais. — Estou doida pra trabalhar mais com pedras preciosas.

Anne hesitou por um momento, depois concordou.

— Certo, tudo bem.

Nell se desmanchou num sorriso.

Olhei nos olhos de River com mau humor. Ela parecia solidária, mas também parecia estar me desafiando a pular fora. Fiquei de pé e levei meu prato para a cozinha.

— Você não está se concentrando. — A voz de Anne estava paciente. Paciente demais.

Abri meus olhos. Eu estava em uma sala com alguém cuja família tinha matado a minha. Alguém cuja família tinha sido morta pela minha. Estávamos na sala juntos, tentando *criar uma ligação* com pedras. Eu estava sentada o mais longe possível de Reyn, e, é claro, Nell estava grudada nele como cola. Ainda parecia surreal, quem ele era, o que ele tinha sido na minha vida. As mesmas lembranças e experiências que eu tinha tentado bloquear na minha mente nos últimos quatrocentos anos estavam sentadas a 2 metros de mim, ao vivo e em cores. Era como me confrontar com o monstro debaixo da minha cama, só que amplificado mil vezes. Ali estava ele: o monstro. Meu pior pesadelo estava usando uma camisa de flanela xadrez verde-escura, jeans e tinha cheiro de sabão em pó e ar fresco de outono.

Estávamos sentados em fileira em uma mesa comprida. Anne tinha uma bolsa preta de veludo cheia de pedras e cristais, e cada um de nós teve que fechar os olhos, colocar nossa mão lá dentro e escolher a que parecia querer estar conosco. Sim. Essa era mesmo a instrução. Isso era bem mais pessoal do que o trabalho que tínhamos feito com metais, e a pedra que escolhêssemos influenciaria o modo como faríamos magick.

Charles foi primeiro e escolheu um olho de tigre. (Ou foi escolhido por ele.)

— Ah, sim — disse ele. — Olhos de tigre são a moda do momento.

A luz da tarde que se esvaía rapidamente iluminou o cabelo ruivo dele, e seus olhos verdes brilharam com bom humor. Ele escreveu alguma coisa em seu diário com capa de couro, a letra bonita inclinada para o lado direito.

Rachel pegou uma ametista, a cor roxa escura da pedra contrastando lindamente com a pele cor de oliva e o cabelo preto. Como sempre, ela não sorriu — ela não era uma garota sorridente —, mas simplesmente manuseou a pedra, olhando com seriedade.

— Reyn? Agora você. Apenas libere sua mente e se concentre ao mesmo tempo.

Anne segurou o saco aberto em frente a ele. A mão forte de Reyn era quase grande demais para caber na boca estreita do saco. Os mesmos dedos longos tinham deslizado por baixo do meu suéter na noite anterior. E também tinham ajudado a derrubar a porta do meu pai para que eles pudessem matar todo mundo na nossa casa. Meus mundos, passado e presente, estavam se chocando com uma força horrível, e eu tinha que ficar sentada ali, sem expressão.

Momentos se passaram. Todos esperamos. Reyn fechou os olhos, e consegui olhar seu rosto sem ele saber, tentando ver sede de sangue, tentando ver desejo. Olhei para o outro lado.

Ele lentamente tirou a mão de dentro do saco e a abriu. Na palma da mão dele havia uma pedra verde-escura, com manchinhas vermelhas.

— Um jaspe-sanguíneo — disse Anne, enquanto eu pensava: "quão apropriado." — E quais são as qualidades dele? Alguém?

— Ele promove... a honestidade — disse Reyn, e me ocorreu que Nell achava que ele tinha 267 anos. Ela não sabia a verdade sobre ele, mas eu sabia. — A integridade. Ele acalma as ansiedades. As pessoas acreditam que segurar um jaspe-sanguíneo contra um ferimento faz parar o sangramento. Há muito tempo, guerreiros usavam amuletos de jaspe-sanguíneo para estancar o sangue na batalha. — Ele parecia distante, pensativo, virando a pedra nas mãos sem parar.

— Muito bom — disse Anne. — Nastasya? Sua vez. — Ela abriu o saco na minha frente.

Coloquei minha mão lá dentro e tateei. Pedra. Pedra. Cristal. Talvez uma pedra. Cristal? Ah, que diabos eu sabia? Peguei uma e tirei — uma esmeralda bruta do tamanho e do formato de uma amêndoa.

— Não, não é essa — disse Anne, baixinho, mas com segurança.

Olhei para ela. Como ela podia saber?

— Feche os olhos, se concentre, se foque — disse Anne. — Há uma pedra específica para você. Ela quer ficar com você. Tente de novo.

Envergonhada, fechei os olhos e tentei limpar minha mente de quaisquer pensamentos. O que não fazia sentido — eu não deveria estar pensando em pedras e cristais e coisas assim? Tipo, aqui, pedrinha, pedrinha, pedrinha... venha pra mamãe...

Eu queria simplesmente tirar outra pedra do saco, mas Anne provavelmente diria que era a errada de novo. Como ela *sabia*? Como *eu* poderia saber? Esse era outro exemplo do devaneio e da besteirada de brux...

Senti vibrações. Vibrações mínimas, trêmulas, sutis quando meus dedos mal tocaram uma coisa. Encostei em outra pedra — estava fria e lisa, mas ainda imóvel. Meus dedos voltaram, e lá estava de novo, uma pedra tremendo ligeiramente sob meu toque. Anne estava fazendo alguma coisa? Seria um truque?

Abri meus olhos e franzi a testa para ela. Os olhos azuis dela estavam no meu rosto, atentos. As mãos dela, segurando o saco de veludo, estavam sólidas e imóveis.

— Sim? — perguntou ela.

A pedra agora se enchia de calor sob meu toque. Um lado era polido e arredondado; um lado era partido e irregular. As vibrações eram quase imperceptíveis, como os batimentos do coração de um beija-flor. Meus dedos se fecharam ao seu redor, e um rompante de alegria entrou em mim como uma farpa.

Tirei-a do saco. Era aproximadamente do tamanho de uma cereja grande e parecia... uma chuva leitosa, solidificada. Era igual à pedra no amuleto da minha mãe. Uma pedra da lua. Era linda, misteriosa. Eu a amava. E ela me amava.

— Sim — disse Anne com satisfação. — É essa. Você consegue sentir.

Concordei sem dizer nada, meio impressionada. Eu estava ali porque queria desesperadamente acreditar no que eles estavam vendendo, mas parte de mim sempre ficava surpresa quando o que eles estavam vendendo acabava sendo verdade.

— Nell? Agora você.

Sorrindo, Nell imediatamente fechou os olhos e colocou a mão dentro do saco. Ela fez alguns sons de "humm", como se quisesse demonstrar que estava muito concentrada. Observei-a, querendo saber qual era a história dela. Ela só tinha 80 anos, era da Inglaterra, então tinha nascido em algum momento dos anos 1920. Estava na casa dos 20 anos na Segunda Guerra Mundial. Por que ela estava ali? Por que queria tanto Reyn? Espere só até ela saber que ele era um guerreiro nórdico, o Açougueiro do Inverno. Será que ela se importaria?

Nell tirou a mão, mostrando uma pedra marmorizada de azul e branco.

— Ah, é linda — disse ela. — E combina com meus olhos! — Ela a ergueu ao lado do rosto e bateu os cílios. Charles sorriu.

— Você sabe que pedra é? — perguntou Anne.

— Sim, claro — disse Nell rapidamente. — É...

Silêncio. Mais silêncio. Tique-taque...

— Sodalita? — falei, um palpite mais do que tudo.

Nell olhou para mim com veneno no fundo dos olhos.

— Isso, isso, sodalita.

— Sim — disse Anne. — E quais são as qualidades dela?

Nell fez outra pausa. Eu ainda estava tonta com a lista de pedras, cristais, pedras preciosas, metais, óleos, ervas, estrelas, elementos, plantas, blá-blá-blá com que fui soterrada desde que cheguei lá. Tinha aprendido talvez meio por cento do que eles queriam que eu soubesse. Mas Nell já estava lá havia vários anos. Ela tinha pedido para estar lá naquela noite.

Ela sorriu de leve, corou, obviamente procurando uma resposta. Ela olhou de lado para Reyn, como se esperasse que ele a ajudasse. Ele estava virando seu jaspe-sanguíneo na mão sem parar, sem olhar para a frente. Ele tinha arrasado vilarejo atrás de vilarejo. Eu tinha visto os corpos das pessoas que o bando dele tinha matado. O pai dele tinha matado meu pai. Minha mãe e meu irmão tinham matado o irmão dele. O pai dele tinha matado todo mundo menos eu. E ainda assim esse homem, sentado a poucos metros de mim... Eu ainda podia me lembrar do gosto dele, de como o peso dele tinha me pressionado contra o feno cheiroso, da sensação da pele quente dele debaixo dos meus dedos. Realidades demais.

— Nastasya? — Anne se virou para mim. — A pedra da lua escolheu você. Quais são as qualidades dela?

Nell estava sem graça e tentava não demonstrar. Arrastei minha mente para longe de Reyn e tentei me concentrar no agora, buscando todo fragmento de informação sobre a pedra da lua que eu conseguisse lembrar. Hum, é lisa? Esbranquiçada? Olhei para a pedra na minha mão. Ela era pesada e estava quente. Era um tanto tolo o quanto eu a amava. Será que minha mãe tinha se sentido do mesmo jeito com a dela?

— Ela é sempre polida em cabochões, para exibir os olhos de gato — falei lentamente. — Em vez de facetada.

— Sim. O que mais?

Tive um branco sobre a composição química, sobre como ela era formada e até mesmo de onde ela era. Do Ceilão? Seriam essas as safiras? Hum, hum...

— Ela é atraída pela Lua — lembrei, as palavras parecendo vir a mim do nada. — As pessoas acreditavam que seu olho de gato aumentaria ou diminuiria de acordo com seus ciclos.

— O que mais?

Merda. Minha mente estava rodopiando com fragmentos de fatos e números. Senti a pedra na minha mão e olhei para ela. *Me conte seus segredos*, pensei. *Me conte por que você é minha.*

— É considerada uma pedra mais feminina do que a maioria. — Não sei de onde tirei isso. — É usada para conectar e atrair energia feminina, principalmente para sonhos e intuições. — Fechei meus olhos para deixar os pensamentos se alojarem na minha cabeça. — É usada para ajudar a equilibrar a energia masculina e a feminina, e para auxiliar na cura, principalmente nos males femininos relacionados ao nosso ciclo e ao parto. Auxilia na intuição. E, hum, na profecia. Por exemplo, se você está tentando ter visões e você a segura, ela ajuda a esclarecer o que você vê. — Hã, isso é interessante, pensei. — E, hum, ela... reúne amantes que se separaram com raiva. — Onde eu tinha lido isso? Eu esperava que fosse verdade, e não uma fala de um filme ou coisa do tipo. — Ela protege os que viajam pela água. Ajuda a tornar mais clara a tomada de decisões. — Agora eu não tinha ideia se ainda estava falando da pedra da lua. Parei de falar e abri os olhos.

Anne estava sorrindo para mim.

— Muito bom, Nastasya. Você já trabalhou com pedras da lua antes? Ela parece particularmente bem apropriada para você.

— Não. Quero dizer, nunca trabalhei com ela.

— Sodalita — disse Nell, como se não conseguisse suportar que a atenção estivesse virada para mim. Ela deu uma risadinha. Era ela quem deveria estar trabalhando com a pedra da lua, pensei. Ela era mil vezes mais feminina do que eu. — Ela é... para atrair o amor?

— Não, não especialmente — disse Anne com delicadeza. — Basicamente, ela ajuda a limpar a mente, para que você consiga identificar seus sentimentos. Ajuda você a se livrar de velhos padrões de raiva, culpa e medo, para que você possa enxergar seu caminho com mais clareza.

— Ajuda as pessoas que tendem a ser emocionais demais a pôr os pés no chão — disse Charles, querendo ajudar.

O rosto de Nell estava ficando tenso. Mantive uma expressão cuidadosamente neutra, mas por dentro eu estava rindo com maldade.

— Ela rompe o pensamento confuso e a ilusão — prosseguiu Anne —, revela verdades e torna o usuário mais pé no chão e confiante.

Nell não falou nada.

— Agora, eu gostaria que nos concentrássemos em carregar nossas pedras com nossas energias, nossas vibrações — disse Anne. — Todo cristal, pedra e pedra preciosa tem seu uso próprio, sua própria personalidade. Trabalhar com qualquer um desses pode ser algo muito poderoso. Trabalhar contra pode ser na melhor das hipóteses inútil; na pior, perigoso. Então vamos nos sentar em círculo, nos conectar às nossas pedras e ver aonde isso nos leva.

Anne pegou uma pequena tigela de prata e a encheu com sal marinho.

— Coloquem suas pedras aqui — instruiu ela. — As pedras guardam as vibrações das energias ao seu redor, dos donos anteriores, e o resíduo de feitiços nos quais foram usadas. Vamos purificá-las primeiro.

Depois ela desenhou um círculo no chão usando sal, simplesmente ao andar em um círculo segurando a caixa de sal marinho virada para baixo. Acho que os imortais e outros usuários de magick estavam mantendo a indústria de sal viva e saudável. O círculo era tão perfeito quanto seria se fosse desenhado com um compasso. Todos passamos por uma "porta" e nos sentamos. Eu esperava que não fôssemos fazer nada grandioso. Eu me sentia frágil, inquieta, e não conseguiria realmente aguentar mais lembranças, visões ou doses de realidade naquele momento. Ainda assim, parte de mim se deu conta de que, na verdade, eu já tinha visto recentemente a maior parte do que havia de pior. As coisas que eu tinha reprimido durante séculos tinham sido arrastadas para a luz do sol. Não havia sobrado tantos esqueletos no armário. Mesmo assim, uma trégua me faria bem. O que aconteceria se eu simplesmente passasse por cima da linha de sal? Será que minha cabeça explodiria? Será que a sala pegaria fogo? O quê?

Tive o cuidado de me sentar entre Rachel e Charles, e Nell teve um cuidado similar de se sentar ao lado de Reyn, dando um empurrãozinho em Anne para conseguir lugar. Vi Anne olhar para Nell. O círculo era tão pequeno que nossos joelhos se tocavam.

Anne colocou uma vela grossa e branca no chão ao lado da tigela de pedras e murmurou algumas palavras. Ela pareceu estalar os dedos no pavio da vela, e ela se acendeu. Que legal.

— Não preciso pegar a energia de vocês emprestada para a purificação. Vocês podem só observar — disse Anne.

Ela fechou os olhos e começou a cantar. As palavras me pareciam galês antigo, muito básicas e belas. Também meio assustadoras e de outro mundo. Ela gesticulou na direção da chama da vela, como se estivesse puxando a energia dela em direção ao seu rosto. Depois ela abriu as mãos de novo, derramando aquela energia na tigela de prata.

Quase engasguei quando o sal da tigela foi lambido por suaves chamas azuis. O sal é completamente não inflamável — Brynne tinha apagado um incêndio na cozinha com sal. Mas ali estava ele, queimando, mas sem ser consumido. Depois de apenas alguns minutos, o cântico de Anne foi baixando e a chama do sal apagou. Anne imediatamente enfiou as mãos nele e pegou o jaspe-sanguíneo de Reyn.

— Cuidado — disse Anne. — O sal está numa temperatura boa, mas as pedras estão quentes.

Cada um de nós pegou sua pedra. A minha me pareceu mais bonita, as cores refletindo mais, como se uma pequena estrela estivesse presa lá dentro, brilhando com intensidade. Oooh, me escutem só, estou sendo poética! Eu queria segurá-la contra meu coração, aconchegá-la na minha mão. Como se ninguém jamais tivesse amado uma pedra como eu amava essa. Era bem... esquisito.

— Agora vamos unir nossas pedras a nós — disse Anne. Ela pegou sua própria pedra, um pedaço irregular de obsidiana, do tamanho de metade do seu dedo.

— Hum... nós vamos fazer um círculo de verdade? — perguntei sem entusiasmo. Olhei ao redor da sala, procurando onde eu poderia vomitar.

— Vamos — disse Anne. Ela se inclinou e rapidamente traçou runas (talvez sigils?) na minha testa, na minha garganta e nas costas das minhas mãos.

Nell olhou para mim de maneira condescendente — a novata com o estômago delicado.

— Vou liderar o processo de união — disse Anne. — Segurem sua pedra na palma da mão esquerda e a cubram com a palma da mão direita, assim. — Ela nos mostrou. — Simplesmente entrem em contato com o seu poder, e quando estiverem prontos, repitam as palavras que vou dizer. Está bem?

Cada círculo do qual eu tinha participado nas últimas semanas tinha sido bem diferente, embora as formas básicas fossem as mesmas. Tinha havido o grande círculo lá fora, o grupo pequeno de duas pessoas que fiz com River e alguns círculos de grupos pequenos com colegas. A maior parte de mim ainda tinha medo, mas uma pequena parte estava começando a desejar participar deles — a onda de poder, a beleza, as espiadas em verdades cósmicas que apareciam aos pouquinhos... e se os feitiços de concentração de poder funcionassem, talvez não acabasse sendo um grande festival de vômito.

— Fechem os olhos, segurem suas pedras e entrem em contato com seus poderes — disse Anne.

Eu ainda não tinha um método planejado para "entrar em contato com meu poder". O que eu fazia era ficar lá sentada, pensando em coisas, e torcia para que isso acontecesse. Ouvi a voz incrivelmente tranquilizadora de Anne, tentei não sentir a acidez no meu estômago ao pensar em Nell e Reyn juntos, me forcei a lembrar o quanto era *ridículo* (não era uma palavra forte o bastante) gostar do Açougueiro do Inverno e senti o peso quente da minha pedra na palma da mão.

Em determinado momento, comecei a cantarolar uma melodia antiga que me veio à cabeça e me juntei à voz de Anne. Tinha uma melodia distinta, e ela parecia vigorosa, escura e ancestral, como uma velha raiz de árvore que tinha chegado ao centro da terra.

Eu não sabia de onde essas coisas estavam vindo — de repente eu era uma fadinha mágicka, me unindo à minha pedra, sentindo minhas raízes terrenas, lálálá...

Só posso descrever o jeito como me senti. E era assim que eu me sentia. Me processem.

Será que eu estava me balançando? Eu sentia como se talvez estivesse. Eu não sentia mais o joelho de Charles nem o de Rachel tocando nos meus. Não sentia mais minha bunda ossuda ficando dormente no chão frio de madeira. Minha pedra estava ficando mais quente e mais pesada, e quanto mais eu pensava nisso, mais feliz me sentia. Abri minha boca e cantei a melodia, deixando que se movesse vinda da terra, através de mim, até chegar ao ar. Era intensa e enchia meu peito, saindo da minha boca com facilidade. Sem eu nem perceber, a música tinha se tornado bastante bonita e poderosa. Agora eu sentia como se a conhecesse, a reconhecesse, e com um brilho intenso vi minha mãe, cantando a mesma música, executando algum rito. Minha *mãe.*

— Oh! — Houve um grito e um estalo, e meus olhos se abriram. Minha pedra estava tão pesada que minha mão encostou no chão, a pedra da lua quente na minha palma.

Olhei ao redor e vi Nell com os olhos arregalados e a boca aberta em formato de O. A tigela de prata e a vela tinham sido derrubadas. O sal estava espalhado no chão, misturado com o rio de cera que fluía da vela apagada ao lado.

— O que aconteceu? — Anne estava preocupada, olhando para cada um de nós.

— Minha pedra! — Nell abriu a mão e pisquei sem entender ao ver a pequena pilha de pó branco e azul. Ela tinha sido esmagada, pulverizada. Mas certamente a sodalita era forte o bastante, não era?

— O que aconteceu? — perguntou Anne de novo.

Nell virou o olhar ardente em minha direção.

— Você fez isso! Você esmagou minha pedra! Ouvi sua música, era do mal! Era como uma nuvem preta ocupando a sala! Você é do mal! Das trevas!

Dois meses antes, eu teria sido capaz de ignorar uma acusação daquelas, até mesmo rir dela. Não teria significado nada. Mas agora...

— Não, não sou — gaguejei. Por dentro, um pequeno pensamento sussurrou: *É o que você espera.* — Não sou — falei com mais força. — Não estava fazendo nada com minha música, só tentando unir minha pedra a mim. — Olhei para minha mão, encostada no chão pelo peso da pedra. Por um instante, ela parecia pesar uns cinco quilos, essa pedrinha. Mas de repente ela ficou leve, e ergui minha mão com facilidade. Na palma da minha mão, a bela pedra da lua brilhava, os olhos de gato refletindo a luz.

Anne parecia confusa. Sem dizer nada, ela se levantou e desfez o círculo. Pegou a vela e a tigela de prata e as colocou na prateleira.

Por fim ela se virou para onde nós estávamos, sem saber o que fazer.

— Como você se sente? — perguntou a Rachel.

— Bem — disse ela, dando de ombros, perplexa. — Senti que uni minha pedra a mim.

Ela se virou para Charles.

— Você?

— Também me sinto bem — disse Charles. — Senti magick poderosa, com certeza, mas não acho que foi Nastasya, e nem me pareceu que era do mal.

Depois Anne olhou para Reyn, que era uma cabeça e meia mais alto.

— Senti magick poderosa — disse Reyn lentamente, sem olhar para mim. — Pareceu antiga. Forte. Eu também uni minha pedra a mim. — Ele ergueu seu jaspe-sanguíneo e olhou para ele, avaliando-o.

Será que minha música tinha sido má? Será que tudo aquilo tinha sido eu? Será que eu era irremediavelmente das trevas, do mal? Pensei em Boz e Incy e quase fiz uma careta. Minhas bochechas queimaram quando o medo percorreu meu cérebro.

Então lembrei que River tinha me recebido ali. Ela disse que eu podia aprender a ser... a não ser do mal. Ela disse que era uma escolha. Que eu podia aprender a ser Tähti. Ergui o queixo.

— Ela destruiu minha pedra! — disse Nell, quase cuspindo. Ela ergueu a mão com a inegável evidência em pó.

— Por que eu faria isso? — perguntei. — Tenho minha própria pedra!

— Não é isso que você qu... — Nell começou a falar com raiva, depois parou, mordendo o lábio.

Charles e Rachel agora estavam olhando para nós duas como se isso fosse uma novela sórdida. E, é claro, de certa forma era mesmo.

— Reyn, Charles e Rachel — disse Anne com delicadeza —, vocês podem ir. Está ficando tarde.

Eles saíram o mais rápido que puderam, e Reyn deu uma olhada para trás.

Cruzei meus braços, segurando a pedra da lua com força.

Depois Anne olhou para mim e para Nell, com as mãos unidas em frente ao corpo.

— Há alguma coisa aqui que eu deveria saber?

Sim, Nell é uma vaca.

Nell parecia querer soltar o verbo, e com mórbida fascinação, eu meio que esperava que ela fizesse isso. Mas, com esforço visível, ela sufocou as emoções e fez uma expressão mais neutra, porém preocupada, no rosto lívido.

— Não, só que... Eu não queria falar disso, mas fico sempre tendo a impressão de que Nastasya tem inveja de mim. — Ela deu um sorrisinho charmoso e humilde. — E... pensei ter sentido magick negra. Estou preocupada. A magick dela não tem preparo, é imprevisível. E, na verdade, o que sabemos sobre ela? Minha pedra virou *pó* nas minhas próprias mãos. Eu não fiz isso. Foi alguma coisa das trevas. Você não sentiu? — Ela teve um tremor exagerado e olhou ao redor, como se a Morte pudesse estar esperando em um canto. Porque esse é o tipo de coisa que eu faria: conjurar a Morte, só para fazer mal a alguém. Nossa.

Anne olhou para ela, depois olhou para mim.

— Você esmagou a pedra de Nell? — perguntou-me ela.

Fiquei boquiaberta.

— Não! A magick que senti veio até mim, através de mim. Não tirei-a de uma fonte externa, como a pedra dela. Por que eu iria querer fazer isso? Eu só estava chamando meu poder, tentando unir minha pedra a mim.

Anne concordou.

— Tudo bem. Nell, deixe o pó aqui. — Ela ergueu um pequeno pedaço de pano e Nell virou a pedra esmagada sobre ele. — Você pode ir. Nastasya, eu gostaria que você ficasse por um momento, por favor.

Ah, pare com isso, pensei. Nell deu um sorrisinho disfarçado que só eu pude ver, e apertei os lábios, visivelmente irritada. Enquanto ela corria para a porta, percebi que seu rosto se refletiu em um castiçal antiquado preso à parede. Tinha um pedaço de metal muito polido como base, para duplicar a luz refletida. O metal funcionou como um espelho, e pelo espelho pude ver Anne observando Nell. Então ela tinha visto Nell sorrir também. Excelente. Sabe, acho importante que todos paremos para apreciar pequenos momentos como esse, que tornam a vida tão mais rica.

Fechar a porta se transformou em um grande show de Nell enfatizando que ela estava saindo e eu tinha sido convidada pela professora a ficar.

Quando a porta se fechou, me virei para Anne.

— Eu não destruí a porcaria de pedra dela.

Cruzei os braços. Por mais que eu esperasse não ser irrevogavelmente das trevas, eu estava apavorada com a ideia de Anne dizer que eu era, que eu não tinha o necessário para estar ali. Resumindo: que eu deveria ir embora.

Em vez disso, ela disse:

— Tem alguma chance de Nell ter sido a pessoa que colocou os feitiços do mal no seu quarto?

Fiquei tão surpresa que levei um minuto para processar a pergunta.

— Não sei — falei lentamente, pensando. — Eu não achava que ela era poderosa o bastante, mas por outro lado não sei como julgar isso. E não achava que ela me odiava tanto. Mas agora estou começando a ter dúvidas.

— Por que ela odiaria você? — A expressão de Anne era gentil e curiosa.

— Na verdade... não sei — falei, sem jeito. — Se for por algum motivo, é por causa de Reyn. Ela é louca por ele, e ele nem percebe. Mas obviamente Reyn e eu sempre evitaremos um ao outro. Ele é o demônio. Então se for por causa de Reyn, é uma perda do tempo dela. Mas não posso negar que ela parece estar no bonde dos que odeiam a Nastasya.

— Humm. — Anne tirou o cabelo fino e escuro do rosto e olhou para mim.

— Mas não destruí a pedra dela — me senti compelida a acrescentar. — Não fiz magick... do jeito antigo.

— Não, eu sei — disse ela. — Ela destruiu. A pedra dela essencialmente se recusou a se unir a ela.

Pisquei sem entender.

— O que, ela se autodestruiu?

— Sim. Embora eu tenha certeza de que era a pedra certa para ela. É interessante. Como você sentiu o seu poder?

Eu não queria me gabar e nem parecer muito entusiasmada.

— A sensação... foi muito boa. Me pareceu forte. Não me deu a sensação de ser do mal, nem assustador, como alguma coisa da qual eu quisesse fugir. Ouvi as palavras que eu estava cantando e achei que pareciam... fortes. Belas. — E isso porque eu não queria me gabar nem me entusiasmar, imagina.

— E eram. Eram incrivelmente fortes. E incrivelmente belas. É seu legado.

Ela olhou para mim de novo, como se estivesse tentando decorar meu rosto. Comecei a me sentir inquieta, então enfiei minha pedra da lua no bolso e fui em direção ao meu casaco. Do lado de fora, a noite estava compacta e acolhedora como um manto negro, e eu podia ver flocos de neve começando a cair.

— Como você se sente com relação à sua pedra?

Olhei para baixo e tentei fechar o zíper duplo idiota do meu casaco. Quem iria querer abrir o zíper do casaco de baixo para cima? Ninguém! Olhei para a frente, dentro dos olhos límpidos de Anne. Nada petulante ou sarcástico me ocorreu.

— Eu... a amo — falei, sem graça por expressar tanto. — Eu a amo É minha. É... É...

— É parte de você — disse ela calmamente.

— É — murmurei, desistindo do zíper.

— É a pedra perfeita para você — disse Anne, arrumando a sala e vestindo o casaco. — Você vai fazer magick interessante com ela. Estou ansiosa para ver isso.

Eu não sabia o que dizer.

— Você se lembra de quando aprendeu a música que cantou? — perguntou ela, fechando a porta. Andamos pelo corredor lado a lado. Estava tarde e meus olhos estavam pesados, minhas emoções esgotadas.

— Não — falei, apertando o casaco quando saímos para o ar frio da noite. A escuridão nos rodeava, dando uma sensação de intimidade à nossa caminhada. De repente a verdade começou a sair da minha boca. O que era muito estranho. — Na hora, parecia que estava vindo do chão, da própria terra — falei. — Me senti como um condutor para alguma coisa que já existia e estava passando através de mim, sabe?

— Sim. Eu sei.

— Então, logo antes de a pedra de Nell explodir, eu de repente me lembrei da minha mãe cantando a mesma música enquanto fazia alguma coisa. Não sei o quê. — Eu nunca tinha mencionado alguém da minha família voluntariamente, e me preparei para a enxurrada de perguntas.

Como sempre, Anne não fez o que eu esperava.

— Era um poder muito antigo, minha querida. Muito forte, como falei. Você é a única pessoa no mundo que pode acessar essa linha de poder. É um dom poderoso, até mesmo assustador. — Os olhos dela brilharam sob a luz da noite e prendi a respiração, esperando pela terrível remoção de mais camadas da cebola. Eu não estava pronta. Ainda não.

Anne esfregou as mãos e soprou nelas.

— Você sabe que Reyn não é realmente o demônio, certo? — Um vislumbre de sorriso brincava nos lábios dela.

— Não, não sei disso — falei.

Anne riu.

— Primeiro, nós não acreditamos no demônio. No mal, sim. Ele existe. Lutamos contra ele todos os dias. Mas no demônio? Não.

— Tudo bem, um agente do mal, então — aceitei.

Ela pegou uma das minhas mãos com as duas dela.

— Entendo por que você sente isso, Nastasya. — O tom dela estava sério agora. — Mesmo. Mas Reyn é só um homem, ainda que imortal. Quem

Reyn foi, o que ele fez, estava relacionado à cultura na qual ele cresceu. Ele foi o único invasor que atacou o castelo do seu pai?

— Ele foi o único que entrou — falei, tensa. Meu coração doía por dentro. Eu não queria falar sobre aquilo.

— A tribo dele era a única que destruía vilarejos? — insistiu Anne com suavidade. — Os povos conquistam e escravizam uns aos outros por toda a história da humanidade. Na atualidade, as pessoas veem isso, sabem sobre isso, falam mal. Naquela época, era parte da vida, como a peste, como arar com cavalos, como sete dos seus dez filhos morrerem.

Olhei para ela.

— Você está arrumando justificativas para ele? — Meu tom estava frio, incrédulo.

— Claro que não — disse Anne com firmeza. — Nem todo homem daquela época fez o que ele fazia, nem escolheu esse caminho. Muitos, muitos homens queriam paz, queriam lares e famílias. Reyn era um guerreiro violento e sedento de poder, nascido em uma cultura violenta onde subjugar outras culturas era a norma. Ele não se rebelou contra isso, não fugiu disso. Ele adotou essa prática: o horror, a morte, a escuridão. Mas quase trezentos anos atrás, ele escolheu um caminho diferente e deixou para trás suas armas e sua armadura. Ele deixou a casa do pai e abdicou de sua liderança. O povo dele o baniu por rejeitar a escuridão e a morte. Desde então, ele declarou uma guerra de outro tipo, dentro de si, contra sua própria natureza. Ele tem tentado consistentemente escolher o bem em vez do mal, a paz em vez da violência, a vida em vez da morte.

Eu me lembrei de Reyn falando sobre como seguir a escuridão significava loucura e sofrimento sem fim.

— Cada dia da vida dele desde então, tem sido uma batalha difícil — prosseguiu Anne. Estávamos na casa, mas paradas do lado de fora, na escuridão e no frio. — Ele teve retrocessos. Fez progressos e botou tudo a perder. Desceu a abismos e saiu rastejando. Mas eu e River sabemos que ele é um homem bom, no fundo. — Ela olhou para mim, pensativa. — E acho que você também sabe disso.

Meu queixo caiu. Como ela podia dizer uma coisa dessas para mim?

Anne bateu as mãos e inspirou.

— Ah, sinto o cheiro de fumaça de lareira! Nada tem um cheiro tão aconchegante quanto madeira queimando em uma noite fria, você não acha?

Não falei nada.

CAPÍTULO 28

No dia seguinte, eu estava encarregada do café da manhã. Queimei um quilo de bacon. Em um minuto eu estava dominando completamente a tarefa, virando as tiras como uma profissional, e então parei para tirar uma travessa de muffins do forno e, quando me virei, a frigideira inteira estava coberta de tiras pretas de carne de porco. Olhei para elas sem acreditar e, depois, com o canto dos olhos, tive um vislumbre de cabelo castanho-claro passando debaixo da janela da cozinha. Corri até a porta, abri-a com rapidez e desci os degraus da cozinha. Não havia ninguém ali. Mas eu tinha certeza de que tinha sido Nell, e que ela tinha feito alguma coisa com a fritura Ela estava começando a me irritar de verdade. Eu queria agarrá-la e dizer que ela podia ficar com o guerreiro nórdico, que eu não o queria, mas não fiz isso. River não tinha pedido a nenhum de nós que guardasse segredo sobre nossas histórias, mas pelo que eu podia perceber, Reyn não tinha contado a ninguém que eu era a herdeira da Casa de Úlfur, e eu não tinha contado a ninguém que ele era o Açougueiro do Inverno.

Pela primeira vez cheguei à MacIntyre's cinco minutos atrasada. Peguei carona com Rachel, que seguiria até Boston. As ruas estavam abarrotadas com a neve da noite anterior, e o pouco tráfego da cidade estava mais lento do que o habitual.

— Ah, agora ela entra toda faceira! — rosnou o Velho Mac quando o sino em cima da porta soou. — Que bom que você pôde comparecer hoje!

Eu estava malditos *cinco* minutos atrasada. A melhor defesa é um ataque intenso.

— Já pediu as mercadorias homeopáticas? — perguntei, indo para o fundo da loja para bater o ponto e pendurar meu casaco.

— Vá trabalhar! — respondeu ele.

O Velho Mac tinha acordado com o pé esquerdo naquele dia. Meriwether estava nas férias de inverno, mas ele nos mandava pular de lá para cá fazendo coisas a manhã inteira, e eu mal tinha chance de cumprimentá-la.

Os displays de Natal e de Hanukah já estavam limpos. Passei a manhã inteira arrumando-os, repondo produtos nas prateleiras com espaços vazios. O Yule seria em dois dias, e eu não tinha ideia do que River tinha planejado.

— Você é uma total *imbecil?* — A voz alta do Velho Mac me fez olhar. Ele estava dois corredores depois, mas a voz baixa e desesperada de Meriwether esclareceu com quem ele estava gritando.

— Já falei centenas de vezes! Deixe as receitas médicas separadas! Você está deliberadamente tentando destruir o que sobrou do nosso negócio?

Duas moradoras da cidade estavam fazendo compras na seção de cosméticos recentemente expandida, e nesse momento elas olharam para a frente, franzindo a testa.

Meriwether murmurou alguma coisa que não consegui ouvir.

— Não ligo pro que você pensou! — gritou o Velho Mac. — Não pago você para pensar! Eu penso! Você faz o que eu mandar!

As mulheres, franzindo os lábios, colocaram as compras de volta e saíram da loja tensas e com olhares de reprovação. Eu tinha certeza de que Meriwether as tinha visto. Ela devia estar morrendo de vergonha.

— Só porque deixei você mudar algumas mercadorias, não comece a ter ideias mirabolantes! — gritou ele.

Fiquei de pé, os punhos cerrados. O Velho Mac sempre era mau, mas não tão cruel normalmente, procurando atingir Meriwether de modo tão direto como fez agora.

— Pai... — Ouvi a voz suave dela e soube que ela estava à beira das lágrimas. Pensei sobre a frequência com que o pai gritava com ela, sobre como devia ser a vida dela em casa.

Minhas mãos começaram a se mover no ar, e palavras saíram dos meus lábios, quase sem eu perceber. Eu só conseguia pensar que ele jamais a intimidaria de novo.

— *Gib nat hathor* — sussurrei. — *Minn erlach nat haben...*

O espelho do corredor mostrou que a loja estava vazia exceto pelo Velho Mac sacudindo as mãos debaixo do nariz de Meriwether. Então eu me vi, meu cabelo louro-esbranquiçado, meus olhos escuros, manchas vermelhas de raiva nas minhas bochechas, minhas mãos traçando sigils no ar. Eu estava fazendo um feitiço, fazendo magick. Como? De onde tinha vindo isso, esse conhecimento? Tive uma lembrança, por uma fração de segundo, de Incy e o motorista de táxi, e eu me perguntando onde ele tinha aprendido aquela magick. Agora eu estava fazendo a mesma coisa, e a magick desconhecida estava crescendo dentro de mim. Eu nem precisava pensar. Pensar só fazia tudo sumir como fumaça. Mas ali estava eu, minha herança antiga finalmente aparecendo...

Para ferir o Velho Mac.

Houve uma pontada de calor no bolso do meu jeans. Agora estava queimando minha coxa, me queimando através do tecido. Parei e tirei o objeto de lá, minha pedra da lua. Estava brilhando com intensidade, e ver isso me fez perceber o que eu estava fazendo.

Eu queria ferir o Velho Mac, e a deusa sabia que ele merecia. Ele merecia mais do que outras pessoas que feri ao longo dos anos, intencionalmente ou não. Então o que estava me impedindo? A pedra da lua brilhava na minha mão, quase quente demais para segurar.

O que estava me impedindo?

Incy tinha aleijado o motorista. Boz tinha matado aqueles garotos.

River ficaria tão... desapontada? Furiosa? Desapontada. Ela talvez até me expulsasse de River's Edge. Então para onde eu iria? Solis e Asher ficariam furiosos, talvez não desapontados. Talvez esperassem que eu fizesse algo assim. Nell ficaria muito feliz, muito alegre e triunfante por eu ter feito uma besteira tão espetacular.

E eles saberiam, sem dúvida alguma. Conseguiriam detectar o aroma de energia mágicka ao meu redor, sentir as vibrações nos meus dedos. Eu não estava em River's Edge, onde a magick ficava meio que oculta, invisível para qualquer um de fora. Estava bem no meio da cidade.

Se eu fizesse isso, se executasse essa magick, ela deixaria uma marca da minha energia ali. Eu jamais tinha pensado nisso antes, talvez nunca tivesse notado ou pensado em algo assim. Mas quando eu entrava em uma sala de aula na casa de River, podia sentir se magick tinha sido executada recentemente ali. Às vezes eu conseguia saber por quem. Eu deixaria minha marca ali na loja em West Lowing, para qualquer um descobrir.

Sentei de repente em uma lixeira plástica virada. Meu coração começou a bater com força e meus ouvidos se encheram de um som de zumbido.

Eu quase tinha arruinado tudo. Quase tinha anunciado minha presença para qualquer um que quisesse captá-la e me encontrar. Como Boz. Como Incy. Sim, River e os outros tinham executado feitiços na cidade para que eu continuasse mais ou menos escondida. Mas se eu fizesse magick... Aquele pensamento talvez fosse mais assustador do que a ideia da reprovação de River.

Eu tinha parado. Tinha parado a tempo.

Eu me sentia pegajosa e com frio. O Velho Mac e Meriwether ainda estavam brigando a dois corredores de onde eu estava. Fiquei parada, me sentindo trêmula de nervosismo, e peguei uma caixa de Tampax. Indo em direção às vozes deles, agi como se estivesse em Timbuktu e não tivesse ouvido a gritaria.

— Ei, alguém sabe... — comecei, depois fingi surpresa quando duas cabeças se viraram para me olhar. O rosto de Meriwether estava manchado e lágrimas escorriam pelas suas bochechas. O Velho Mac estava tão vermelho que me perguntei se ele não estava tendo um ataque cardíaco. Concluí que eu descobriria caso ele caísse de repente.

— Ops, desculpem. Não quis interromper — falei com falsa alegria. — Mas algum de vocês dois sabe — ergui a caixa de Tampax, e o efeito disso no Velho Mac foi parecido com o efeito de uma cruz para um vampiro — se esses aqui existem em tamanho maior?

Meriwether, cuja cabeça devia estar rodando, se recompôs um pouco.

— Tipo, um pacote com 78 unidades?

— Não — falei enquanto o Velho Mac começou a se afastar, com os olhos no chão, murmurando sozinho. — Esse é tamanho júnior. Existe o regular. Existe tamanho jumbo, ou super? Tipo, para a noite, ou... talvez... para pessoas maiores?

Meriwether mal conseguia pensar direito, mas ela tentou com bravura, o que me deixou mais irritada com o pai imbecil dela.

— Acho que sim — disse ela baixinho. — Você olhou lá atrás?

— Ah — falei, agarrando aquela sugestão brilhante. — Não olhei. Farei isso. Ei, já é quase meio-dia. Não estou com fome. Vá almoçar, aí eu vou quando você voltar. Certo?

Meriwether mordeu o lábio, depois pegou o casaco e saiu correndo da loja.

O Velho Mac estava na parte dos remédios, mudando pequenas caixas de lugar, resmungando. Eu tinha conseguido um adiamento de meia hora para Meriwether. Desejava que pudesse simplesmente resolver a situação dela. A dela e a de Dray.

Eu gostava das duas. Queria que elas se sentissem melhor, que vivessem vidas melhores. E então me ocorreu que eu gostava de mim mesma. Queria viver uma vida melhor também. Gostar de mim mesma era me permitir gostar de outras pessoas. River estava certa *de novo*.

Que irritante.

E eu também sabia: tinha me impedido de fazer magick negra. Eu tinha escolhido *não* fazer. Isso era um progresso. Certamente era.

Naquela noite eu estava escalada para lavar a louça, e me concentrei no agora, o que significava sentir o quanto eu não estava gostando de lavar a louça.

— Você já pensou em comprar uma lavadora industrial? — perguntei a River quando ela trouxe outra pilha de pratos. — Tem algumas que lavam um monte de louça em 2 minutos. — Passei a escova em um prato e o enfiei na água quente e cheia de detergente. Eu tinha me esquecido de usar luvas de borracha (vamos todos dizer *é claro* juntos, ok?) e minhas mãos estavam ressecadas e vermelhas. Eram as mãos de um pescador sueco. De um homem. Velho. Pensei nas mãos macias, brancas e femininas de Nell, nas unhas sempre bem-feitas, e senti bile subindo pela minha garganta.

River sorriu e passou a mão nas minhas costas.

— Sei o quanto é importante para você poupar tempo. Porque você nunca tem tempo o bastante.

Gemi, e ela riu.

Falando muito sério, aquela última semana tinha sido uma porcaria. Nell parecia estar aumentando seu arsenal de guerra. Eu não conseguia tirar Reyn da cabeça, vivia revivendo o terror das minhas lembranças dele, tanto de quando ele destruiu minha infância quanto de agora, que ele destruiu minha paz de espírito. Eu me lembrei dos nossos beijos ardentes, me lembrei do quanto ele pareceu assombrado quando me reconheceu. Ele ficou horrorizado com o fato de eu ser uma "menina má", que podia fazê-lo retroceder novamente, e também com o papel que ele e sua família exerceram na minha vida. O mundo dele também estava em conflito.

O Velho Mac estava insuportável. Eu me sentia mal tanto por Meriwether quanto por Dray. Era inverno, a estação de que eu menos gostava, quando o sol nascia tarde e se punha cedo, com o frio sem fim, a neve, o gelo. Por que River não se estabeleceu nas Bahamas? Será que ela não podia reabilitar almas lá? Sim. Ela podia. Mas escolheu este lugar aqui.

— Talvez eu não consiga fazer isso. — Não me dei conta de que tinha falado em voz alta até que River se virou e disse:

— O quê?

Agora que eu já tinha posto para fora, estava exposto. Dei uma esfregada irritada em um prato.

— Estou lavando pratos e sendo bicada por galinhas. Sendo alvo de vagabundas de duas caras e fazendo amizade com garotas cujas vidas são mais infelizes do que a minha e, ah sim, estou aqui celebrando com o psicopata que matou meus pais. Ou seja, podia ser pior?

River olhou para mim.

— Não nasci para ser uma escoteira imortal — falei com cansaço. — Todo esse estudo e aceitação do passado e exame do meu interior, e essa coisa de ser amiga e de arrumar prateleiras... isso não sou *eu*.

River não disse nada, e depois de um minuto me preparei para o que eu poderia ver nos olhos dela. Decepção? Olhei para a frente e vi... Não sei. Compaixão?

— O que você quer? — perguntou ela com delicadeza.

— Quero me sentir melhor — falei, como já tinha falado antes. — Não sentir dor.

— Não. O que você quer de verdade?

Trinquei os dentes e soltei de uma vez só:

— Quero... me sentir como se não fosse um lixo de pessoa.

— Não. — Ela parecia bastante segura. — O que você *quer* de verdade?

Eu queria gritar e quebrar o prato na pia de pedra.

— Quero não ser do mal. — Quase sussurrei as palavras. Nunca as tinha dito em voz alta antes.

River não disse nada, mas tive a distinta impressão de que aquela *ainda* não era a resposta certa. Depois de alguns minutos, ela passou a mão no meu cabelo e saiu.

Se Nell tivesse entrado na cozinha naquele momento, eu teria quebrado um prato na cabeça dela.

Em vez disso, permaneci sozinha e terminei de lavar a porcaria dos pratos. Depois subi a escada, fiz meu feitiço de trancar portas, deitei na cama de roupa, bebi meu chá e chorei até dormir.

CAPÍTULO 29

O dia seguinte era sábado. Eu tinha que cuidar de dois cavalos. Os animais designados para mim foram Sorrel e Titus. Sorrel era uma quarto de milha elegante e graciosa que era usada só como montaria; Titus era da raça Irish draught e de vez em quando era atrelado a carroças ou carruagens, sei lá. Os dois eram bons animais, no sentido de que eram pacientes e calmos, ao contrário, por exemplo, da galinha dos infernos.

Prendi Sorrel e comecei com a escova de borracha. Ela bufou no meu cabelo enquanto eu a escovava, soltando a sujeira e desembaraçando o pelo.

Cavalos. Nem quero falar sobre cavalos. É impossível expressar o quão crucial os cavalos sempre foram para as pessoas, até literalmente os últimos cem anos. Por *milhares* de anos, os cavalos e as vacas foram o que mantiveram as pessoas vivas, permitiram que as pessoas viajassem, transportassem coisas pesadas, cultivassem terra o bastante para sustentar uma família. Sempre os tive por perto. Uma das vezes que morei na Inglaterra, no meio do século XIX, eu tinha sido louca por cavalos, quando cavalgava todo dia, tinha os meus animais, mandei fazer selas sob medida. Mas eles eram como todo o resto: acabavam morrendo.

Acabei superando essa paixão. Agora eu os evitava. Os olhos sábios, a natureza sensível... Eles conseguem ver a verdade no meio de baboseiras, como os cachorros, os gatos e as crianças pequenas. Eu tentava evitar todos esses. Além do mais, assim que eu sentia o cheiro de um cavalo, muitas lembranças voltavam, com muita força, do jeito que os cheiros conseguem fazer. Às vezes eu posso estar no mesmo prédio ou aeroporto ou ver exatamente a mesma vista de uma ponte e nem lembrar, embora saiba que já estive lá. Mas se aquela memória vem acompanhada de um cheiro, tudo volta com força e com detalhes excruciantes. O cheiro de amendoins assando em Manhattan. O cheiro do mar Mediterrâneo em Menton. Feno recém-cortado no Kansas. Neve na Islândia. Uvas esmagadas na Itália. Sonho sendo frito e café em Nova Orleans.

E cavalos.

Sorrel bateu a perna dianteira esquerda com delicadeza enquanto eu me esforçava para não pensar no palheiro a 3 metros e meio acima de mim. Por alguns minutos, eu tinha sido feliz lá em cima.

Primeiro a escova de borracha, depois a escova de nylon, depois a es cova macia e finalmente a toalha. Sorrel parecia um cartão-postal quando terminei de limpar o pelo dela. Peguei o limpador de casco e limpei debaixo das ferraduras dela, e então acabei. Enquanto eu soltava as cordas, ela passou o focinho no meu cabelo, sua respiração quente e com cheiro de feno.

— Tudo bem, cavalinho — murmurei, e a coloquei de volta na baia.

Titus era maior e mais pesado, mas não tão grande como um percheron ou um Shire. Já vi cavalos Shire que eram realmente enormes. Prendi Titus e peguei a escova de borracha com um braço que já começava a doer.

Cavalos de carga.

Meu pai tinha tido cavalos de guerra — não grandes e pesados, como na Europa, próprios para carregar homens e armaduras de 180 quilos. Mas, ainda assim, cavalos grandes e poderosos criados para a guerra. Cavalos perto dos quais as crianças não podiam chegar. Ele também tinha o que chamava de cavalos de damas — menores, mais leves, normalmente fêmeas, para minha mãe, meus irmãos e eu cavalgarmos. Montei em um quando tinha 3 anos. Quando cheguei aos 6, eu já tinha o meu próprio cavalo. Não sei mais o antigo nome em islandês, mas significava estrela-do-mar, por causa de uma mancha engraçada no pelo. Minhas irmãs e irmão mais velhos e eu andávamos nos cavalos tranquilamente, saindo dos territórios do castelo, e descíamos as trilhas até a praia cheia de pedras. Lá, nós treinávamos ficar de pé nas costas dos cavalos, segurando as rédeas com uma das mãos, a outra esticada dramaticamente acima da cabeça. Achávamos que éramos incrivelmente enérgicos e ousados.

Depois que perdi tudo e fui morar com minha família adotiva, e eles me casaram com Àsmundur, o pai dele nos deu uma pequena égua de carga como presente de casamento. Era um presente dos reis, nosso próprio cavalo! O nome dela era uma tradução de Musgo, por causa da crina e da cauda. Ela era pequena mas muito forte e corajosa, e trabalhava duro. Eu a amava, embora nunca pudesse cavalgar nela — quando não estava trabalhando, ela tinha que descansar. Depois Àsmundur morreu, e foi Musgo quem carregou o caixão dele até o cemitério. A pequena Musgo puxou a carroça com Àsmundur e nós todos a seguimos.

Tive que vender Musgo depois disso — eu não tinha dinheiro para alimentá-la ao longo do inverno, e não conseguia cuidar nem de uma pequena fazenda sozinha. Além do mais, se eu ficasse naquela comunidade, não demoraria até que me encontrassem outro marido. Sendo uma viúva jovem e saudável, eu seria cobiçada como ouro. Então vendi Musgo, empacotei o que conseguia carregar nas costas, e disse adeus a *Momer* e *Pabbi* e à família de Àsmundur, que não queria que eu fosse. Depois me dei conta de que eles tinham outro filho, que só tinha 14 anos na época, mas teria sido conveniente se eu tivesse me casado com ele também.

Segui na carroça de feno de um vizinho até a cidade mais próxima e maior, Aelfding. O percurso durou o dia todo e parte da noite. Chorei a viagem inteira, em parte pelo pobre Àsmundur, mas principalmente pela adorável, corajosa e forte Musgo, que nunca mais tornei a ver e de quem senti saudades por mais de cinquenta anos.

Em Aelfding, procurei a Mãe Berglind, que morava em um sótão em cima de um estábulo e se sustentava tecendo um linho grosseiro para aventais e similares. Ela era muito velha e estava quase cega, e operava o tear principalmente pelo toque. Tive que chegar bem perto para ela me ver. Quando me viu, ela apertou os olhos e inclinou a cabeça. Eu tinha mudado: agora tinha 18 anos, era uma mulher, viúva. Na última vez que ela havia me visto, eu tinha 10 anos. Mas quando ela me reconheceu, pareceu ter medo e se afastou.

— O que você quer, criança? — perguntou ela.

— A senhora se lembra de mim? Eu era... órfã, e a senhora conseguiu uma família para mim, fazendeiros que moravam no vale. Gunnar Oddursson?

Ela hesitou, apertando os olhos para me ver, como se pesando se devia negar ou não.

— Sim — disse ela por fim, com relutância.

— O lar da minha família era perto de Heolfdavik. A senhora sabe se ainda tem alguém lá?

A senhora idosa olhou ao redor, como se alguém pudesse estar escutando. Ela parecia infeliz e perturbada pela minha visita. Eu queria agradecer a ela por ter conseguido aquela família adotiva, mas ela parecia ansiosa para que eu fosse embora.

— Não tem ninguém lá — disse ela.

— Ainda há pessoas no vilarejo? — insisti.

— Não! Ninguém mora lá! — Ela parecia com raiva agora, e se afastou, andando com dificuldade para o banco em frente ao tear.

Eu não sabia o que dizer e fiquei sem graça diante do seu desconforto. Virei as costas sem dizer uma palavra e desci a escada estreita e íngreme até chegar ao ar frio do dia.

Acho que era natural eu voltar. Não era tão longe quanto eu pensava — quando era pequena, parecia uma distância incrivelmente grande entre o *hrókur* do meu pai e Aelfding, e de lá até a fazenda dos Oddursson no vale. Mas fiz a caminhada em cerca de seis horas, a estrada estreita e coberta de lama.

Eu me lembrava vagamente daquele caminho. Só o tinha percorrido inteiro duas vezes, mas me lembrava dele sendo mais largo, mais plano, com muito mais tráfego. Em alguns lugares, eu tive que praticamente abrir caminho entre a vegetação que tinha crescido ali. No passado, aquela havia sido uma via entre Heolfdavik e Aelfding, passando bem no meio das terras do meu pai, do nosso vilarejo. Era estranho ninguém o estar usando.

Quase não vi a entrada que levava às terras do meu pai. Só algumas pedras, quebradas e cobertas de grama de estepe, me fizeram perceber que aquilo fora o portão do nosso vilarejo no passado. Desci aquela estrada, e depois de meia hora, quando meus pés estavam doendo e os ombros latejavam por carregar meus poucos pertences, vi a propriedade do meu pai.

Quando eu era pequena, a parte da frente era cercada de muros de pedra com uns 5,5 metros de altura e 3,5 metros de espessura. Agora eu só via fragmentos de pedra quebrada.

Naquela época, qualquer cidade com mais de 400 ou 500 choupanas juntas tinha um muro ao redor, para dificultar a entrada de invasores. Isso não os detinha — nada os detinha —, mas dificultava um pouco. Em nosso vilarejo, primeiro havia o muro, com o portão pelo qual eu tinha passado, e dentro do vilarejo cercado havia casas e choupanas e espaços de terreno onde as pessoas criavam cabras, porcos ou ovelhas, e de vez em quando um cavalo. Havia pequenas hortas. No cume do morro havia o grande castelo da minha família — bem, a tradução significava castelo, mas era pequeno. Era a maior e mais elaborada construção em centenas de quilômetros, mas ainda assim era rudimentar, toda feita de pedra, em vez de madeira ou pau a pique.

Meu pai tinha sido o rei desta terra, assim como o pai dele e o pai do pai dele. Eu tinha nascido na realeza, ainda que numa escala menor do que os reis e rainhas europeus, mas uma realeza que possuía muito poder — o poder mágicko da Quarta Casa dos Imortais. A Casa de Úlfur. O muro ao redor da casa provavelmente englobava uns 5 acres. Era mais alto e mais largo do que o muro do vilarejo, e havia um caminho onde os soldados podiam correr em cima. Enormes portões de madeira, cheios de estacas de ferro, abriam para fora, para torná-lo mais difícil de ser quebrado por um aríete. Bem atrás do portão ficava uma grossa plataforma de madeira coberta de terra batida. Se você não soubesse que a plataforma estava lá, era capaz de andar por ela sem perceber. Mas ela podia ser removida, em caso de ataque, e embaixo havia um buraco muito profundo. No fundo do buraco havia centenas de estacas de madeira. Eu achava que a vida de alguns dos homens de Reyn tinha terminado ali, naquela noite.

Não era um castelo como o de Versalhes ou de Windsor — era muito mais rústico e antigo —, mas tinha arquitetura de castelo, com frestas estreitas nas paredes para flechas serem lançadas, escadas de pedra curvas e assim por diante. O pátio era o quintal cercado pelo nosso muro. Nossos criados moravam ali, em pequenas casas ao longo dessa parede imensa, e tínhamos nossos próprios cavalos, cabras, porcos e ovelhas. Nossos próprios jardins. Se invasores atacavam, o povo do vilarejo pegava o que conseguia e corria para o *hrókur* do meu pai. Os altos portões de madeira eram fecha dos quando eles entravam, e então nós nos agachávamos e esperávamos o ataque. Os invasores nunca ultrapassaram os muros do meu pai. Até o dia em que conseguiram.

Havia se passado quase nove anos depois do ataque. Eu não sabia o que encontraria. Achava que talvez o vilarejo tivesse sido reconstruído. Quem sabe até um novo senhor tivesse se estabelecido no castelo reconstruído. Mas o que encontrei naquele dia foi nada.

Vi o entulho dos portões, depois mais entulho na parede do nosso pátio. A casa do meu pai tinha sido construída com pedras enormes, extraídas de uma pedreira no interior. Mas quando olhei para o local onde ela deveria estar, a maior pedra que vi era talvez do tamanho de uma abóbora. Como se todas elas tivessem sido pulverizadas do mesmo jeito que a pedra de Nell. Agora eu sabia que o pai de Reyn tinha tentado usar o amuleto de minha mãe, a ferramenta que a ajudava a direcionar sua magick. Mas ele não tinha a sabedoria dela, os feitiços, e fora transformado em vapor por uma explosão provocada por algum tipo de poder. Reyn tinha visto o pai, os irmãos e seus homens virarem cinza na frente dele. E tinha uma queimadura, como eu.

Os invasores sempre destruíam as cidades — colocando fogo em tudo, levando ou matando os animais de cria, levando ou matando as pessoas. Mas normalmente ficavam resquícios de choupanas, estruturas, chaminés. Algumas vezes a destruição não era completa, e as pessoas reconstruíam, mas não com frequência. Naquela época todo mundo acreditava que perigosos trolls surgiam depois da partida dos invasores. Então o vilarejo era abandonado a essas criaturas e um novo vilarejo era construído nas proximidades.

Mas isso... Eu nunca tinha visto nada assim. Não havia sobrado nada, e o castelo tinha sido uma grande estrutura de pedra com pelo menos 14 cômodos. E, ao contrário da estrada que levava até ali, onde havia existido o *hrókur* da minha família, nada tinha voltado a crescer; nem mesmo a natureza tinha reocupado o espaço. Andei pelo entorno da casa — o próprio chão estava queimado, chamuscado. Mas as coisas sempre voltavam a crescer depois de um incêndio, às vezes até de maneira melhor.

Eu tirei minha bolsa das costas e me sentei no chão. Voltei para nada. Não havia ninguém lá para me ajudar a saber o que tinha acontecido. Eu tinha tido esperanças secretas de encontrar alguns dos livros de *Faðir*, talvez um pouco queimados, mas escondidos embaixo dos escombros. Ou as joias da minha mãe, as que os invasores não tivessem encontrado. Em vez disso, era como se ninguém tivesse morado ali. Esfreguei minha nuca. Eu morara ali pelos dez primeiros anos da minha vida, era onde tinha tido uma família de verdade. Éramos ricos; meu pai tinha sido poderoso. Pessoas importantes tinham viajado longas distâncias para vê-lo. Tínhamos criados, professores, livros, instrumentos musicais, cavalos e uma pequena carroça, puxada por cabras, para meu irmãozinho.

Agora não havia nada. Eu não tinha nada. Não tinha ninguém.

Naquela noite, vi a cabeça do meu pai cair pela chaminé e rolar pelo chão. Vi minha mãe esfolar um homem vivo, vi Sigmundur cortar a cabeça dele. Corri até minha mãe, deixando minha irmã mais velha e meu irmãozinho, e me agarrei à saia dela por trás. A cena era repleta de imagens picotadas, de sons altos e segmentados. Havia homens, tantos homens, no corredor. O castelo estava pegando fogo, tudo no pátio estava em chamas. Os cavalos e as ovelhas berravam. As crianças, filhos dos homens do meu pai, estavam chorando. Às vezes eu ouvia o choro deles sendo interrompido de repente.

O corpo sem pele do invasor estava caído no chão, cada centímetro dele coberto de sangue. No momento seguinte, o homem maior, com cabelo vermelho-dourado e rosto pintado, rugiu e pegou o machado de luta por cima do ombro. Tudo pareceu acontecer em uma câmera lenta sem fim, mas vi a afiada lâmina de metal sendo balançada, vi meu irmão pular com agilidade para fugir dela, vi a lâmina cortar o ombro dele, quase arrancando-lhe o braço.

Sigmundur gritou e então a sala ficou completamente tomada de mais guerreiros. Alguns montavam guarda do lado de fora da porta, lutando contra os guardas do meu pai que vinham correndo pelo corredor.

Sigmundur cambaleou, gritando, mas ergueu sua própria espada na outra mão quando o machado do invasor foi erguido de novo, e então a cabeça do meu irmão caiu ao chão, seguida do corpo que desmoronava lentamente.

De trás da saia da minha mãe, ouvi a música cruel, sombria, terrível, vi relâmpagos saírem de suas mãos, atingindo invasores nos rostos, nos olhos. Eles gritavam e se afastavam, mas sempre havia mais.

Alguém cortou a cabeça de Eydís e ela caiu como grama cortada em um campo. Sua cabeça ficou caída bem perto do pescoço, e os olhos continuaram a piscar, as mãos a tremer. Uma bota pesada empurrou a cabeça vários metros adiante, e depois de alguns minutos ela ficou parada e seus olhos se fecharam

Tinna foi a seguinte. Ela sempre tinha odiado lutas e espadas, sempre tentara fugir dos treinos. Agora estava parada de camisola, o rosto branco como um lençol, e deixou a espada cair no chão. Um homem andou até ela e a pegou, jogando-a por cima do ombro. Ele começou a andar pelo meio dos corpos para sair da sala, mas alguns dos guardas do meu pai o atacaram e enfiaram as espadas pela barriga dele, fazendo suas tripas saírem pelo buraco.

Outro machado cortou a cabeça de Tinna. O homem maior, o mais velho, estava gritando ordens — ele ainda estava vivo, embora coberto de tanto sangue que a tinta do rosto estava escorrendo. Ele falava um dialeto diferente do nosso, mas era parecido o bastante para que eu entendesse as palavras: "Matem todos! Não deixem ninguém vivo! Até mesmo as crianças! Qualquer um que fique vivo vai amaldiçoar a magick deles!"

Háakon se ajoelhou, as pequenas mãos ainda segurando a adaga. Um homem correu até ele e Háakon automaticamente o atacou com a arma, cortando a panturrilha dele. No segundo seguinte, meu irmãozinho também estava morto.

Minha mãe estava de pé, alta e terrível e irradiando poder. Vi um relâmpago cortar o ar e atingir o invasor maior no olho. O relâmpago explodiu e ele gritou, derrubou o machado e colocou uma mão sobre o buraco, agora só uma órbita vazia. Quando minha mãe ergueu as mãos de novo, segurando o amuleto, ele balançou a espada com a mão, mais rápido do que eu imaginaria possível. Senti o corpo da minha mãe tremer com o golpe, e depois, lentamente, ela começou a cair para trás. Eu me agarrei à sua saia e fechei bem meus olhos, e ela caiu bem em cima de mim. Minha cabeça bateu no chão de pedra com tanta força que vi estrelas, e o caos da sala se esvaiu por um momento. O peso da minha mãe era grande, a lã grossa do vestido dela me sufocava. Eu não conseguia ver nada, não conseguia me mexer. A gritaria ficou abafada. Meu nariz se encheu de aromas horríveis de coisas queimando, de cabelo, lã e pele.

Não sei quanto tempo fiquei deitada ali. Em algum momento se fez silêncio, e ainda assim eu continuei deitada, embora mal conseguisse respirar. A fumaça entrava pelo meu nariz, queimava minha garganta. Por fim percebi que não conseguia mais respirar. Tentei empurrar o corpo da minha mãe, mas tive que firmar os pés e empurrar com força. Ela rolou para longe. Abri meus olhos. Não havia nada vivo na sala. Ao meu redor estavam os corpos dos meus irmãos e irmãs. O rosto da minha mãe, ainda belo, estava a vários metros de distância. O corredor estava vazio. Ouvi gritos ao longe, lá fora. O castelo estava queimando ao meu redor, aquela sala em chamas, o calor quase insuportável.

Lentamente, fiquei de pé. Eu estava dormente, não pensava, não sentia nada. Eu me sentia morta talvez eles tivessem me matado e eu fosse um espírito agora. Tive que passar por cima dos corpos de Eydís e Háakon. Se eu fosse um espírito, teria flutuado por cima deles.

A porta do escritório estava quebrada, destruída, e fui em direção a ela; e então, com o canto dos olhos, vi uma parede se mover. Olhei para ela e ela se moveu de novo, um pedaço estreito da parede de pedra ao lado de um armário. Ela deslizou para o lado e me agachei, meus dedos acidentalmente encostando no cabelo de Sigmundur, encharcado de sangue.

O rosto de uma mulher apareceu, com expressão apavorada. Ela viu a sala e o que tinha nela e colocou a mão em cima da boca para se impedir de gritar. Olhei melhor e a reconheci: Gildun Haraldsdottir. Ela era esposa do responsável pelos estábulos de papai. Um homem apareceu ao lado dela: Stepan, seu marido. O rosto dele desmoronou de tristeza e horror e ele colocou uma das mãos no ombro dela.

Fiquei parada.

Eles deram um salto de susto ao me ver ali no meio das chamas e dos corpos. Com a boca aberta de choque, Gildun fez sinal para que eu fosse até ela. Comecei a obedecer lentamente, mal sabendo o que fazia. Alguma coisa fez barulho debaixo do meu pé — era uma pesada corrente de ouro, a que prendia o amuleto da minha mãe ao redor do pescoço dela. O amuleto tinha sumido e o pescoço da minha mãe tinha sido cortado. Dei outro passo na direção de Gildun, deixando a corrente onde estava.

Eles fizeram sinal para que eu fosse logo. Eu nunca tinha visto aquela porta secreta, não tinha ideia de onde ela ia dar. Agora, olhando para trás, entendo que foi por isso que nossa mãe nos levou para lá. De alguma maneira, as coisas tinham acontecido rápido demais para que ela nos colocasse no túnel de fuga, ou talvez ele só pudesse ser aberto pelo outro lado. Não sei. Jamais saberei.

As chamas lambiam o carpete onde eu estava. No minuto seguinte, minha camisola pegaria fogo. Eu não sabia que era imortal, tinha acabado de ver minha família ser morta. Eu sabia que morrer em um incêndio seria ruim. Mais um passo e pisei em outra coisa. Tive medo de ser a mão de alguém, não queria olhar para baixo. Mas olhei. Eu estava de pé em cima de lã em chamas, e o cheiro era terrível. Embaixo das chamas estava o amuleto de minha mãe — ou pelo menos metade dele. Faltava metade, a metade com a pedra da lua. Olhei ao redor rapidamente e não a vi. Eu me inclinei, peguei a metade que estava ali, queimei a mão e a soltei imediatamente.

— Lilja, ande! — A voz de Gildun estava baixa e assustada. — O fogo!

Rasguei a bainha da minha camisola, tirando uma faixa longa. Enrolei minha mão no tecido, peguei o amuleto e mantive o olhar preso ao rosto de Gildun. Em cinco passos cheguei a ela, e Stepan esticou a mão, me pegou e me puxou para o túnel escuro. Gildun fechou a porta atrás de nós e pegou sua tocha. Stepan segurou minha mão com força e me levou pelo túnel.

— Esperem! — Eu precisava estar com as mãos livres. Enrolei o amuleto na tira de tecido e o amarrei ao redor do pescoço. Então segurei na mão de Stepan de novo, e nós três corremos pelo espaço estreito de teto baixo, chão batido e com cheiro de umidade e terra.

Pareceu que corremos durante horas. Tropecei em raízes e pedras, e uma vez Gildun teve que me puxar para que eu conseguisse me levantar. Por fim, saímos dentro de uma pedra enorme. Uma fissura natural bem estreita nessa rocha era a saída, e ela ficava escondida por uma vegetação densa. Passamos com dificuldade e vi que estávamos em uma estreita estrada de fazenda, bem longe do castelo. Olhando para trás, vi que a estrutura toda estava ardendo em chamas.

Eu não sabia se íamos correr o caminho todo até Aelfding, mas 400 metros depois um fazendeiro, um homem que eu não conhecia, estava esperando com sua carroça de feno. Trabalhando com rapidez, Gildun e Stepan abriram um buraco no feno, depois Stepan me levantou e me jogou lá como se eu fosse um pacote. Mais feno foi jogado em cima de mim, pelo menos 1,5 metro de espessura, mas espalhado o bastante de modo que eu ainda conseguia respirar, embora com dificuldade.

O fazendeiro fez um ruído para seu burro e a pesada carroça começou a se mover.

No dia seguinte o fazendeiro me levou para a Mãe Berglind e ela me levou para a fazenda de Gunnar Oddursson, e aí me tornei Sunna Gunnarsson. Lilja e sua vida foram deixadas de lado, um livro fechado que eu nunca quis reabrir. Morei lá durante seis anos, até me casar. Jamais tornei a ver Gildun, Stepan e nem o fazendeiro, não fazia ideia do que tinha acontecido a eles.

Com o passar do tempo, me acostumei a ser filha de fazendeiro, e o único sinal de que eu tinha sido qualquer coisa diferente disso era a queimadura redonda na minha nuca, onde eu tinha colocado o amuleto que queimou o tecido e depois minha pele. Nem reparei na hora.

O sol estava alto no céu — eu tinha que começar a voltar para Aelfding antes dele se pôr. De repente minha nuca coçou e fiquei de pé rapidamente, cobrindo os olhos para observar a beirada da floresta a uma grande distância. Não vi ninguém e nem nada, e me ocorreu que eu não tinha visto ou ouvido um único pássaro, nem sequer um único animal selvagem ali. Eu nem tinha visto inseto algum. Aquele era um lugar mais do que morto — parecia amaldiçoado.

Peguei minha bolsa e segui para a estrada. Ela parecia cinco vezes mais pesada, meus tamancos resistentes incrivelmente pesados e desconfortáveis. Tudo parecia sobrecarregado; uma quietude opressiva pesava sobre mim, deixando minha respiração carregada, como se presa na garganta. Parecia que nem o sol brilhava direito ali. Havia escuridão naquele lugar, uma sombra lançada por uma coisa que não era viva. A área estava saturada de horror, sangue e maldade.

E então fui tomada por uma dor, me encolhi e deixei minhas coisas caírem.

Passei a escova de nylon com delicadeza pela perna de Titus, sentindo a força quente que havia ali. Desejei ter tido todos esses acessórios para cuidar melhor de Musgo. Eu tinha feito o meu melhor, mas ela teria ficado tão feliz com esse celeiro e esses fardos de feno.

Isso tinha sido há tanto tempo. Aquilo era passado, eu estava no presente. Fiquei com a coluna ereta, minha mão ainda na lateral de Titus. Uma ideia surgiu no meu cérebro, como uma luz branca intensa, e com assombro me dei conta do que River tinha me dito. Naquela época, eu estava *lá*, no tempo e na distância, em um outro mundo longínquo, uma outra eu. Agora eu estava *aqui*, bem aqui, na realidade, e esta era eu *agora*. Eu não estava *mais* lá, não era mais aquela garota. Por algum motivo, eu nunca tinha entendido isso antes.

Talvez o que River quisesse dizer era que o tempo em si era como um rio, se movendo sem parar para a frente, e você estava em um novo rio todo dia, toda hora. Durante toda a minha vida eu tinha me sentido como um lago. Um lago onde tudo estava guardado, para sempre. Todas as minhas experiências, todas as diferentes pessoas que fui, tudo o que tive, tudo o que perdi... Eu carregava isso tudo comigo, o tempo todo. Essas coisas formavam camada depois de camada de uma casca dura, como camadas de verniz em uma caixa japonesa. Aquela casca tinha protegido o eu murcho e pela metade que não conseguia mais suportar interagir com nada e ninguém de modo normal.

Meu tempo ali — não chegava nem a dois meses — estava gradualmente arrancando uma camada, da espessura de uma folha de papel, de cada vez. E o eu miserável e encolhido lá dentro estava meio que... se expandindo. Aumentando, como uma flor quase morta que de repente é ensopada de chuva. Por que aquilo estava acontecendo? Por que eu estava permitindo isso depois de tanto tempo?

Naquele dia, 440 anos antes, eu tinha deitado no chão queimado da fortaleza do meu pai, chorando de medo e dor. Sofri um aborto, minha única ligação com Àsmundur e com a minha vida com ele. Naquela hora, senti de verdade que tinha perdido tudo — minha família, meu lar, minha família adotiva, meu marido, meu amado cavalo, e agora meu único bebê, que tinha vivido sem eu saber e tinha morrido antes que eu percebesse. Eu não tinha mais nada, nem para onde ir. Não podia ser ninguém — nem filha, nem esposa, nem mesmo amiga.

Quando consegui andar, no dia seguinte, juntei minhas coisas e segui pela estrada, para longe daquele lugar de horror, morte e perda. Andei até encontrar uma planta alta e folhosa com belos ramos de pequenas flores lilás. Comi um punhado delas, me engasgando com as flores, as folhas ásperas e grossas, mal conseguindo engolir. Nossa lavadeira tinha nos falado que o acônito era uma planta venenosa e que nós, crianças, nunca devíamos tocá-la.

Comi tanto quanto consegui, sentindo o veneno começar a me queimar a boca. Minhas mãos ficaram dormentes e eu me encolhi com dores de barriga terríveis. Chorei e gritei, vomitando durante horas até perder a consciência.

A ironia era, claro, que eu era imortal mas não sabia. Depois que minha tentativa de suicídio falhou e eu nem pude morrer direito, consegui de alguma maneira ir para a maior cidade do país, Reykjavik. Fui aceita como criada por uma governanta e apresentada à minha nova patroa, Helgar. Foi aí que minha vida como imortal começou e minha antiga vida terminou, com tanta rapidez e certeza como teria sido se aquele acônito tivesse me matado. Eu tinha criado minha primeira casca.

— Se você escovar mais esse cavalo, não vai sobrar pelagem nele.

Minha cabeça se ergueu de repente e vi as costas largas e eretas de Reyn enquanto ele carregava várias selas pesadas pelo corredor. Reyn estava lá naquela noite. Ele era um dos invasores no corredor. Ele propriamente não tinha matado ninguém da minha família, o que era um alívio, porque nesse caso *eu teria* que matá-*lo*, e é bem difícil cortar a cabeça de alguém. Mas ele estava lá naquela noite. Ele era a única pessoa viva que tinha compartilhado o horror daquela experiência comigo. E aqui estava ele, de calça jeans e botas. Nada de tinta no rosto, nada de espada no cinto. Só um cara normal. Um cara normal, mal-humorado e arrogante que tinha participado da experiência que dizimou a minha família, quatrocentos anos antes.

Titus tinha virado a cabeça e estava me dando um olhar de *cheeega*.

— Me desculpe — murmurei para ele, guardando os acessórios e soltando-o.

Levei-o até a baia, me certifiquei de que ele tinha feno, e então voltei para o meu quarto, perdida em pensamentos.

CAPÍTULO 30

Só mais um pedacinho...

Dei outra mordida devagar, olhando para meu prato, mas concentrando toda minha atenção no pãozinho de Nell. Eu inspirava e expirava muito devagar, me esforçando em mover aquele pãozinho só um pouquinho, para fora do alcance dela, uma vez depois da outra.

Uma, duas, três vezes eu a vi ir pegar o pãozinho enquanto falava com um Reyn indiferente e um Lorenz mais animado, que jogava a cabeça para trás e ria. Cada vez a mão de Nell ia automaticamente para onde ela tinha deixado o pão, e cada vez os dedos dela se fechavam no ar. Franzindo a testa, ela o pegava, quebrava um pedaço e o colocava perto do prato.

Então eu o mudava de lugar, bem, bem devagar. Usando só o meu extraordinário cérebro imortal. Dava uma sensação incrível de triunfo.

Eu tinha chegado lá mais cedo e feito os feitiços de limitação para que os pãezinhos de *todo mundo* não se movessem, *só* o de Nell, e só o pão, não o garfo nem o copo. Eu tinha devorado livros de feitiços na biblioteca e praticado trechos do feitiço no meu quarto nos últimos dois dias. Eu estava fazendo magick branca: nada perto de mim estava morrendo, nada estava tendo a vida sugada. Aquela era eu agora, Tähti, usando minha herança de incrível poder mágicko. É claro que eu estava usando-o para fazer uma coisa meio má. Isso a tornava magick não branca? A *intenção* importava tanto quanto o método? Provavelmente haveria uma aula sobre isso no meu futuro.

Eu estava praticamente resplandecendo de excitação reprimida, e o esforço para conter as gargalhadas estava fazendo meu estômago doer. Mas eu estava conseguindo. E Nell estava ficando um pouco irritada, um pouco confusa. Era uma coisa tão pequena seu pão não estar onde você pensa que está, e ainda assim é uma coisa *tão* pequena que a incapacidade de pegá-lo se torna muito intrigante.

Tomei outra colherada de sopa, controlando minha respiração, mantendo o rosto tranquilo e neutro. Dois assentos depois do meu, os dedos com unhas bem-feitas de Nell bateram na mesa vazia, de novo. Dessa vez ela ficou olhando para o pãozinho e fez um sinal rápido para onde ele devia estar.

Quase saiu sopa pelo meu nariz. Senti que ela olhou para a frente e ao redor, pela mesa. Pelo que eu podia perceber, ninguém usava (ou fazia mau uso) de magick assim. Desde o incidente da pedra esmigalhada, Nell tinha feito questão de deixar claro, mas com sutileza, que estava me observando, que não sentava do meu lado, que me evitava. Ela queria ter certeza de que todo mundo sabia que a querida e doce Nell estava atenta e não confiava em mim. Afinal, ela estava lá havia anos. Eles a conheciam. Eu ainda era relativamente uma estranha.

— Ah, Nas, você tirou a cobertura das fileiras de cebola hoje de manhã, na horta? — perguntou Brynne.

Ela tinha outra faixa colorida enrolada na cabeça, em contraste com o suéter nórdico de lã. Ultimamente, parecia que os aquecedores não estavam dando conta da tarefa de manter os aposentos quentes. Já estava sendo um inverno mais frio do que o habitual, era o que as pessoas diziam.

— Sim — falei, e mergulhei meu pão na sopa.

— E você as cobriu antes de o sol se pôr? — perguntou Asher.

— Cobri — falei, e estiquei o braço para pegar mais verduras.

— Não vamos ter mais espinafre este ano, nem mesmo nas estufas — disse Jess em sua voz rouca. Tentei parecer desapontada.

Nell agora segurava seu pãozinho com força em uma das mãos, enquanto seu sorriso se tornou tenso, a risada um pouco estridente demais.

Com a expressão mais inocente que consegui, continuei comendo lentamente e ouvindo as pessoas falarem do Yule, que seria no dia seguinte.

— Temos o tronco do Yule — disse Charles. — Está sendo preservado no celeiro de trás desde o ano passado.

— Vamos acendê-lo ao pôr do sol — disse Solis. — Como vão os planos da equipe de cozinha?

— Somos eu, Charles e Lorenz — disse Anne. — Acho que já decidimos tudo.

— Tudo bem — disse Solis. — Gritem se precisarem de ajuda.

— Posso fazer biscoitos se vocês quiserem — disse Jess, e Anne pareceu feliz e fez que sim com a cabeça.

A ideia do sofrido Jess, que parecia ter sido arrastado das ruas por algum programa de assistência social, ser um mestre-cuca dos biscoitos era engraçada, e eu sorri.

Com o canto do olho, vi que Nell tinha finalmente soltado o pãozinho, deixando-o na beirada do prato.

— A decoração está quase pronta — disse ela, com um sorriso alegre no rosto. — E vamos pendurar ramos de visco, portanto tomem cuidado!

Ao redor da mesa, as pessoas sorriram e deram risadinhas, incluindo eu — ao mesmo tempo em que lentamente, lentamente empurrava o pão de Nell para fora do prato.

O suave movimento chamou a atenção dela e ela virou a cabeça para olhar para o pão. Lorenz, bem à minha frente, me pediu que passasse o sal, e fiz isso com calma, sem perder a concentração. Eu até consegui perguntar a ele se as pessoas trocavam presentes no Yule.

— Faremos uma brincadeira de "elfo secreto" — explicou ele naquele inglês com sotaque. Lorenz parecia unir gerações de noções italianas de perfeição em uma pessoa só, e me perguntei por que não o achava mais atraente. — Colocamos os nomes em um chapéu, e cada um de nós tira um. Então temos que dar um presente secreto para quem tiramos.

Pensei no que Nell faria para garantir que ela tirasse Reyn, ou ele a tirasse, ou ambos.

Olhei devagar e vi que Nell estava partindo o pãozinho em pedaços e os jogando na sopa, onde os achatou com a colher. Quase caí na gargalhada, mas a expressão atenta e mortal no rosto dela conteve meu impulso divertido.

Será que mais alguém tinha notado? Ela parecia um pouco que estava quase fora de si. Reyn a estava observando com o canto do olho, sem expressão alguma no rosto.

Todo mundo estava falando sobre planos para o Yule, e o clima estava leve, alegre e aconchegante. Olhei ao redor e vi que todas as pessoas — exceto Nell e Reyn — pareciam satisfeitas. Tive outra daquelas percepções do tipo que dão vontade de dar um tapa na testa: não conseguia me lembrar da última vez que estive no meio de um grupo que parecia satisfeito. Com certeza nenhum dos meus amigos que, com o tempo e a distância, agora me pareciam sociopatas. Eu tinha convivido com pessoas ricas, poderosas e sem limites por muito, muito tempo, mas quando é que qualquer um deles tinha parecido satisfeito? Triunfante, sim. Vitorioso, sim. Mas satisfeito era um fenômeno completamente novo para mim, e fiquei impressionada com isso.

As pessoas nesta mesa não estavam mudando o rumo da história, nem dirigindo empresas enormes, nem conquistando territórios. Não estavam levando nada até o limite ou além. Não estavam subjugando outras pessoas, não estavam trabalhando para aumentar seu controle sobre alguma coisa a não ser eles mesmos, não estavam fazendo nada em excesso, não estavam adquirindo tudo o que podiam. Cada uma delas, agora eu sabia, tinha histórias horríveis e histórias de triunfo. Cada uma delas precisava ficar ali por pouco ou muito tempo.

E mesmo assim, havia um nível profundo de satisfação entre elas. Mesmo Jess, arruinado pelo tempo e pela experiência, parecia satisfeito. Ninguém se achava perfeito — todo mundo estava trabalhando em habilidades, forças, áreas de conhecimento. Todo mundo era um trabalho em desenvolvimento. Não eram importantes em qualquer outra esfera além desta, eram conhecidos de poucos além de uns dos outros. Todos tínhamos trabalhos relativamente simples, e todos íamos levando a vida, limpávamos e carregávamos coisas como escravos cotidianamente.

Por que eles estavam tão felizes? A maioria nem tinha encontrado sua alma gêmea. Asher e River formavam um casal, mas ninguém mais estava junto, ao menos que eu soubesse.

Senti um assombro. Mais ainda: senti um despertar repentino, um entendimento, um esclarecimento. Talvez minha pedra da lua estivesse me ajudando — mas, de repente, eu finalmente soube o que queria. Parecia óbvio, como se estivesse bem à minha frente o tempo todo, até mesmo antes de eu chegar ali.

Vi que River estava olhando diretamente para mim, os olhos castanho-claros alertas. Erguendo a sobrancelha de leve, ela lançou um olhar para o pãozinho de Nell, agora esmagado e em pedacinhos dentro do prato de sopa. Depois ela apertou os olhos para mim, como se dissesse: "Sei que você causou isso."

Mordi o lábio.

A refeição terminou. Eu só tinha preparado o feitiço do pãozinho, então, depois de ele ter virado maçaroca na sopa de Nell, minha diversão acabou. Mas fora glorioso.

Então descobri que Reyn e eu éramos a equipe de limpeza do jantar. Não tínhamos sido escalados para trabalhar juntos desde que descobrimos um sobre o outro, e eu podia jurar que meu nome não estava lá antes do jantar. Mas agora estava, e quando olhei para River, ela me respondeu com um olhar sóbrio. Será que essa era minha penitência pelo pãozinho? Ela não tinha como ter certeza. Talvez tivesse.

Na cozinha, Nell estava parada muito perto de Reyn, que estava enchendo a pia de água com detergente. Ela estava rindo para ele, murmurando em sua voz doce.

— Nell? — disse River.

Nell olhou ao redor com um sorriso encantador. Quando ela me viu, o sorriso vacilou, mas ela logo se recompôs. Ela gesticulou alegre na minha direção.

— Nastasya, pode ir. Eu assumo sua tarefa.

Eu me virei e estava pronta para sair voando da cozinha quando River intercedeu:

— Eu gostaria que Nastasya cuidasse da cozinha com Reyn hoje, Nell.

Todos ficamos surpresos — as pessoas trocavam de tarefas entre si o tempo todo. Aquilo era meio incomum. Eu obviamente tinha algum tipo de lição de vida a aprender ao ser alocada na cozinha com meu arqui-inimigo. Eu claramente não me sentia nada pronta para aprendê-la.

Soltei o ar e comecei a organizar as sobras em potes de plástico. River esperou até que Nell, relutante, saísse e depois chegou perto de mim.

— Sentimos... alguém procurando uma visão de você, Nastasya. Normalmente nós não perceberíamos isso, mas fizemos feitiços para esconder sua presença aqui. Alguém tem tentado encontrá-la, usando magick.

Meu coração deu um salto.

— Incy?

— Esse seria meu palpite — disse River. Ela deu um tapinha nas minhas costas. — Não quero preocupar você, mas achei melhor avisar. Nós, professores, tomaremos providências para garantir que você permaneça segura aqui. A não ser que você queira falar com Innocencio.

— Não quero. Ainda não. — Talvez nunca fosse querer.

— Tudo bem, então. Tudo está bem, mas achei que você devia saber.

Concordei com a cabeça, e River saiu.

A noite lá fora estava negra e fria. O Yule era no dia seguinte e uma atmosfera festiva tomava a casa. Mas ali na cozinha, Incy estava pairando sobre minha cabeça, e havia hostilidade entre mim e Reyn. E, nesse caso, "hostilidade" é um eufemismo dos mais polares.

— River disse que precisamos conversar. — Reyn estava raspando os pratos e jogando os restos no balde dos porcos. Eles amavam restos. — Ela está certa. Costuma estar.

— Não dessa vez. Não quero falar com você. — Joguei a sobra de salada em um saco e o coloquei na geladeira grande.

— Nenhum de nós dois quer ir embora daqui. — A voz dele era baixa e controlada. — Mas temos essa coisa entre nós. Não quero que cause problemas pra nós e nem pra mais ninguém.

Essa coisa entre nós? Ele fazia parecer que tinha sido um encontro ruim.

— Mais ninguém tipo Nell?

Ele me olhou de esguelha. Meu Deus, ele era lindo. Era tão completamente, cosmicamente, carmicamente injusto.

— Não sei por que você fica repetindo isso. Não há nada entre mim e Nell.

Dei uma risada.

— Nell sabe disso? Porque ela já está praticamente escolhendo a louça. — Ele pareceu não entender e eu expliquei: — Para o casamento de vocês.

— Não seja ridícula. — Ele pareceu horrorizado, e meu coração deu um pulinho. Meu coração é imbecil assim.

— Não seja um idiota distraído e insensível — respondi. — Ops, tarde demais! — Entrei na despensa grande para pegar alguns recipientes, e levei um susto quando Reyn me seguiu. A despensa era essencialmente um armário estreito, e não havia espaço para nós dois.

— Saia — falei, minhas mãos cheias de potes plásticos.

— Podíamos matar um ao outro — disse ele.

Ele era alto e largo e tinha um cheiro surpreendentemente bom para alguém que massacrara vilarejos inteiros. Meu olhar desceu para o decote em V da camisa dele, e me lembrei da queimadura que ele tinha. Então registrei suas palavras.

— O quê? — Um frio se instalou no meu estômago. Como armas de defesa, os potes de plástico eram completamente inadequados.

— Você podia me matar pelo papel que desempenhei em suas piores experiências. Eu podia matar você pelo papel que você desempenhou nas minhas. Nós dois perdemos irmãos, pais, amigos, em mortes horríveis. Agora só há você, herdeira da Casa de Úlfur, e eu, herdeiro da Casa de Erik, o Derramador de Sangue. Você e eu somos tudo o que sobrou.

— E você acha que devíamos matar um ao outro e acabar com tudo? — Franzi a testa. — Nem consigo imaginar como.

A lateral da boca de Reyn tremeu e eu inspirei fundo.

— Podíamos dar as mãos e pular em uma turbina industrial.

Fiquei olhando para ele.

— Você acha isso engraçado?

Ele fez um gesto de impaciência.

— Acho que quatrocentos anos se passaram, é isso que acho. Se você quisesse vingança, devia ter ido atrás de mim naquela época.

— Eu tinha *10 anos*!

— Eu tinha acabado de fazer 20!

Olhamos com raiva um para o outro por um longo momento.

— Acabado de fazer 20? — falei por fim. — Você não tinha 200 anos já naquela época?

Reyn balançou a cabeça.

— Não. Meu pai tinha 500 anos naquela época. Eu tinha três irmãos. Um tinha 460 anos. Outro, 299 anos. E o terceiro, 174. Eu tinha 20. Ser imortal era algo incompreensível pra mim até então.

— E todos eles morreram?

— Sim — respondeu ele com seriedade. — Um morreu naquela noite. Os outros dois morreram com meu pai quando ele tentou usar o amuleto da sua mãe.

— Por que você não morreu nesse dia também? — Teria sido tão conveniente.

— Não sei. Por que você não morreu naquela noite?

— Minha mãe caiu em cima de mim. Fiquei escondida debaixo da saia dela.

Ficamos em silêncio então, repassando lembranças que, escondidas, eram tão mais dolorosas. Era incrível para mim que eu tivesse alguém para conversar sobre aquela noite, alguém que a tinha vivenciado.

Reyn deixou escapar um suspiro.

— O que foi agora? Ficamos de bem? Matamos um ao outro? Algum de nós dois vai embora? Posso dizer que não vou ser eu.

— Não quero ir embora.

Aqueles dois últimos meses tinham sido os melhores da minha vida inteira, os mais saudáveis. Eu me sentia muito diferente agora; embora sentisse mais dor com frequência, eu conseguia ver que era como furar uma bolha. Quando as lembranças estavam expostas, elas eram menos destrutivas.

— Então nós dois ficamos — falou Reyn.

Fiz uma careta.

— Pois é. Até eu conseguir pensar em alguma coisa horrível pra fazer com você. Mas se você fosse um cavalheiro, iria embora.

Ele deu um sorriso forçado e o oxigênio nos meus pulmões evaporou.

— Nós dois sabemos que não sou um cavalheiro.

— É. Tudo bem, me deixe sair. Estou cansada.

— Tem outra coisa — disse ele, e eu gemi.

— O que foi agora?

— Isso.

Ele deu um passo na minha direção, chegando tão perto que os recipientes estavam espremidos entre nós. Os olhos dele olharam dentro dos meus, atentos e dourados, como os de um leão.

— Ah, não, não faça isso! — sibilei, soltando tudo. Empurrei com força, minhas mãos em seu peito; era como empurrar uma árvore.

— Sim — disse ele bem baixinho, se inclinando. — Faço sim.

Eu me contorci. Empurrei-o e tentei virar a cabeça. De verdade. Mas você sabe, ele é muito mais forte... e eu sou, é claro, uma *idiota total e absoluta*, e quando ele me abraçou com força e capturou meus lábios com os dele, todo pensamento coerente fugiu da minha cabeça e, em segundos, esqueci de lutar.

Pensamentos como *inimigo mortal*, pensamentos como *eu o odeio*, pensamentos como *Nell é um problema* — todos desapareceram como fumaça sendo dissipada ao vento.

Afastei minha boca, dividida e confusa e tão cheia de desejo que meu peito doía, e disse:

— *Por quê?*

— Não sei — disse ele. — Não sei. — Ele parecia frustrado e inseguro e consternado. Senti o coração dele batendo contra meu peito. — Só quero...

você. Quero você demais, o tempo todo. Sei que eu não devia, sei que não posso, sei que é errado... mas mesmo quando você está me irritando, quando está me lembrando da dor, do desespero e da tortura, a vontade está lá. Estou cansado de lutar contra isso. Luto contra tantas coisas o tempo todo, todos os dias. Não quero lutar contra isso. Não mais.

Nossas testas estavam encostadas. As mãos dele estavam ao redor da minha cintura; as minhas estavam nos ombros dele. Reyn parecia uma pedra debaixo dos meus dedos, então tateei sua camisa no local onde a queimadura devia estar. Eu queria me fundir a ele, queria arrastá-lo de volta para o palheiro — e ao mesmo tempo sabia que era burrice e loucura e que eu devia receber tratamento psiquiátrico imediatamente. Talvez até sofrer terapia de choque. Quem sabe ser colocada em uma camisa de força.

Era como se por fora soubesse que tudo era errado, traição e burrice, mas por dentro estivesse pensando "oh meu Deus, isso é tão gostoso, tão certo, encaixamos, somos iguais, conhecemos um ao outro até o osso".

Não sei quanto tempo ficamos ali, nem que horas finalmente nos separamos. Tinha sido um pequeno som que chegou ao meu cérebro febril? Um assobio? Um leve som de arrastar no chão de pedra do lado de fora da despensa?

Mas minutos depois ouvimos gritos, e quase na mesma hora sentimos cheiro de fumaça.

— Fogo! — gritou alguém, e o grito ecoou na voz de outras pessoas. Depois o alarme de incêndio soou.

Reyn pegou minha mão e me puxou para fora pela porta dos fundos da cozinha, para o ar frio da noite. Corremos até a frente da casa, onde as pessoas estavam se reunindo no jardim da frente. Todo mundo parecia chocado e preocupado.

— Onde está River? — Segurei Brynne quando ela passava correndo.

— Eles estão apagando o fogo — disse ela, sem fôlego. — Os professores. Tenho que ver se todo mundo está aqui.

Ela começou a apontar para todo mundo. Alguns tinham corrido para fora da casa, outros já estavam do lado de fora, e Jess estava no celeiro. Ela contou oito alunos, incluindo Reyn e eu, que antes estávamos dando uns amassos na despensa. Fiz uma careta quando me lembrei disso.

Em poucos minutos, as janelas não exibiam mais a luz bruxuleante das chamas.

— Parece que foi na ala dos dormitórios — disse Daisuke, esfregando os braços.

A maioria de nós estava sem casaco. Eu estava tomando o cuidado de não ficar parada muito perto de Reyn. Por dentro, meus pensamentos estavam meio que gritando de horror e alegria, mas eu precisava manter tudo em segredo até descobrir que diabos eu estava fazendo.

— Ah, Reyn! Aí está você! — Nell veio para perto e passou o braço pelo dele; eu olhei para o outro lado e tentei não reagir. — Meu Deus, o que está acontecendo? Sinto cheiro de fumaça. — Ela olhou para os outros ao redor e depois me viu. Ela ficou estupefata ao me ver: piscou, de boca aberta, como se quisesse ter certeza de que eu estava lá.

— Houve um incêndio — disse Rachel. — Você está certo, Daisuke, foi na ala dos dormitórios. Tive que usar a escada de incêndio no outro lado da casa.

Um minuto depois, River, Anne, Asher e Solis saíram da casa.

— O fogo foi apagado — disse Solis, e alguns alunos bateram palmas.

— O que aconteceu? — perguntou Charles. — Como o fogo começou?

— Ainda estamos tentando descobrir — disse River. Ela parecia muito séria e cansada. Será que eles tinham usado magick para apagá-lo?

— Onde foi exatamente? — perguntou Nell. Com o canto do olho, vi Reyn tirar a mão dela do braço dele e dar um passo para longe. Ela olhou para ele com ansiedade, mas tentou manter uma expressão calma no rosto.

— Foi perto do quarto de Nastasya — disse Anne, olhando para mim. — Ao redor da porta dela.

Meu queixo caiu.

Nell balançou a cabeça.

— Algumas pessoas têm que ser o centro das atenções — murmurou ela baixinho, só alto o bastante para que algumas pessoas ouvissem.

Eu me virei para encarar Nell, mas antes que eu pudesse falar, River disse:

— Sim. Sei o que você quer dizer.

Nell pareceu não ter tido a intenção de que River a ouvisse e corou.

— Eu não iniciei o incêndio — falei com raiva. — Meu quarto está inteiro?

— Sim, achamos que está — disse River. — Você pode entrar e verificar.

— Bem, onde você estava? — Nell me lançou um olhar preocupado. — Você não estava na cozinha. Não estava no celeiro. Não estava dando a caminhada com os outros. Devia estar no seu quarto. Como você saiu? Como sabemos que não foi você quem iniciou o incêndio?

Coloquei minhas mãos nos quadris, querendo arrancar aquele olhar presunçoso do rosto dela.

— Já chega, Nell — disse Asher. — Nastasya, vamos ver seu quarto.

— Mas... por que vocês acreditam nela? — Nell parecia estupefata. Os outros alunos nos cercaram e tive a sensação de que eles não testemunhavam coisas assim com frequência. Eu tinha levado emoção para River's Edge! De uma maneira completamente ruim, é claro.

— Nastasya estava comigo — disse Reyn simplesmente.

Os olhos de Nell se arregalaram.

— Não, ela estava no quarto dela. Onde você estava? Você não estava na cozinha. Eu... precisava te perguntar uma coisa, e você não estava lá.

— Nastasya estava comigo o tempo todo, desde o final do jantar até agora. Não estava no quarto dela. — Um músculo tremia no maxilar de Reyn. Ele estava com raiva.

A possibilidade de Reyn me defender pareceu não ter ocorrido a Nell, e isso a irritava.

— Ela pode ter saído um minuto, corrido, iniciado o incêndio e voltado — falou ela. — Onde vocês estavam?

— Ela não fez isso — disse Reyn.

— Nell, parece que você está implicando com Nastasya — falou Rachel.

— Não estou! — insistiu Nell. — Mas por que todo mundo confia nela? Por que todo mundo acredita *nela*? Desde que ela chegou, as coisas têm sido horríveis! Tudo tem sido sombrio, do mal! Ela estragou tudo!

De repente, River e Solis estavam parados, um de cada lado dela.

— Acabou, Nell — disse Solis com delicadeza.

— O que está *acontecendo?* — perguntou Charles.

— Nell — disse River, colocando uma das mãos no ombro dela. — Você sabe o que vou dizer. Já conversamos sobre isso. Você foi longe demais, e tenho que pedir que vá embora de River's Edge.

Um queixo caiu atrás do outro, inclusive o meu.

Nell ficou atônita.

— Não! Do que você está falando? Não eu, *ela*! *Ela* tem que ir embora! Ela é má, violenta! Ela tentou me machucar! Eu não queria dizer, não queria causar problema. Mas ela colocou feitiços em mim! Ela tentou me ferir! Vocês têm que se livrar dela!

— Nell — disse River, e esperou até que Nell se concentrasse em seu rosto. — Conversamos sobre isso, sobre os feitiços que você colocou no quarto de Nastasya, e sobre outras coisas que você fez. Está fazendo magick negra, e não vamos tolerar isso. Nós demos a você várias chances de escolher um caminho diferente, mas você parece incapaz de superar seu ódio. Como conversamos, preparei tudo para que você vá passar um tempo com minha tia. No Canadá. Asher pode ir com você, para ajudá-la a se instalar, se você quiser.

— Não estou entendendo o que está acontecendo — falei.

— O que está acontecendo é que você está *vencendo*! — O rosto de Nell de repente se transformou numa máscara de fúria. — Sua piranha idiota! Você está tentando se livrar de mim desde o começo! Reyn *me* ama! Ele quer ficar *comigo*! Mas você colocou um feitiço nele, fez com que ele quisesse você! Vi vocês se beijando!

Por favor, chão, se abra e me deixe cair em um abismo sem fundo até que eu chegue ao centro da terra e entre em combustão. Por favor. É demais pedir isso?

Nell partiu para cima de mim enquanto eu estava paralisada de vergonha, mas River e Solis seguraram os braços dela. River começou a murmurar coisas, traçando símbolos nas costas e nos braços de Nell. Nell começou a gritar, se contorcer, chutar.

— Não! Parem! Vocês estão entendendo tudo errado! É ela! Ela é a culpada! Ela é do mal! Todos nós sentimos! *Livrem-se dela!* — As últimas palavras dela se perderam em um grito.

Foi horrível e doloroso, e humilhante, embora eu a odiasse. Mesmo assim, foi ruim.

Alguns minutos depois, Nell se curvou, soluçando cansada, e Solis colocou um braço nos ombros dela, levando-a até a van. Anne foi atrás, falando baixinho, dizendo que mandariam as coisas de Nell para ela. Nell ainda estava resmungando, com lágrimas correndo pelo rosto, e para falar a verdade, ela parecia uma bruxa louca.

Eu estava tentando absorver o fato de que River parecia acreditar em mim, parecia estar ficando do meu lado, apesar de tudo. Reyn estava parado perto de mim, embora não estivesse me tocando. Vi as mãos dele se fechando e abrindo, e percebi que todo mundo olhava de Reyn para mim e vice-versa como se assistissem uma partida de pingue-pongue.

River veio até mim. Senti como se tivesse sido colocada em um liquidificador na potência máxima. Todas as minhas emoções estavam remexidas, meus nervos estavam muito tensos.

— Você está bem? — perguntou ela.

Pensei na pergunta.

— Não. Não mesmo.

Ela me deu o sorriso mais sincero do mundo e acariciou o meu braço, depois olhou para Reyn. Inclinando a cabeça para o lado, River se virou para mim, como se estivesse sentindo alguma transformação na minha alma, como se tivesse sentido até mesmo antes de mim.

Soltei o ar. Os olhos dela ainda estavam em mim.

— O que você quer? — perguntou ela baixinho.

Engoli em seco.

— Quero ser parte daqui — falei, contando a ela o que eu tinha percebido durante o jantar. — Ficar satisfeita e em paz, e não precisar de nada além de aprender. Quero me sentir segura, e não como uma estranha. Quero... ser *parte* daqui. Ser merecedora de estar presente. Pelo tempo que eu puder. — Estupidamente, eu estava à beira das lágrimas, como uma criança, como alguém com as emoções à mostra. O pânico pulsou no meu peito, mas eu o ignorei.

O olhar dela se aguçou, e pensei ter visto mais do que mil anos de emoções por trás de seus olhos.

— É? — perguntou ela.

— É. Mas... mais do que tudo, quero ser eu mesma. Quero ser Lilja, da Casa de Úlfur. — Passei a mão sobre o rosto, muito cansada. — Sei disso agora, e entendo tudo o que isso significa. Quero meu poder de volta. Quero minha herança. Quero ser filha da minha mãe, herdeira do meu pai. — Engasguei com as palavras, e tive aquela sensação quente de antes do choro atrás dos meus olhos. Tudo parecia tão claro para mim agora, tão inevitável.

Uma nova luz brilhou nos olhos de River, uma nova curiosidade em seu rosto. Pensei ter visto alívio, felicidade, expectativa na expressão dela. Ela colocou o braço no meu ombro.

— Sim — disse ela simplesmente. — Sim. Quero isso para você.

— Peraí — disse Brynne, a voz dela parecendo alta demais na noite silenciosa. — Vocês estavam *se beijando*?

Gemi e escondi meu rosto. Reyn se mexeu com desconforto, olhando para todos os lugares menos para mim. As coisas não tinham terminado entre nós — nem as coisas ruins e, agora eu sabia, nem as coisas boas. Eu queria ver o que ia acontecer. Tinha desistido de fugir.

Este livro foi composto na tipologia Minion Pro,
em corpo 11/14,3, e impresso em papel off-set 56g/m²,
no Sistema Cameron da Divisão Gráfica
da Distribuidora Record.